EMPIRES
A HISTORICAL AND POLITICAL SOCIOLOGY

帝国
その世界史的考察

クリシャン・クマー
立石博高／竹下和亮〔訳〕

岩波書店

ヴァージニア大学の学生，教職員の皆様へ

EMPIRES
A Historical and Political Sociology

by Krishan Kumar

First published in 2021 by Polity Press, Cambridge.
This Japanese edition published 2024
by Iwanami Shoten, Publishers, Tokyo
by arrangement with Polity Press, Cambridge.

序文

帝国は、有史以降のほとんどの時代において、最も一般的な政治組織の形態(ときに「デフォルト」とも言われてきた)である。それは人類文明の夜明けとともに現れ、少なくとも二〇世紀後半まで続いた。ヘロドトス、イブン・ハルドゥーン、エドワード・ギボンのような偉大な思想家にして偉大な著述家たちは帝国に思索をめぐらせ、ジョゼフ・コンラッド、ヨーゼフ・ロート、ロベルト・ムージル、V・S・ナイポールといった小説家たちは、帝国に関する鋭い探究を行なった。またティツィアーノ、ダヴィッド、ドラクロワなどの芸術家たちは帝国を絵画に描き、フランツ・ファノン、エドワード・サイードなどの帝国の批判者たちは、永続的で、彼らにとってはきわめて有害な帝国の影響について論じた。

かつて巨大な諸帝国が支配したヨーロッパ社会において、帝国に対するあからさまといってよいほどの無関心の時代が続いていた。しかし今では、ヨーロッパで再び帝国に関心が向けられ、詳細な検討の対象となっている。歴史家、社会学者、政治学者、文学理論家が、一斉に帝国に目を向け始めたのである。帝国を扱ったテレビ番組が編成され、なかにはその後、書籍化されて好評を博したものもある。ニーアル・ファーガソンやジェレミー・パクストンによるイギリス帝国に関する本などがそうである。世論調査によると、ヨーロッパの人々は帝国を再び誇らしく思うようになっている。この現象はヨーロッパだけではない。トルコでは、一六世紀オスマン帝国のスルタン、「壮麗者」スレイマン大帝の生涯を描いたテレビドラマのシリーズ『壮麗なる世紀』〔邦題は『オスマン帝国外伝――愛と欲望のハレム』〕が爆発的にヒットし、「オスマンマニア」とでも言うべき人々が増加しているという。共産主義政権が誕生した頃は、帝国の過去を救いがたいほど「封建的」で蒙昧だと否定していた中国も、その帝国としての歴史を再評価し始めた。

今日の研究者は、以前の世代と異なり、またドラマシリーズのような大衆向けの扱い方とも違って、帝国現象の一般化を警戒する傾向がある。その結果、特定の地域と時代に属する帝国のそれぞれのグループに焦点が当てられることになった。とくに関心が向けられたのは近代ヨーロッパの海外帝国(overseas empires)〔クマーは海洋帝国(maritime empires)と区別して、海外領土をもつ帝国を海外帝国と呼ぶ〕である。それは一六世紀にポルトガルとスペインの勃興によって誕生し、一七世紀と一八世紀にオランダ、フランス、イングランド／イギリスによって引き継がれた。オスマン、ロシア、ハプスブルクなどの同時代の陸上帝国(land empires)は、通常別個の扱いを受けている。同様に、中華帝国や、アラブ人、ムガール人、サファヴィー人などの建設したイスラーム帝国のような非西洋の帝国も、その文化と歴史の文脈のなかで専門家によって研究が進められている。前コロンブス期の南アメリカの帝国(インカとアステカ)は、ユーラシアとは異なった原理に立つものとして、もっぱら新大陸文明の専門家の手に委ねられている。

帝国に関する文献でとくに目立つのは「古代」と「近代」の帝国が分けられていることである。初期のメソポタミアとエジプトの帝国、ペルシアとアレクサンドロスの帝国、ギリシア人の帝国とそこから時代を下ったローマ人の帝国に関しては、そのどれもに厚い研究の蓄積がある。しかし、これらの帝国は、一般的にその後の帝国、とりわけヨーロッパの海外帝国とは根本的に異なっているとみなされている。その違いは、部分的には技術的な問題(伝達手段の困難など)によるものと考えられているが、同時に、そこに生きた人々にとって帝国とは何であったのか、それぞれの帝国は何を達成しようとしたのか、といった帝国の原理上の差異によるものだとも考えられている。

本書は、西洋と非西洋の帝国、初期と後期の帝国の差異について意識的である。西洋の帝国ではローマとキリスト教が重要な役割を果たしたが、そのことは、非西洋の帝国におけるイスラーム教や儒教などの他の「世界宗教」やイデオロギーの重要性と同じくらい明白である。同様に、私は帝国における時間性(先立つ帝国を意識すること、それぞれの時代がいかに様々なタイプの帝国を生み出したのか、など)も強調している。とくに本書が注目したのは、帝国の歴史を二つに分かつ重要な「裂け目」、もしくは分水嶺である。第一は、紀元前一〇〇〇年期の世界宗教による「枢軸時代」である。第二は、一五―一六世紀のヨーロッパにおける「発見の旅」とともに始まる征服と植民地化の時代である。この第二の時代が、その後の世界の展開に対する影響力の大きさによって、帝国の歴史にとって根本的に新しい段階を画している。

しかし、同時に帝国の共通性についても強調しておかねばならない。そもそも、世界の帝国に時空を超えて共有された特徴があるからこそ、個体としての「帝国」を語ることができるのである。中国のように、長きにわたる自国の政治体制を説明するのに帝国という言葉をずっと使用してこなかった社会においても、その他の帝国、とくに西洋の帝国との類似性を明らかにする努力が行なわれている。一九世紀後半までに帝国に関する共通の理解が出来上がったが、それは世界各地に起こった世界史上の様々な時期の帝国現象を一つにつなごうとするものだった。そのさい、しばしば帝国のモデルを提供し、帝国に不可欠な要素とは何かを教えたのはヨーロッパの帝国だったが、当時の世界におけるその重みからすると、それも驚くべきことではなかった。

しかし、ヨーロッパの帝国そのものが長い歴史を有しており、ローマ帝国、さらにはそれ以前のアレクサンドロス大王の帝国に遡る伝統に依拠していた。またアレクサンドロス自身も、多くの点で、自分が征服したアケメネス朝ペルシアを引き継いでいたし、翻ってアケメネス朝も、帝国の相続者、継承者として、アッシリア、バビロニアなどメソポタミアにおける積年の帝国的伝統に負っていた。このように帝国はあらゆる形式で相互につながっていたため、その理念や制度は時空を超えて、頻繁に行き交っていた。それらを結びつける装置として使用されたのが、帝国が一方から他方に引き渡されたり、伝えられたりといった現象を表す「帝国移動 translatio imperii」の概念である。これはもともと西洋世界で作られた概念であるが、それが西洋以外の多くの帝国にも適用された。

この「帝国移動」という概念と、それが生み出した「帝国の伝統」という考え方こそ、本書で追求されるテーマの一つである。他にも、以下のような問題が扱われる。例えば、帝国における支配者と非支配者の関係である。この点に関しては、完全な対立よりもどちらかと言えば共生の方が強調されることになろう。次に帝国と国民国家の関係であるが、通常、この二つの政治形態は相反する原理によって規定されると考えられている。確かに、両者は最終的には異なった帰結をもたらすものの、その実、密接な関係を有しており、実質的に多くの類似点がある。さらに、帝国の没落の原因や、帝国の時代が公式に終焉を迎えても、帝国は永続的な遺産を残しつつ、何らかのかたちで存続していくという問題も問われることになる。その全体を通して、私は東西のあらゆる種類の帝国、歴史の黎明期以降のあらゆる時代の帝国に言及した。当然ながら、このようなささやかな書物では選択を行なわざるをえない。とくにコロンブス到達以前の南アメリカの帝国やアフリカの帝国は、簡単にしか触れられていない。その代わり、非西洋の帝国のなかではおそらく最も重要な中国については、かなりの頁が割かれている。それよりは少ないかもしれないが、アラブ、ムガール、サファヴィー、オスマンなどのイスラーム帝国にも同様に言及している。またしばしば孤立的なケースと考えられている「アメリカ帝国」にも検討を加えた。

私が二〇一七年に上梓した『帝国のヴィジョン――五つの帝国がいかに世界を形成したのか(*Visions of Empire: How Five Imperial Regimes Shaped the World*)』と本書の違いは、以上述べたことにも表れている。『帝国のヴィジョン』が基本的に近代ヨーロッパの帝国を扱っているのに対し、本書はその範囲が時間的、空間的により広域的になっている。それにより、以前の研究では取り組めなかった問題も考察することができた。本書の主張は、帝国は世界的な経験だということである。帝国がこのような性質を帯びているからこそ、それは研究の対象としてきわめて啓発的なものとなる。それは同時にこれほど広範囲にわたる、永続的な形態に関する話はまだまだ語り尽くされないということも示している。

謝　辞

まずはヴァージニア大学で、何年にもわたって帝国と世界文明に関する私のコースを受講してくれた多くの学生たちに感謝したい。本書は彼らのためにあると言ってもよい。というのも、これは私たちが議論した多くの問題によって形作られているからであり、その点で、学生たちの貢献は計り知れない。そうした問題のいくつかの側面は、香港大学、オーストラリアのニュー・サウス・ウェールズ大学、中国の浙江大学、ペテルブルクのハイヤー・スクール・オブ・エコノミクス、コペンハーゲン大学、ダブリンのユニヴァーシティー・カレッジ、バーゼル大学、ワシントン・ヒストリー・セミナー、テキサス大学オースティン校、シカゴ大学における講義で扱った。これらの講義を可能にしてくださった方々は、順に David Palmer, Saliha Belmessous, Dingxin Zhao, Alexander Semyonov, Peter Fibiger Bang, Siniša Malešević, Matthias Leanza, Dane Kennedy, Wm. Roger Louis, Steven Pincus の各氏である。以上の方々、並びに受講生の皆様に感謝したい。John A. Hall, Chris Hann, Sankar Muthu, Jennifer Pitts の各氏は、ともに帝国について研究する仲間の学徒であり、私も多く学ばせていただいている。ニューヨーク大学リマーク・インスティテュートでの Larry Wolff 氏が中心となって進められたシンポジウム「帝国の衰退と没落」は、非常に楽しく、かつ極めて刺激的であった。Nigel Biggar 氏がオックスフォード大学クライストチャーチで行なっている連続講義は、あらゆる地域と時代の帝国の著名な専門家が一堂に会する場であるが、私も以前呼ばれ参加させていただいたことがある。このような機会を与えてくださった同氏に感謝申し上げたい。これまでに引き続き、今回もとくに感謝したいのは、ヴァージニア大学オルダーマン図書館、とりわけＩＬＬ／ＬＥＯセクションの方々である。

ポリティ社の方々、とくにこの本を書くよう奨めていただき、最終的にこのような形にまとめるにさいして助けていただいたJonathan Skerrett氏に感謝申し上げたい。また原稿の作成過程で非常に効率的にチェックしてくださったKarina Jákupsdóttir氏、注意深く緻密な編集作業を行なってくださったLeigh Mueller氏に同様に感謝申し上げたい。とくにお二人には、著者が何度も締め切りを守りきれなかったにもかかわらず、辛抱強くお待ちいただいた。最後に、今回もKatya Makarova氏に感謝申し上げたい。同氏には私の原稿を非常に注意深く見ていただき、その鋭く洞察力あふれたチェックのおかげで、私のぎこちない言い回しや、不明瞭な箇所をかなり取り除くことができた。私たちは二人とも帝国に関心があり、同氏との会話は、自分の考えを明確化し、感覚を磨くのに計り知れないほど有益であった。

ヴァージニア州シャーロッツヴィルにて

クリシャン・クマー

目次

序文
謝辞

第1章 時間と空間のなかの帝国……1
定義の問題――意味のグループ 1
古代、古典古代、近代の帝国――帝国の歴史における二つの分水嶺 8
第二の分水嶺――ヨーロッパの帝国主義 19

第2章 東洋と西洋の帝国の伝統……39
帝国移動(translatio imperii)――「永遠のローマ」 39
中華帝国――「中心の王国」 48
中華帝国の成長 57
イスラームの帝国 69

第3章　支配者と被支配者……79
対立と適応　79
宗主国と植民地——陸上帝国と海外帝国における距離の問題　84
支配者・入植者・先住民　96
第4章　帝国、ネーション、国民国家……115
ネーション、国民国家、ナショナリズム　115
帝国としての国民国家　120
国民国家としての帝国　127
帝国から国民国家へ——自然な過程か？　132
帝国とナショナリズム　135
国民国家に対立する帝国——原理的な差異　142
第5章　衰退と滅亡……153
修辞的な装置か？　153
中国と帝国の終焉　161
ヨーロッパの陸上帝国の没落　169
脱植民地化と海外帝国の終焉　175

第6章　帝国後の帝国……191
帝国の遺産　191
陸上帝国の遺産　195
海外帝国——ポストコロニアルの条件　211
宗主国社会における帝国のその後　220
帝国に未来はあるのか？　226
「アメリカ帝国」——帝国としてのアメリカ？　231

訳者あとがき　247
参考文献
読書案内
索　引

第1章 時間と空間のなかの帝国

定義の問題——意味のグループ

偉大な社会学者マックス・ウェーバーによれば、「定義は、たとえそれが試みられるとしても、研究が終わった段階でしかなされない」(Weber 1978: I, 399, 傍点強調は筆者、以下同様)。ニーチェを深く尊敬していたウェーバーなら、ニーチェの「歴史なきものだけが定義されうる」(Nietzsche 1956: 212)という、似たような言葉にも賛同したことだろう。すべての人間の観念や実践には歴史がある。そのことからして、人文科学における(または社会科学においても)定義の試みは退けられてしまう。いずれにせよ、ウェーバーもニーチェも、人間社会で生じる現象の定義は、不可能とは言わないまでも有効ではないと警告している。概念であれ制度であれ、その性質は変幻自在で、ピンで止めたような明確な定義をすることは極めて難しい。ガラスケースに蝶をきれいに並べるようにはいかないのである。

帝国はその形状も規模も多種多様である。歴史的に見ると、帝国の内部の現象は様々であり、全体として見ても、支配の類型は様々である。要するにウェーバーとニーチェの警告が、いかなる帝国の定義においても問題になる。ここで、定義における二つのレベルの危険性を確認しておきたい。第一は、全体を包含しようとする無駄な試みである。つまりあまりに一般的で抽象的な包括的定義を行なうと、個々の事例の考察にはほとんど役立たなくなる。第二は、帝国を類型によって分類する、つまり歴史上の時代や地理上の地域で区別することの危険性であるが、この場合、比較が不可能とまでは言わないまでも、しごく困難になってしまう。

ここでは、最初に帝国の明確な定義を行なわない。それが本書のアプローチである。最初に定義をすることから出発するのは無理やり拘束着を着せるようなもので、それをウェーバーはとても恐れていた(有名な例として、デュルケムが『宗教生活の原初形態』の冒頭で厳密な宗教の定義を行ない、それを同書の基礎としたことで生じた問題を参照のこと)。ある種の定義ができ上がるとしたら、それは素材を調べ上げて、特定の事例や論点について議論するに従ってのことである。本書も、終わりになって初めて、おそらく読者だけでなく著者も、帝国という政治体の性質をよりよく認識できるようになるかもしれない。ただ少なくとも、とっかかりとして、「帝国 empire」という用語の様々な使用法と意味のなかにヴィトゲンシュタイン流の「家族的類似性」を見出すことから始めるのはどうだろう(cf. Cooper 2005: 26–27)。

とにかく、ここではそう期待しておきたい。たとえ明確な定義にはいたらなくとも、言葉には当然必ず意味があるのだから(その範囲も広いのだが)、「帝国」という言葉に何がしかの意味を見出すことはできるはずである。では、帝国とは何だろうか。最も基本的で、empire のラテン語の起源にあたる imperium の意味内容からすれば、それはある民族や土地に対する絶対的で主権的な支配、それも地上のいかなる外部権力への上訴権ももたない(とはいえ、神的権威や超日常的権威への訴えは必ずしも否定されない)支配を意味している。それが、共和政ローマ下におけるこの用語の最も古い使用法である。しかし、ローマが共和政から帝政へと移行するに従い、その語義は広がり、多様な民族と土地に対する支配という意味を帯びるようになった。例えば、Imperium Romanum(そこから巨大で広域的な政治体をともなうという帝国の通常の意味合いが生じた)などがそうである(Koebner 1961: 4-5, 11-16)。

その両方の意味が、現在に至るまで、また現在においても使用され続けている。しかし、近年の用法では第二の特徴、すなわち多様な民族や土地に対する支配、もしくは種々の「周縁」に対する「中心」の支配という意味が優勢となっている(例えば Howe 2002: 14-15; Osterhammel 2014: 428; Streets-Salter and Getz 2016: 3-4)。だがいずれにせよ、この二つの意味によって、大きくぼんやりしたかたちではあるが、帝国を国民国家などの他の政治体から区別することができるようになる。ただのちに見るように、帝国と国民国家の場合には実際多くの重なる部分が存在する。たとえば、「中心」と「周縁」は帝国だけでなく、イギリス、フランス、スペインといった多くの大規模な国民国家においても確認することができる(そこから「内国植民地主義」という概念が生じる。この問題については後述)。より有益なのは、「本国」あるいは「母国」と、「植民地」との区別である。これは明白な理由があってのことだが、この区分はほとんどの場合において海外帝国に適用されており、陸上帝国に使われると少々問題が生じる恐れがある。というのも陸上帝国は、はっきり植民地と名指しうるものを保持していない場合も多いからである。同様に厄介なのは、国民国家には「国民」がいて、帝国には「臣民」がいるという分け方である。しかし、一般的には帝国だとみなされていないイギリス連合王国の住民は、一九四八年になるまで、イギリスの国王の臣民であって、国民ではなかった。

次いで、別の二つの語にも注目したい。一つは「帝国主義 Imperialism」である。語源的には、これは imperium 由来の「帝国 empire」からそのまま発展してできた言葉であるが、驚くべきことにこの言葉は、フランスにおけるナポレオン三世の支配と第二帝政を指し示すために一般化した一九世紀半ばまでは、使われていなかったようである。イギリスでは、当初これをボナパルティズム(ナポレオン一世の支配をモデルとするナポレオン三世の政治体制)を侮辱するために、その同義語として取り入れたが、のちになって、イギリス帝国における自身の支配を指し示すのに、より肯定的に使い始めた。しかし、この言葉にはほとんど常に、いくばくかの非難が込められていた。こうした否定的特徴は、反帝国主義に立つ自由主義者や社会主義者の警戒のなかで、さらに強められた。こうした傾向のきっかけとなったのが、自由主義者ホブソンの『帝国主義論』(一九〇二年)である。このホブソンの本の影響のもと、レーニン、ローザ・ルクセンブルク、ルドルフ・ヒルファディングなどのマルクス主義者がこの傾向をさらに推し進めた。とくにヒルファディングは、帝国主義を劣勢に立たされた資本主義による絶望的な最終手段として分析し、糾弾した(Koebner and Schmidt 1964: chs. 4–8; Kiernan 1974: 1–68)。

しかし、二〇世紀の半ばまでに、「帝国主義」は広く「植民地主義」に取って代わられることになった。これは宗主国よりも、植民地、もしくは旧植民地(反植民地主義的な第三世界)の視点を反映した言い方である[(1)]。帝国主義が思想家によって擁護されることがありうる、またはありえたとしても、植民地主義の方は、ほぼその定義からして、またウィルソン流の「民族自決」とナショナリズムが席巻した第一次世界大戦後の雰囲気のなかでは、悪しきものとされた(Manela 2009)。ヨーロッパと非ヨーロッパの左派の著述家が書いた帝国に関する膨大な著作のなかでは、帝国主義も植民地主義も、ますます抑圧と搾取の意味合いを帯びるようになった。「帝国」が二〇世紀半ばまでに禁句に等しくなったのは、おもにそのためである。一九五〇年代にイギリスの政治家ウィンストン・チャーチルが行なったような帝国擁護の発言は、救い難いほど反動的で時代遅れだとみなされた。

「植民地主義」は、のちに改良を加えられ「内国植民地主義」という概念になった。これは、多くのいわゆる国民国家が実際は内的な統合プロセス、すなわち中核の人民、もしくは国民がその隣人を征服し、吸収することによって形成された、という考え方のことである。そのような例として、イギリス(またはグレートブリテンおよび北アイルランド連合王国)が挙げられる。そこではイングランドがウェールズやアイルランドを征服し、スコットランドに「議会合同」を強いて、四つの国民からなる複合国家を作り上げた。それが「イングランド帝国」による内国植民地化に他ならない(Hechter 1999; Davies 2000)。フランスもそうである。現在では「六角形」をなし、それが代名詞ともなっているフランスも、帝国的なプロセスによって誕生した。すなわち、イール・ド・フランスを拠点とする歴代のフランス王は、少しずつその権力を拡大し、隣接する土地や領邦君侯領(ブルゴーニュ、ブルターニュ、プロヴァンスなど)を組み込んでいったのである。このようにして、中央集権的で文化的に均質なフランスが創造された(Weber 1976: 485; Goldstone and Haldon 2010: 18)。

内国植民地という概念には、魅力があふれている。例えば、とくにそれが国民国家による国民国家のための欺瞞的な要求の多くを、土台から突き崩すときなどがそうである(Kumar 2010)。そのためこの概念は多くの学者に好意的に受け止められ、南アフリカのアパルトヘイト、アメリカ合衆国の黒人少数派と白人多数派の関係、ソ連時代にスターリンが行なった農民の強制的集産化といった現象に適用されるようになった。これは非常に用途が広く柔軟な概念なので、様々な状況のタイプをカバーしうる。しかし、まさにこの点こそが、理論的な概念としての弱点であるとも考えられてきた。通常の植民地主義との「人為的な類似性」によってそれが使われるということ自体が、深刻な方法論的問題を内包しているのである。とはいえ、この概念の批判者でさえ、多くの点でその有用性を認めている。例えば、植民地の先住民に対する認識と政策が本国に持ち帰られ、それが本国社会の諸集団の扱い方を左右するとき、そこではまさに社会の発展における外的要因と内的要因の相互作用が起こったと言えるのだが、そのような現象を明らかにするのにまさに「内国植民地」という概念が援用できるのである(Hind 1984: 553, 564)。

さらにもう一つ別の言葉の使用例も見ておきたい。すぐれた帝国史家であるジョン・ギャラハーとロナルド・ロビンソンの影響力のある論文(一九五三年)以降、「公式」の帝国だけでなく、「非公式」の帝国について語る人々がでてきた。非公式の帝国とは、一九世紀にイギリスと一部のラテンアメリカ諸国の関係によって生じた状況などがそれで、一国が他の領域や民族に対して公式に統治権を行使するのではなく、とくにその経済的運営に対して強度の支配を行なうような場合のことである。このような状況は当然ながら存在していたし、今でも存在し続けている(二〇世紀の「アメリカ帝国」について広く取り沙汰される根拠の一つもここにある)。しかし、非公式帝国という概念を使うとあまりに多くの事例が含まれることになるし、そもそもその意味合いもかなり曖昧なので(こうした「支配」はいつ始まり、いつ終わったと言えるのか)、帝国の研究においては使わない方がいいと考える人も多い。本書はこの理にかなった忠告におおよそ従うつもりである。とはいえ、アメリカに関しては、事例としての重要性に鑑み、またそれが大きな関心と注目の的となってきたこともあり、本書の最終章ではアメリカ、すなわちアメリカ合衆国をどの程度まで帝国とみなし、研究しうるのか、という問題を検討したいと思う。

一般的に、用語や概念をどうしても使わねばならないとき、その意味の射程、これらの語が示す、ときに対立する要素、そして何よりも、周囲の歴史的、社会的文脈を常に意識しておかなければならない。とくに重要な例として、このimperiumという言葉が、西洋の一言語(ラテン語)に由来する、西洋の一用語であるということについて考えてみたい。この語は、ヨーロッパのほとんどの言語で、それに対応する近代的形態を生み出してきた(英語はエンパイア empire, フランス語はアンピール empire, イタリア語はインペーロ impero, スペイン語はインペリオ imperio である。ドイツ語では政治形態としてはライヒ Reich というが、より比喩的な意味ではインペリウム Imperium も使うし、帝国主義はインペリアリスムス Imperialismus という)。別の言い方をすれば、「エンパイア」もしくはそれと同系統の他の西洋語を使うときには、その背後には西洋の歴史があり、それが何よりも西洋の経験に適用されることに自覚的であらねばならない。つまり、古代であれ近代であれ、非西洋の帝国にこれらの語を適用すること、例えば私たちがよくやっているように、「エンパイア」という語を使って「中華帝国」「ムガール帝国」「サファヴィー帝国」について語ることは問題なしとは言えないのである。なお難しいのは、古代の「エジプト帝国」「インカ帝国」や「アステカ帝国」、さらには言うまでもなく北米先住民の「コマンチ帝国」などを「エンパイア」と呼ぶときである。そのほとんどの場合において、西洋で了解されている意味での「帝国(エンパイア)」に翻訳しうるような現地語が存在しない。だとしたら、次のような疑問も生まれてくる。これらの政治組織に共通するものは何だろうか。なぜそれらをすべて「エンパイア」と呼びうるのだろうか。単に現地の言葉を使って、ローカルで特殊個別的な意味を探究してはいけないのだろうか。

ただし、だからと言って何らかの相似性や共通の意味(「家族的類似性」)の追求を諦める必要はない。第一に、西洋の政治的語彙は、とくに一七八九年のフランス革命以降、ますます力強く世界中に広がり続けている。この動きは、何よりも一九世紀来のヨーロッパの諸帝国の世界的な拡大によって加速化した。従って、望もうと望むまいと、state, nation, empire, Marxism といった言葉は、二〇世紀にはすでに世界全体の所有物となっていたのである。さらに、それ以前にも、例えばまさに帝国と呼ぶべきローマ帝国と中華帝国は、多くの方法で相互に交流していた。商人と宣教師は、モノとヒトだけでなく観念も一緒に運びながら、世界を縦横無尽に移動していたし、アレクサンドロス大王のように、ユーラシア全体で、帝国の象徴とみなされた人物も存在した。そうすると、私たちが「エンパイア」と呼ぶものに対していかに異なった用語が使われようと、それらは似たような共鳴音を奏で、ある種の共通の観念と価値を強調している可能性もある。だからこそ、比較が可能になるのである。

以下の章では、常に個別的な差異に目を配りながらも、帝国を一般的に語るために、語彙とその相互作用の動き(それは一方通行ではありえない)を追跡するつもりである。しかし、最初に、帝国の全体像を提示する必要がある。まずは帝国の事例を集め、時空をまたがる帝国の広がりを明らかにしなければならない。ここで扱うことができるのは、きわめて重要なケースが選択されているとはいえ、全体からすればほんの一部である。ただ最初の手がかりとして、帝国の歴史の全体がどうなっているのかを知るには有益だと思う。

古代、古典古代、近代の帝国——帝国の歴史における二つの分水嶺

ジョン・ダーウィンは、その著書『ティムール以後——グローバル帝国の興亡 一四〇〇—二〇〇〇年』において「グローバル帝国」に関する見事な解説を行なっている。それによると「帝国(一人の支配者による様々な民族共同体の支配)は、歴史の大部分を通じて、デフォルトの政治組織の様式であった。帝国権力とは、往々にして道路の支配のことである」(2008: 23; また Howe 2002: 1; Goldstone and Haldon 2010: 19)。ダーウィンは、もちろん帝国だけでなく、部族制、首長制、都市国家、国民国家、同盟、連邦など他の政治形態が存在していたことも知っている。しかし、彼が帝国の遍在性と長命性、すなわち記録

に残る人類の歴史のなかで、非常に多くの部分が帝国史だという事実を強調したのは正しい[2]。紀元前四〇〇〇年頃に始まる最初期の人類の文明、すなわちエジプト、メソポタミア、インド、中国は、ただちに帝国の形態をとった。紀元一〇〇〇年までの間に、ヨーロッパ人が「新世界」と呼ぶ、大西洋の向こう側にあるトルテカ、アステカ、インカの諸帝国がそこに加わった。地中海では、アレクサンドロスとローマの帝国が誕生した。そして中近東でも、ヒッタイト、アラブ、ペルシアの帝国が現れた。チンギス・ハーンとティムールのステップ帝国〔ユーラシアの草原地帯に築かれた遊牧国家〕もあった。そして一六世紀以降、かなり遅くなって登場したのが、ポルトガル、スペイン、オランダ、フランス、イギリスなどの大西洋を支配したヨーロッパの海外帝国である。ほぼ同じ頃、ロシア、ハプスブルク、オスマンがユーラシア深くに入り込み、巨大な陸上帝国を建設した[3]。

エジプトや中国の帝国のように、何千年にもわたって続いた帝国もある。他方、ヨーロッパの帝国は数百年に過ぎない。しかし、存続年数に長短はあれど、帝国が世界に消し難い刻印を残したことには違いはない。アレクサンドロス大王の帝国が続いたのはせいぜいその一三年の治世の間(前三三六―前三二三年)だったが、彼の帝国はユーラシアを一変させたし、その遺産は後々まで消えることはなかった。

時間的・空間的な広がりをもつおびただしい数の帝国を分析するには、何がしかの知的な整理が必要になる。その場合、空間の区別は時間の区別ほど重要ではない。ある一つの時間軸をとると、世界中の帝国は(とくにユーラシア世界においては)、ほとんど互いの存在を意識しており、多くのケースにおいて、積極的な相互交流が行なわれていた(おもな例外としては、コロンブス到達以前の新世界の諸帝国がある)。これらの帝国は、似たような時空間を占めるものとして比較することができる。紀元一世紀の中華帝国とローマ帝国は多くの共通の特徴をもっているが、それは近世のムガール帝国とハプスブルク帝国、二〇世紀の日本帝国とフランス帝国に多くの共通点があるのと同じである。

より重要なのは時代による変化であろう。ただ興味深いことに、どの時代の帝国も、先行する帝国から学んでいる。肝心な点は模倣しつつ、以前の帝国が陥った宿命からは逃れようと努力していたのである。しかし、同時に新たな帝国は、世界で生じた経済的・技術的変化の恩恵も受けていた(ただしそのような変化は脅威ともなりえた)。それがとくに顕著に現れたのが、一六世紀以降、すなわち、最初は商業資本主義、のちには産業資本主義が、世界を変え始めて以降のことである。変化に適応できないか、変化を組み込めない帝国は、消滅するか、他の帝国によって吸収された。

実際、帝国の歴史には二つの分水嶺がある。第一の分水嶺は、ドイツの哲学者カール・ヤスパースが発案した「枢軸時代」である。この非常に影響力をもった時代区分については、彼自身の『歴史の起源と目標』において詳しく述べられている。ヤスパースによれば、紀元前八〇〇年から紀元前二〇〇年という、短いながらも凄まじい創造力が発揮された時代に、世界史の転換軸となるような人類の思想上の革命が起こった。偉大な世界宗教や基本的な哲学が、ことごとくこの時期に出現したのである。それは中国で孔子と老子が生き、教えを垂れた時代、インドで偉大なヒンドゥー教の書物ウパニシャッドとゴータマ・シッダールタ(仏陀)が誕生した時代、イランでゾロアスターが善と悪、光と闇の抗争という挑戦的な世界像を打ち出した時代、エリア、イザヤ、エレミアなどのユダヤ教の預言者がパレスチナに現れた時代(キリスト教とイスラーム教はその支流である)、ギリシアでタレスからプラトンにいたる哲学者が、倫理と政治に関する人類の思考を一新した時代であった。ヤスパースはこう主張している。「まさにこの時代に、今日の私たちの思考方式をいまだ規定している基本的なカテゴリー、人類がいまだともに生きている世界宗教の端緒が生まれた。あらゆる意味で普遍性への段階に入ったのである」(Jaspers 2010: 2)。(4)

ヤスパースは、こうした知的な発展に共通する原因を見つけることも、これらが世界の三つの地域、すなわち西洋(東と西の部分に分かれる)、インド、中国でのみ起こった理由も説明できないと認めている。しかし、彼はこの問題に関する二つの重要な事柄に着目した。第一に、これらはすべて、エジプト、メソポタミア、インダス川流域、中国といった人類の最初の文明、最初の帝国が生じた地域で起こったことである。そして第二に、主要な思想家自身は、その多くが相争う小国家の時代に活躍していたが、この三つの地域すべてにおいて枢軸時代は、多くの「世界帝国」の誕生とともに幕を閉じたということである。彼らの哲学が際立って異彩を放ったのは、その後の「世界帝国」時代だったのだ。以上の事実は、枢軸時代の哲学者とこれら新しい帝国とのつながりを示唆するだけでない。ヤスパースの考えでは、そのことによって私たちは、枢軸時代に先行する「旧」帝国と、それに後続する「新」帝国、すなわち「世界」帝国とを分けることができるのである。

知られる限りで最古の帝国であるアッカド帝国はメソポタミア南部の帝国で、アッカドのサルゴン(在位紀元前二三三四—前二二七九年)によって建国されたと考えられている。この帝国は、紀元前四三〇〇—前二三三四年にすでにその地域で世界最古の文明の礎を築いていた近隣のシュメールの都市国家の征服を通して形成された(Farrington 2002: 14-15; Haywood 2005: 26-27)。紀元前二〇〇〇年期の初頭、その覇権は他のメソポタミア国家に移った。北部のアッシリア、南部のバビロニアである。アッシリアとバビロニアの帝国は、この地域をその後一五〇〇年支配した。両国がとくに繁栄した時期は、アッシリア帝国が紀元前九一一—前六一二年、バビロン帝国が紀元前六二五—前五三九年である。この二つの帝国はともに、シュメールの楔形文字をはじめ、シュメール都市国家の文化的・科学的・技術的な達成によってもたらされたものだった。しかし同時に、彼らは中東の多くの地域を政治的、またその一部を文化的に統一し、その後何百年も支配するという根本的に新しい次元も開いたのである。その支配者たちは特別に「大王」と呼ばれ、紀元前二〇〇〇年期にはメソポタミアを支配した(Haywood 2005: 46–49; Mieroop 2009; Bedford 2010: 49)。

アッシリアとバビロニアの帝国は、その時々でイラクとシリアだけでなく、パレスチナ、エジプトの一部、アナトリアも領有していた。このアナトリアで対峙したのが、強力なヒッタイト帝国(前一七―前一二世紀)である。紀元前一五九五年、ヒッタイトはバビロニアに侵入して略奪を行なったが、これによって、最初のバビロニア帝国が消滅した。バビロニアは紀元前一六世紀に再び勢いを盛り返したものの、紀元前五三九年にペルシアのキュロス大王によって征服された。この過程でペルシア帝国が生まれた。その結果「中東の歴史において四〇〇年におよぶメソポタミア諸国家の支配が終焉した」(Mieroop 2009: 82)。

メソポタミアの発展と同様に、だが明らかに独自に、紀元前三一〇〇年頃にエジプト文明も繁栄した。しかし、それが真の意味で帝国となったのは、南はヌビア、北はパレスチナとシリアの大部分を征服し、西はリビア、東は紅海に領土を拡大した新王国の時代(前一五三九―前一〇六九年)である。新王国時代のエジプトのファラオは、自ら「王のなかの王」「支配者のなかの支配者」「太陽の照らす場所すべての主人」と名乗った。その帝国は「四方天空」にわたる、彼らはそう誇っていた(5)(Kemp 1978: 10; Morkot 2001: 227; Manley 2009: 30)。

エジプトの北方への拡大はカデシュの大会戦(前一二八五年)によってヒッタイトに阻まれ、紀元前一一世紀にはヌビアも失った。ただこの地域における「エジプト化」はかなり進んでおり、クシュ帝国を見てもわかるように、エジプト文明は新王国時代を越えて、その後数百年にわたり存続した(Kemp

1978: 33-39; Adams 1984: 59-60; Morkot 2001: 244-251; Haywood 2005: 64-67)。紀元前一〇〇〇年期半ば以降の帝国の衰退は、ゆっくり、しかし確実に訪れた。まず紀元前五二五年にペルシアが、次により決定的に、紀元前三三二年にアレクサンドロス大王がエジプトを征服した。エジプト帝国の公式の消滅は、紀元前三一年のアクティウムの海戦におけるアントニウスとクレオパトラの敗北に続く、ローマの征服によってもたらされた。総じて言えば、形は変えながらも、エジプト帝国は「史上最初の、そして最も永続的な植民地帝国」であった(Adams 1984: 63)。

ペルシアの帝国であるアケメネス朝の帝国(前五五〇—前三三〇年)は、最初の枢軸時代の帝国であり、「世界宗教」(この場合はゾロアスター教)を基盤とする最初の「世界帝国」であった。これはそれまでの他のあらゆる中東の帝国および東アジアの帝国に比べても抜きん出て大きく、東地中海からインダス地方に広がり、ペルシア、アッシリア、バビロニアの諸地方だけでなく、ギリシアのイオニア地方と、ギリシア本土にあるいくつかのギリシア国家(マケドニアも一時期、ペルシアの朝貢国であった)を含んでいた。ギリシアの歴史家ヘロドトスによれば、これはかつて世界が経験したことがないほど偉大な帝国で、その境界は「神の天空そのもの」であったので、「太陽の光は、その境界を越えて降り注ぐことはなかった」(Herodotus 2003: 417)。ペルシアの王は「地球四方の王」、「王の王」(近代ペルシア語における「シャーハン・シャー」)と呼び称えられた。この称号は、その後のユーラシアの非常に多くの帝国で採用された(Kuhrt 2001: 105)。

ダレイオス一世は「パックス・アケメニディカ(アケメネス朝の平和)」を宣したが、それは「神に賜った、世界に遍(あまね)く広がる平和な状態」であり、それが「王によって保証され、臣民によって望まれる」ものとされた(Wiesehöfer 2010: 67)。法や秩序を意味するペルシア語の data は、近東のあらゆる言語に入り込んでいるが、この言葉はペルシアの「偉大な王」の権威が受け入れられていることを物語ると同時に、王によって皆に慈愛が施されたことが確認されている。ペルシア支配の影響の拡大を示す似たような例としては、帝国の共通語としてのアラム語の受容が挙げられる。アラム語は、ヘブライ語、シリア語、アラビア語など中東の多くの言語や文字に影響を与えた。帝国全体に広がったペルシアの支配階級の文化は、多くの土着のエリート層の態度や生活様式を形成し、それは民衆にまで及んだ。「帝国の住民は、誰も「帝国」のアイデンティティーと「地元」のアイデンティティーのどちらかを選ぶよう強制されなかった。しかし、彼らは同時に、当時最も成功し、繁栄した政治体、すなわちペルシア帝国の構成員であると自覚し、そのことを誇りに思うべきだとされていた」(Wiesehöfer 2010: 89–90; cf. Mann 1986: 240–241)。

「帝国移動 translatio imperii」、すなわち帝国が次から次へと引き継がれるという非常に影響力をもった観念を最初に喧伝したのは、ヘロドトスだと言われている。それに従えば、アケメネス朝の帝国は、アッシリアとメディアの帝国(聖書はアッシリアの代わりにバビロニアを挙げている)の後継者だということになる(Wiesehöfer 2003; Llewellyn-Jones 2009: 104)。そしてヘレニズム時代になると、ユーラシアの巨大な空間を横断してヘレニズム(ギリシア)文明を運んだアレクサンドロスの帝国は、「帝国移動」の観念によってペルシア帝国の後継者だと見なされるようになった。その後、ローマの著述家たちがこの伝統を練り上げたが、それによると、そこで五番目の帝国としてやってきたのが、ローマ帝国(前二七―後四七六年)である。それを引き継いだのがビザンツ帝国(一四五三年まで存続)だった。ローマ帝国とビザンツ帝国は、ヘレニズム文明をギリシア・ローマ文明として継続させ、進めただけではない。それはキリスト教という世界宗教を誕生させ、その確立と伝播のための道具となった。

同じ時期に、秦と漢の王朝により最初の中華帝国が形成された(前二二一―後二二〇年)。儒教と道教という枢軸時代の哲学、宗教を推進し、さらに中国における仏教の大きな発展を担ったのはこの二つの王朝であった。仏教はインドのマウリヤ朝(前三二一―前一八五年)においても中心的な位置を占めた。しかし、その後のグプタ朝の帝国が仏教を追放して、インドにおける支配的宗教としてのヒンドゥー教の優位を再確認した。(6)

ヤスパースの主張によれば、「古典的」もしくは枢軸時代の帝国は、何か新しいもの、旧文明の帝国とは決定的に異なる何か、を表している。旧文明とその帝国は、「ある意味まだ目覚めていない、といった印象を受ける(略)。枢軸時代の瞭然たる人間性に比べると、それに先行するほとんどの旧来の諸文化にはヴェールがかかっているように見えるのだ。あたかも、人がまだ真に己自身を知らなかった、という風である」(Jaspers 2010: 6-7)。ヤスパースが強調するのは、旧文明における「精神的な動向」の欠如である。旧文明の偉大な成果は、その後の枢軸時代の文明が作られるさいの素材を提供したが、そこでは枢軸時代に匹敵する「精神革命」が起こらなかった。従って、枢軸時代が「歴史」を始めたとするなら、旧文明は「歴史以前」だということになる。旧文明の時代にとって、「「生きる」ということは、事物をあるがままに、問題なく受け入れることであり、そのように象(かたど)られていた。人間の本質的な問題は、呪術的な性格を有する聖なる知識に埋め込まれていて、いかに探求しようともこじ開けられることはなかった」(Jaspers 2010: 12, 44, 48)。

ほかの論者たちも似たような言い方で、枢軸時代が、旧文明と古典文明、旧文明を基盤とする古い帝国と古典文明を基盤とする新しい帝国を分かつ根本的な分割軸をなすと考えている。エリック・フェーゲリンによれば、枢軸時代の新たな「世界帝国」は、「人類を新たな意識レベルに引き上げた精神的、知的な地平の開幕とともに出現した」。こうした新たな思考形式によって世界帝国が誕生したというわけではないが、そこには、両者を相互に結びつける「存在論的な結合」もしくは「有意味な構造」がある。「意味の類縁性によって、人類の代表を自任する帝国の創造と、代表的な人類を追求する精神的な開花が、ひそかに結びつけられている」のである。アケメネス朝の帝国とゾロアスター教、アレクサンドロス大王の帝国とヘレニズム、アショーカ王のマウリア朝の帝国と仏教、中華帝国と儒教、道教、仏教、ローマ帝国とギリシア・ローマ文明伝播の使命、次いでキリスト教伝播の使命。これらの間には「連関」があるのだ。こうした連関の有無が、新しい世界帝国と、より古いメソポタミア・エジプト型の「宇宙論的な帝国」とを分かつと考えられている。旧来の帝国は、人類を「現世超越的な神」の要求に従わせようとしたのではなく、人間と諸々の神にとっての永遠の秩序に統合しようとしたに過ぎなかった(Voegelin 1962: 171–172, 178; また Mann 1986: 341–371; Pollock 2004)。

「古典文明」時代の帝国(枢軸時代の哲学と宗教を基礎にした文明)と、「旧文明」時代の帝国を分かつもう一つの基準は、古典時代の帝国間の交易や交流の顕著な加速化および強化である(Bentley 1996: 760–763)。この分野では、いやここでもと言うべきか、先鞭をつけたのは五世紀ペルシアのアケメネス朝の帝国だった。この広大な帝国は、先行するいかなる帝国もなしえなかったようなかたちで、東と西を結びつけたのである。各地を連結した広範囲の道路網によって迅速な伝達が可能となったばかりではない。それにより、世界初の郵便制度が成立する条件も整えられた。そして観念、ヒト、モノが帝国の巨大な空間を自由に移動した。

アケメネス朝を引き継いだアレクサンドロス大王の帝国は、その新制度や実践の多くをアケメネス朝に負っていた。とくに様々な地域の伝統や文化に対する敬意がそうである(Briant 2002: 875–876; Wiesehöfer 2010: 86, 92)。アレクサンドロスのバクトリア王女ロクサネとの結婚、二人のペルシア王女との再婚、さらに彼の仲介によるギリシア人の仲間たちとペルシアの王女たちとの結婚などは、アレクサンドロスが師傅アリストテレスの教えを物ともせず推進しようとした、東西を結ぶコスモポリタン主義を象徴している。ペルシアにおけるゾロアスター教、アレクサンドロスにおけるヘレニズムは、実に各々の帝国を主導するイデオロギーであった。しかもその影響は、それが臣民に強制的に押し付けられたものでないだけにより一層大きかった(それが、あとに続く多くの帝国が学んだ教えだった)[7]。

その後、海と陸の「シルクロード」を介して、中国とローマは同じユーラシアの空間に共存するようになり、それがユーラシアの東と西の部分の交流の密度を高めていった。アフリカもこの構図に組み込まれ、「アフロ・ユーラシア」が現出した。そしてますます、帝国は西(ヨーロッパ)でも東(アジア)でもなく、ユーラシア的な存在となった(Bang and Kołodziejczyk 2015)。

このように、帝国の相互交流の規模と密度が拡大し、それによって、ヤスパースの言い方を借りれば、枢軸時代、ポスト枢軸時代の帝国は、どの点から見ても「普遍性を獲得する」ようになった。もはや帝国は、周辺地域を侵略しては領土の拡張を図り、しかもその際、征服を正当化する普遍主義的なイデオロギーも欠く、といった比較的孤立した政治体ではなくなった。ビル・マンリーは、エジプトについて次のように言っている。「ナイルを越えた土地の征服に新王国を駆り立てるいかなるイデオロギーもなかった」。重要なのは、単なる「自己の政治的利益」だった。それに、領土獲得の副産物としての、またはしばしばその背後の推進力としての、経済的な収穫がともなうのである(Manley 2009: 30)。これは、アッシリア、バビロニア、ヒッタイトなど、他のほとんどの旧帝国についても言えるのではないだろうか。これらの帝国が主張したのは、せいぜいカオスと無秩序の世界に平和と秩序をもたらし、宇宙的秩序たるコスモスの均衡を再建し、異種雑多な部分を整序するということにすぎなかった。[8] その上、旧帝国は人々を強制的に従わせるしかなく、普遍主義的なイデオロギーを欠いていたので、当然のように「支配する帝国」だと見なされていた。翻って、古典的帝国がより大きな影響力を有し、一般的にさらなる命脈を保ったのは、この普遍主義的なイデオロギーのおかげである(Mann 1986: 130–178; Goldstone and Haldon 2010: 24)。ローマ帝国には「ローマ化」、すなわちローマの「文明化の使命」とでも呼ぶべきもの(Kumar 2017: 44–59)があり、それがローマ化されたエリート層を、ローマ化された都市を、巨大な帝国をまとめる共通のローマ文化をもたらした。しかし、旧帝国にはそれに類するものは何もなかった。

当然ながら、帝国の歴史において「枢軸時代の分水嶺」という考えをあまりに厳密に適用することはできない。初期の帝国のなかには、例えばヌビアが「エジプト化」されたときのエジプトや、アッシュル神崇拝が広まったアッシュルバニパル王時代のアッシリア帝国など、確かに統合的イデオロギーの要素が見られた時期もあったからである。より一般的なレベルでは、貿易と外交の便宜のため全中東においてアッカド語が伝播したことも挙げられる。王やエリート層の支配を正当化する、当時優勢であった「内在的」なイデオロギーのかたわらに、単なる秩序や安全という基準を超えた、より高位の基準の下に諸帝国をまとめる「超越的」な要素も存在していたのである(Adams 1984: 59–60; Mann 1986: 152, 160–161; Bedford 2010: 47–59)。いかなる帝国であれ、帝国はその本質からして、なんらかの広がりをもつ観念や、現世の善行への報酬に訴えることで、自らの正統性を確保しなければならない。

しかし、これら旧帝国のほとんどは、頑ななまでに貢納支配の状態に留まり、保護下の諸国に忠誠を誓わさせたり、貢物を納めさせたりするばかりで、一定の帝国行政の制度に組み込むことも、帝国支配者の大勢の文化に同化することもなかった。一般の人々に広く宗教的観念を流布させる必要性も感じず、その種の観念を支配集団のみに限ることでよしとした。彼らにとって問題は、支配集団の統合だけだったからである。旧帝国は、人を改宗させたり、普遍的な真理を広めたりするために存在していたのではない。それは征服の帝国であり、臣民を抑圧し続けるだけの強制力を保持する限り、持ち堪えることができた。

第二の分水嶺――ヨーロッパの帝国主義

帝国の歴史における第二の大きな分水嶺は、一六世紀ヨーロッパの海外帝国の興隆によってもたらされた。この第二の分水嶺を論じるにあっては、第一の分水嶺ほど長々しい説明は不要かもしれない。というのも、比較的初期のころから、早々にそれが世界史の主要な転換点だと見なされてきたからである。ヨーロッパの海外帝国は、一五世紀後半から一六世紀にかけての「大航海時代の発見」事業、およびそれがもたらした新世界の征服と植民地化(それ自体が、ヨーロッパの覇権のさらなる、世界大の拡大の序章となっている)の産物である。

アダム・スミスは『諸国民の富』で、「アメリカの発見と喜望峰経由のインド航路の開拓は、人類の歴史における最も偉大で最も重要な二つの出来事である」と述べている(Smith [1776] 1910, II: 121)。とくにスミスが強調するのは、発見事業の主要な帰結として「世界の最も遠く離れた地域がある程度一つになった」ことである。彼の考えでは、それは商業とコミュニケーションに総じて「有益」な影響をもたらすはずであった。しかし彼は同時に、この件については非ヨーロッパ世界の先住民は違った考えをもつかもしれない、とも記している。いずれにせよ、スミスにとって、これらの出来事が良かれ悪しかれ世界史的な重要性を帯びていることは疑いがなかった。

カール・マルクスとフリードリヒ・エンゲルスは、スミスの見解におおよそ賛同したが、その歴史的発展のはてに、スミスなら承認しなかったであろう、ある一つの帰結を思い描いた。社会主義革命である。スミスと同じく、彼らも「アメリカの発見と喜望峰の通過」によって、商業と製造業に革命がもたらされたと考えた。「インドと中国の市場、アメリカの植民地化、植民地貿易、交易手段と商品の増加は、概して商業、航海、工業にかつてないほどの刺激を与えた。近代の工業は世界市場を作り出したが、その道筋を切り開いたのはアメリカの発見である」(Marx and Engels［1848］1977: 222-223)。この発展により、「歴史的発展のさらに新たな段階の出現が促され(略)、ここに初めて世界史が誕生した。あらゆる文明国家、あらゆる個人が、自らの必要を満たすために世界全体に依存するようになった(Marx and Engels 1963: 52, 57)。彼らの考えでは、商業と工業が今やますますグローバルになったことで、商業と工業、およびその活動の場たる世界に、完全に新しい特徴が付与されたのである。資本主義は発展するにつれてますますグローバルになるだろう。それは必要とあらば国民国家をその道具として使用しながら、国民国家に閉じ込められることもない。

一六・一七世紀ヨーロッパの開拓と植民地化の影響、その意義という点については、今日の世界史家もおよそ同意している。例えばC・R・ボクサーによると「人類という巨大な家族のばらばらに分かれた枝葉を、良きにつけ悪しきにつけ一つにまとめたのは、キリスト教世界の西縁からやって来たポルトガルのパイオニアとカスティーリャのコンキスタドール(征服者)だった。人類の本質的な一体性に初めて気付かせてくれたのは彼らなのである」(Boxer 1977: 2)。そのことが、ヨーロッパに新たな重要性、新たな役割を付与した。中世のヨーロッパは、中国文明、インド文明、イスラーム文明と比べるといくらか遅れが目立ったが、一六世紀このかた徐々に力を増し、ついに世界を支配するに至った。世界史の大家であるウィリアム・マクニールは、西暦一五〇〇年以降を「西洋による支配の時代」と呼んだ上で、「一五〇〇年は、近代の到来をしかるべく象徴する年である」と述べている。最も知られた名前だけ挙げても、コロンブス、ヴァスコ・ダ・ガマ、マゼランといった人々の航海により、世界の勢力均衡が変化し始めた。中国と日本、もしくはその他のほんの少数の国々だけが、そうした変化がもたらした「世界の諸関係における巨大な革命」をしばらくの間無視することができた。しかし、一九世紀になるところの国々でさえ、ヨーロッパに服従したくなければ、その覇権と折り合いをつけるしかなかった(9)(McNeill 1991: 565–566)。

この時期に勃興したヨーロッパの諸帝国は、世界の転換過程の表出であるとともに、その主要な動因でもあった。それは前二〇〇〇年期の「旧」帝国(アッシリア、バビロニア、エジプト)とも、それを引き継いだ枢軸時代の「古典的」帝国(ペルシア、マケドニア、ローマ)とも異なっていた。地球を覆いつくす海外帝国の建設、それこそヨーロッパの諸帝国の新しい特徴であった。

旧帝国も古典的帝国も、本質的に陸上帝国である。たとえそれが、アケメネス朝とアレクサンドロス大王の帝国がそうであるように、ユーラシアの広大な大地に広がっていたとしてもである。ローマ帝国にとっての北アフリカやブリタニアのように、それらが海外領土を有することもあった。しかし、そうした海外領土も、基本的に本国からそう遠くない「近い外国」にあった。そのため、重要となるのは海軍よりも陸軍である。ここでも、ローマはいくぶん例外ということになる。

実際、この時代にほぼ海洋的とも言えるような帝国も存在した。最も知られているのが、アテネ帝国

(「デロス同盟」とその後継同盟)とフェニキア帝国である。フェニキア帝国の場合、その植民市の一つであるカルタゴ自体が西地中海に海洋帝国を建設している。しかし、たとえこれらが帝国だとしても、それはほとんど貿易ルートの保護や共同防衛のための組織化を目的に編成された、非常に緩い結びつきの帝国であって、古代の陸上帝国や、ヨーロッパ人によるのちの海外帝国とは極めて異なっていた。

そもそもアテネの覇権を「帝国」とみなしてよいのか、という疑問もある[10]。アテネが有していたのは「同盟」であって、領有権を主張すべき植民地や領土ではなかったし、帝国行政組織と呼べるようなものを確立する努力もほとんどなされなかった。さらに、それは極めて短命であった。デロス同盟は、紀元前四七八年、アテネを盟主とする同盟国間の相互保障の連合として作られたが、紀元前四〇四年、ペロポネソス戦争でアテネがスパルタ同盟に敗北したことで崩壊したのである。紀元前三七七—前三三八年の第二次「アテネ同盟」はさらに短命で、紀元前三五八年には実質的に消滅しており、なおのこと帝国らしくなかった。それも最後には、紀元前三三八年、カイロネイアの戦いでマケドニアのフィリッポス王によって壊滅させられた(Griffiths 1978; Blanshard 2009: 145–146)。

フェニキア帝国(もしそう呼んでよければ)は、アテネ帝国以上に緩やかな諸国家の集まりで、本国であるティルスが各植民地を直接支配することもほとんどなかった。フェニキア人の主要な植民地であるカルタゴは、紀元前五七三年にティルスがバビロニアに滅ぼされたあと、西地中海におけるフェニキア植民地群の首領となったが、そのカルタゴにしても同様であった。紀元前三世紀、カルタゴは北アフリカに実質的な陸上帝国を建設する。しかし、紀元前五・四世紀の海外「帝国」(シチリア、サルデーニャ、スペイン、コルシカのフェニキア植民地)は、おもにカルタゴの命運を左右する遠距離貿易の保護のための連合として存在したに過ぎなかった。その点で、カルタゴを「覇権国」とみなすことは可能である。とはいえ、カルタゴに帝国的支配と呼べるような権力を行使する意図があったようには見えない。他のフェニキア植民地もしばしばカルタゴとは無関係に行動した。彼らは他の大国と紛争が起こったときにカルタゴに援助や指導力を求めることはあったが、自らその権威に服従しようとしたり、それに期待したりすることはなかった。翻って、カルタゴも政治的に統制するよりも、貿易関係を安定させることに関心を抱いた。従って、第一次ポエニ戦争(前二六四―前二四一年)をきっかけにローマにシチリアとサルデーニャを(すなわち貴重な貿易を)奪われて初めて、その埋め合わせをするかのように、カルタゴはアフリカの陸上帝国に目を向けるのである(Whittaker 1978; Haywood 2005: 68; Quinn 2017)。

ヨーロッパの海外帝国は、これらの海洋帝国や古代の大部分の陸上帝国に比べると、ただ面積が大きいだけではなく、文化的、民族的にはるかに多様であった。アレクサンドロス大王麾下のマケドニア人たちは、紀元前三二六年、北インドのヒュダスペス河畔の戦いでポロス王の率いる象の軍隊に遭遇して驚愕したし、ペルシア人やインド人と同じくバクトリア人とソグド人も、アレクサンドロスの帝国にコスモポリタンな性格を付与した(彼らはアレクサンドロスの帝国に先行するペルシアに対しても同じ役割を果たし、ある意味ではその道を切り拓いたとも言える)。ローマ人も、ガリアとブリタニアのケルト諸部族の「野蛮な」文化に遭遇し、彼らを征服して東地中海と北アフリカの住民に加えた。そのためローマ人の帝国は、民族的に極めて多様な帝国となった。

ただし、次のことは言えそうである。第一に、アレクサンドロスの帝国やローマ帝国に組み込まれた民族の多くは、すでにギリシア人やローマ人にある程度知られていた人々である。第二に、人種的にも民族的にも、彼らはギリシア人やローマ人といった支配民族からそれほどかけ離れていたわけではない。のちに詳細に検討するが、それは海外帝国と比べたときの陸上帝国に共通する特徴である。

これらのどの帝国も経験しなかったことを、スペイン人は、「西インド」のカリブ人、古来のアステカ文明やインカ文明の「インディアス」に接したときに経験した。それはまさに新世界、新しい民族との遭遇であり、このようなことは、それまでの世界の歴史に起こったためしがなかった。ヨーロッパ人は、この遭遇の意味を理解しようと懸命になった。彼らが遭遇したのは、ユーラシアにはない新しい言語、ユーラシアのあらゆる「世界宗教」と異なる新しい宗教、ヨーロッパ人を神とも悪魔ともみなす新しい民族、旧世界の多くの地域の生態系を変質させることになる新しい作物と新しい動物であった。これがいわゆる「コロンブス交換」(Crosby 1972)である。そしてモンテーニュからシェイクスピアに至るまで、当時のヨーロッパの最良の知性が、こうした新しい事態に対して深く思索を巡らした(11)。

厳密に歴史的な言い方をすれば、遠征隊を組んで航海を開始し、それをヨーロッパ初の海外帝国へとつなげたのは、一五世紀のポルトガル人である(12)。一四一五年、ポルトガルによって北アフリカ沿岸部のセウタが占領された。これは「モーロ人」に対するレコンキスタ(国土回復運動)の一環として考えるべきだろうが、それこそポルトガルのアフリカ進出の開始を告げる出来事と言ってよい(Beazley 1910)。一五世紀半ば、ポルトガル人は南下して西アフリカ沿岸を探検し、ギニアとアンゴラに基地を建設する。この二つがポルトガルの大西洋奴隷貿易の拠点となった。同時に、ポルトガルは大西洋東部のマデイラ諸島(一四三三年)、アゾレス諸島(一四三九年)、カーボヴェルデ諸島(一四六〇年)の領有も行なっている。そこでは、のちに南北アメリカの植民地経済の一大特徴となる奴隷制プランテーション(とくに砂糖)の先駆けとも言うべき経営が行なわれた。

一四〇七年から一四〇八年の航海で、バルトロメウ・ディアスがアフリカ南端の喜望峰に到達し、一四九七年から一四九九年の航海では、ヴァスコ・ダ・ガマがインド行きを完遂して貴重な香辛料(胡椒とシナモン)を持ち帰った。ただ、同時にインド西岸で激しい反ポルトガル感情を掻き立ててしまった。その後、ペドロ・アルヴァレス・カブラルとヴァスコ・ダ・ガマのマラバール海岸の探検のさいに現地インドの支配層と深刻な対立が生じ、その過程でポルトガルのカリカット居留地が破壊され、住民も虐殺された。その報復として、一五一〇年にアフォンソ・デ・アルブケルケがゴアを占領し、そのまま航海を続けて一五一一年にはムラカ(マラッカ)を占領した。このムラカが中国と日本への道を開くことになる。一五五五年、広東省の珠江デルタに位置するマカオに、ポルトガルとしては初めての入植地を建設した。マカオは中国本土における永続的な足場となったが、同時に一五七一年から六〇年以上にわたって、ポルトガル人が築き上げた長崎、ゴア、ひいてはヨーロッパをつなぐ重要な貿易の中継地でもあった。

このアルブケルケこそ、「インド国家(エスタード・ダ・インディア)」、すなわちインドにおけるポルトガル帝国の真の建設者である(Newitt 2005: 81–88)。しかし、ここで注意すべきは、のちのイギリス人がそうであったように、ポルトガルにとっての「インド」とは、いわゆるインド以上のものを意味していた。当時ポルトガルの言う「インド国家」とは、東アフリカ沿岸部から、中国、日本、インドの居留地に至る喜望峰以東のポルトガル帝国全体のことだったからである。従って、その統括本部とも言うべきゴアは、マラバール海岸とスリランカ(一五九四年に編入)の居留地だけでなく、モザンビークおよび、モンバサとマリンディをはじめとする東アフリカのカピタニア管区(植民地領主管区)、極めて重要な東南アジアのムラカ港、中国のマカオとインドネシアのティモール諸島をはじめとする東アジア、東南アジアのポルトガル領、ペルシア湾のホルムズとマスカットを含んでいた。ただ、このような広大な地域を統治するとなると、どうしても実際は分権的にならざるをえない。そこで副王の代理を務めるカピタン

（植民地領主）が、各地の交易と行政を担当することになった。とはいえ、「インド国家」という概念そのものが、スペインが世界の西部を支配するように、ポルトガルが世界の東部を支配するという野望を示している。何世紀にもわたり、ポルトガル王は、最初にマヌエル一世（在位一四九五―一五二一年）が帯びた称号である「征服と航海の支配者（セニョール）にして、エチオピアとインドとアラビアとペルシアの交易の支配者」を名乗ることに固執し続けた（Boxer 1977: 48）。

スペインとポルトガルは、非ヨーロッパ世界の全体を両国の間で分割した。それを公式に認定したのが、代々の教皇の承認を受けた一四九四年の有名なトルデシーリャス条約である。この条約は、スペインとポルトガルの双方にとって、一八世紀に至るまで、西半球と東半球における各々の征服を正統化する「帝国基本憲章」となった（Disney 2009, II: 48）。確かに、この条約により、西半球の一部がポルトガルにもたらされた。というのも、一五〇〇年にペドロ・アルヴァレス・カブラルがインド航路の開拓のさなかにブラジルを発見したとき、彼がポルトガルの領有権を主張できたのもこの条約のおかげだったからである。その後数十年は進展はあまりなかった。しかし、一五四八年、初期のカピタニア管区における砂糖プランテーションの成功を聞き、また先ごろスペインが高地ペルーで発見したように、自領にも莫大な銀の埋蔵が発見できるのではないかと期待した王権は、総督を任命し、さらに強力な経済発展を促進した。一六世紀末までに、ブラジルは世界最大の砂糖生産地域となった（Dias 2007: 80; Disney 2009, II: 213–216）。

メン・デ・サ総督（在職一五五八―七二年）の下で、有力な施策も次々と打ち出された。サン・パウロ（一五五三年）とリオ・デ・ジャネイロ（一五六七年）の発見、北部開発の拠点としてのペルナンブーコ州とバイア州の拡張などである。ポルトガルからの移民も奨励され、一六〇〇年までに五万人ほどのヨーロッパ人がブラジルに到来した。一六九五年のミナスジェライス州での金の発見、その後のダイヤモンドの発見は、ポルトガルからのさらなる移民ラッシュをもたらし、一八世紀末までには、五〇万人以上のポルトガル人がブラジルに到来した。アフリカやアジアにおけるポルトガル人の居住地で、ブラジルほど人々を引き寄せたところはなかった(Dias 2007: 80, 82)。

他のヨーロッパ諸国もブラジルに大きな可能性を見出した。例えばオランダは、一六三〇年から一六五四年にかけて、ポルトガル植民地への攻撃の一環としてブラジル北部を占領し、定着した。一六四五年のペルナンブーコ州におけるポルトガル系ブラジル人の蜂起、および［一六四〇年のスペインからの独立戦争を経て］ポルトガル系の王政が復古して間もないポルトガル本国とオランダとの戦争を経て、オランダ人は一六五四年にブラジルから追放された。これによって砂糖産業はさらに発展し、一七世紀初頭までには、ブラジルは世界最大の砂糖輸出地域となった(Boxer 1977: 112–113)。

砂糖が生産されるということは、奴隷がいるということである。両者の結びつきは、マデイラとサントメ・プリンシペの砂糖プランテーションにおいて、ポルトガル人によってすでに予告されていたことであった。一五七〇年のアメリカ先住民の奴隷化を禁止する王令をきっかけに、ブラジルはますますアフリカに、とくにポルトガル領アンゴラとギニアに目を向けるようになった。一七世紀までには、ブラジルは南北アメリカに送られる奴隷の最大の供給地域になっていたのである。結局、一八八八年のブラジルにおける奴隷制の廃止までに、ブラジルは大西洋奴隷貿易全体の約四二％にあたる四〇〇万人近くのアフリカ人奴隷を受け入れ、奴隷はブラジルの人口の約三分の一を占めるに至った(Disney 2009, II: 239, 247; Stearns et al. 2015: 538)。これほどの数の奴隷がいたということは、当然ながら、北米のアフリカ系アメリカ人以上に、アフリカ系ブラジル人とその文化が、はるかにブラジル社会における重要な構成要素となるということである(Dias 2007: 82)。

もうかなり前のことになるが、歴史家のC・R・ビーズリーが、ポルトガルの海外膨張が近代世界の開始を告げたことからすれば、ポルトガル帝国にしかるべき注意を払うべきであるとして、その役割を無視する一般的な傾向に抗議したことがあった(Beazley 1910: 11)。実際、人々の注目の多くを集めるのはスペインであり、そのあとに、オランダ、フランス、イギリスの帝国が続く、と認識されている。[13] しかし、ビーズリーも正しく述べているように、スペインより一世紀も早く、その後のヨーロッパの覇権につながる世界大の探検、発見、植民の先駆者となったのは、ポルトガルなのである。ビーズリーほど、エンリケ「航海」王子の存在が刺激となって一五・一六世紀ヨーロッパの一大特徴たる「植民地的、商業的、十字軍的膨張」が行なわれたことを非常に高く評価する研究者もいない。彼の考えでは、「このポルトガルの王子こそ、航海による外部世界の最終的な征服事業においてポルトガルをヨーロッパの先駆者にした」のである(Beazley 1910: 12; cf. Boxer 1977: 17–24; Disney 2009, II: 27–33)。

しかし、エンリケの役割には誇張があるとしても、他の誰よりも先に、このポルトガルという小さな国の船乗りたちを未知の世界に漕ぎ出させ、アフリカを越えてインドと極東へと向かわせ、新世界のブラジルの原野に入植せしめたその冒険心、勇気に疑いの余地はない。「一五四〇年代までに、ヨーロッパで最も小さく、最も遠く、最も貧しい国の一つが、自分より五倍も大きく世界に広がる商業帝国を建設した」のだ(Dias 2007: 68)。ルイス・デ・カモンイスは、ポルトガルとポルトガル人を描いた大叙事詩『ウズ・ルジアダス』で次のように述べている。「知謀をそなえたあのギリシアの人や／トロイアの人の航海はしりぞくがいい／アレクサンドロスやトラヤヌスのかちえた／名高い勝利も口をとざせ。わたしが／うたうからだ、ネプトゥールスもマルスも／膝を屈したあの名高いルシタニアの人々の／勇武のほどを」〔池上岑夫訳『ウズ・ルジアダス』白水社、二〇〇〇年〕(Camões［1572］1997: 3)。まさに、世界初の真のグローバルな帝国にふさわしい賛辞であろう。

スペインは、ポルトガルと並ぶもう一つの偉大な先駆者である。[14] しかし、こうした文脈で「スペイン」という言葉を使うのは誤解を生みかねない。というのも、ここで問題となるスペインとは、これも単なる「スペイン」のことではなく、広大なスペイン・ハプスブルク朝の帝国全体のことだからである。一六世紀、神聖ローマ帝国皇帝カール五世と、その息子フェリーペ二世の下で、ハプスブルク家の所領はスペインだけでなく、ブルゴーニュ、ネーデルラント、イタリアのナポリ、サルデーニャ、ミラノも含んでいた。カール五世は神聖ローマ帝国皇帝として、ドイツの土地を要求することもできた。さらに、カール五世とフェリーペ二世は、オーストリア、ハンガリー、ボヘミア、クロアチアを支配していたハプスブルク家の分家筋に対しても権利を行使していた。新世界に巨大な海外帝国を打ち立てたのは、このヨーロッパに広がるハプスブルク朝の陸上帝国(とはいえ主導的な役割を果たしたのは、セビーリャとマドリードを拠点とするスペインの部分であったことは間違いない)だったのである。

ポルトガルの場合と異なり、スペインの海外帝国は、建設当初からすぐさま同時代人の熱い注目を浴び、それはずっと変わらなかった。エルナン・コルテスによるメキシコのアステカ征服(一五一九―二一年)、フランシスコ・ピサロによるペルーのインカ征服(一五三一―三三年)は、賞賛にせよ非難にせよ、一六世紀ヨーロッパ人の間に驚愕の念を引き起こし、想像力を掻き立てた。しかし、スペイン人はここで止まらなかった。南アメリカの征服を進めてさらに南へ東へ(現在のチリとアルゼンチン)と侵入し、最終的に大陸をポルトガルとの間で分割するに至ったのである。そしてその先は、太平洋が彼らを誘っていた。トルデシーリャス条約の修正により、スペインはフィリピンを植民地化することが可能となった。

それ以来フィリピンは、はるかに価値のある中国、インドとの貿易を遂行する上で、計り知れないほど重要な基地となった。二〇〇年以上にわたって、スペイン銀を詰め込んだスペインのガレオン船は、毎年アカプルコからマニラへと航海し、中国の茶、陶器、生糸、インドの香辛料を積んで本国に戻る、ということを繰り返した(Parry 1990: 131–133; Kamen 2003: 197–216)。

スペイン帝国の特徴は、ポルトガル帝国と異なり、陸上帝国と海外帝国が結合されたことにある。カール五世とフェリーペ二世の時代には、ヨーロッパ全土に広がったその所領が、南北アメリカと太平洋における世界規模の征服のための人材と物資を供給していた。スペイン帝国は汎ヨーロッパ的な影響力を有していたが、それに、ヨーロッパの海岸線を越える汎地球的な影響力が結びつけられていたのである。このような結合は、スペインに固有というわけではない。のちに見るように、フランスとイギリスの帝国もそうした要素を持っていた。しかし、それ以前においても当時においても、これほどの規模でこの二種類の帝国のタイプが結合されたことはなかった。一五八〇年から一六四〇年にかけて、ポルトガルがスペイン・ハプスブルク朝の下でスペインと一体となっていた時期には、スペインの海外帝国は、そこにポルトガル植民地が付け加わったことでさらに膨れ上がった。その結果、史上かつてないほどの規模と地理的範囲を有する巨大な帝国ができあがったのである。エリザベス朝イングランド期の年代記作者ウィリアム・キャムデンはこう述べている。フェリーペ二世の王国は、「これまでの歴代の皇帝の支配領域をはるかに越える距離と広さをもっているので、真の意味で「我が頭上で太陽は沈まず」と言いうるのではないか」(Kamen 2003: 93)。また、C・R・ボクサーによれば、「一五八〇年から一六四〇年まで存続し、中国のマカオからペルーのポトシまで広がったイベリアの植民地帝国は(略)、太陽の沈まない最初の世界帝国であった」(Boxer 1977: 108; さらに Muldoon 1999: 114–118)。

ポルトガル帝国との違いは他にもある。それが、帝国の語りにおけるスペインの事例の存在感の大きさを説明してくれるかもしれない。おもにポルトガル帝国は、マデイラからモルッカまで、世界各地の沿岸都市に作られた一連の要塞と商館（フェイトリア）（しばしば要塞化された）からできている。一五一九年、ポルトガルの総督が、マラバール海岸にあったクイロンの女王に説明したところでは、要塞や商館の目的は、土地の征服ではなく、単に沿岸部でポルトガルの商品を守ることにあった(Boxer 1990: 209)。これは外交上の甘言に過ぎなかったかもしれない。しかし、ジェーン・バーバンクとフレデリック・クーパーも言うように、ポルトガル帝国がおよそ「飛び地をつなぐ海上帝国」だったことは本当なのである。それは交易の帝国であり、どちらかといえば古代世界のフェニキア帝国に、しかしそれをグローバルな規模に展開したものに似ていた(Burbank and Cooper 2010: 154–158)。ブラジルを除けば、この帝国は植民定住型の帝国ではなかったのである。その理由の一端は、ポルトガルの人口の少なさにある。歴代のポルトガル王は、海外植民地にポルトガル人を送り込んで定住させることに大きな困難を感じていた。なお、そうしたことが起こった場合、その大多数は男性である。彼らは現地の女性と一緒に暮らしたり結婚したりして、その結果、そこに大量のユーラシア系の住民が誕生する。それが、モザンビーク、ゴアから、ムラカ、マカオに至るまで、ポルトガル人居留地の有していた一大特徴であった(Dias 2007: 78–79)。

だからと言って、ポルトガルの宗教(カトリック)、言語、文化が伝播しなかったわけではない。実際、これらは精力的に広められ、世界のかつてのポルトガル支配領域において驚くほどの風雪に耐えてきた。それはブラジルだけでなく、アフリカでも、アジアでもそうなのである。C・R・ボクサーによると、ポルトガルの年代記作者ジョアン・デ・バロスは、一五四〇年にいささか予言めいたことを書いている。「アフリカとアジア、そして三大陸の境界を越えた無数の島々に置かれたポルトガルの武器や柱は物質に過ぎず、時間の経過で消滅してしまう。しかし、ポルトガル人がこれらの土地に植え付けた宗教、慣習、言語は、時間によって消滅することはない」。C・R・ボクサーの考えでは、ジョアン・デ・バロスのこの発言は「それほど間違っていたわけではなかった」(Boxer 1969: 93; また Boxer 1977: 125–127; Dias 2007: 68)。

一五八〇年のスペインとポルトガルの一体化ののち、オランダはポルトガルの植民地を一つずつ奪い取っていった。しかし、ポルトガルの居留地が貧弱だったせいで、オランダがスペインの植民地を攻撃したときよりも、抵抗が少なかった。ポルトガルの海洋植民地は、陸上支配を基盤とするスペインのメキシコとペルーの副王領よりも、強力なオランダ海軍の攻撃にはるかに脆弱だったのだ。スペインの副王領の場合は、沿岸部の攻撃だけで敗北させることができなかったからである(注目すべきは、オランダに一時的に占領されたものの、その攻撃を最もうまく防ぎ得た唯一のポルトガル植民地が、陸上支配を基盤とするブラジルだったということである)。このように、ポルトガルが一七世紀にオランダの攻撃に直面し、多くの主要な植民地を失う一方、スペインが比較的無傷で立ち現れてくるのである。

従って、この二つの先駆的な海外帝国のうち、帝国の本体部分を長きにわたってそのままの状態に保ち、何世紀も論者たちの関心を集めてきたのは、スペインの方だった。一八世紀に入ると、ポルトガル帝国はひどく弱体化し、世紀後半のポンバル侯爵の改革にもかかわらず、それまでの優位を取り戻すことができなかった。論者たちのほとんどの目に、この帝国が取るに足らない存在と映ったのも無理はない。同様に、一八一〇年代から一八二〇年代の独立戦争で、ポルトガルもスペインもアメリカにおける帝国を失ったものの、スペインの方は、一八九八年の米西戦争のときまで、キューバ、プエルトリコ、フィリピンなどのカリブ海と太平洋の重要な領土は保持し続けた。

しかし、結局、帝国の残りの部分を長きにわたって、それも実際、他のいかなるヨーロッパの帝国よりも長く保ち続けたのは、ポルトガルなのである。そのことが、スペインと比べたときのポルトガル支配の性質について何がしかを教えてくれるかもしれない。ヨーロッパの帝国のほとんどは、一九六〇年代には消滅していた。新たに独立したインドによって、一九六一年、ゴアもポルトガルから奪われている。しかし、ポルトガルがギニアビサウ、アンゴラ、モザンビークを手放したのは、一九七四年のポルトガル革命後のことだったし、マカオが中国に返還されたのは一九九九年になってから、すなわちイギリスによる香港返還の二年後のことなのである。ポルトガル人は、世界大の帝国を作り上げた最初の人々であると同時に、帝国を放棄した最後の人々でもあった。

ポルトガルとスペインの帝国に直ちに引き続いて、オランダ、フランス、イギリスの海外帝国が誕生した。その後、ドイツ、ベルギー、イタリアの帝国がやってきた。これらの海外帝国という現象は、まさに新機軸であった。そしてそのかたわらに、またある意味では古い形態の帝国との連続性も見せながら、ロシア、スカンディナヴィア、オーストリア・ハプスブルク、オスマンといった陸上帝国も存在した。第一次世界大戦の頃まで、ヨーロッパは、帝国によって(南北アメリカの旧植民地も含め、しかしオスマン帝国のヨーロッパ部分は除いて)地球面積の八四％以上を支配していたのである(Hoffman 2015: 2)。まさに、ヨーロッパは自らの似姿に従って世界を形作っていたのであり、それ以降、世界はその主要な輪郭のすべてにおいて、ヨーロッパの刻印を帯びることになる。

しかし、中国、日本、イラン、インドはどうだろうか。これらの国々も当時帝国を形成しており、ヨーロッパに強く影響を受けながらも、その支配には抵抗していた。中東と北アフリカにおけるアラブ人の帝国、インドのムガール帝国など、以前存在していた非ヨーロッパの帝国はどうかと言えば、ヨーロッパ人の後継者には道を譲ったものの、その遺産は生き続けた。それは帝国の物語の一部をなしている。

さらに言えば、帝国はしばしば、孤立的で自律的な政治体として扱われているが、その歴史は、自律性と同じくらい、相互接続や相互交流にあふれている。確かに、ヨーロッパの帝国は最終的には優位を占めたかもしれないが、そうしたときでさえ、あらゆる帝国(東方であれ西方であれ)の共通の家郷たるユーラシアというエクメーネ(多くの人類が常住する地域)において、相通じるものがあったのではないだろうか。帝国は、頻繁に意思疎通を行ない、多くのことを学び合っていたのである。ある意味において彼らは、互いに敵ともライバルともみなしつつも、同一のプロジェクトに従事していたとも言える。

そこで考えるべきなのは、帝国の伝統が、そして帝国が続いているという感覚が、帝国のバトンが次の帝国に引き継がれていくときにどの程度まで存在していたのか、ということである。同時に、共通点についても考えなければならない。帝国は、帝国としてどのような共通点をもっていたのだろうか。先に、帝国を表す諸々の概念があること、そしてそれぞれが異なりながらも、同じ家族内のみで共有する共通の意味合いを帯びていたことを確認した。しかし、この共通の意味合いについて、帝国をめぐる同一の理想や実践という観点から、さらに多くのことが言えるのだろうか。帝国を、他とは異なった支配類型として区別するのに役立つような固有の主題や比喩があるのだろうか。こうした質問に答えるには、新たな領域に踏み出さなければならない。これまではおもに、枢軸時代以降の西洋の帝国経験を追ってきた。しかし、今後は、他の枢軸時代の帝国を描き出す必要がある。そのようにして初めて、帝国を地球俯瞰的な視野でグローバルに考察することができるようになるだろう。

(1) 「植民地化 colonization」より新しい「植民地主義」という言葉は、それまでとは異なった考察、異なった態度を表している。「植民地化」は、近世ヨーロッパだけでなく、古代ギリシア・ローマに遡る、自国の国民を「植え」付けて定着させるという慣行を意味していた。植民地主義を分析的に帝国主義から区別する試みとしては、Finley (1976)とOsterhammel (2005: 21-22; しかし cf. 2014: 430-434)。大部分の人は、この二つの言葉を同義語として、もしくは少なくとも密接に関連する用語として使うことを好んでいる(例えばRobinson 1986; Cooper 2005: 26-30; Burbank and Cooper 2010: 325-329)。「植民地主義」の「第三世界」における起源と展開については、Fieldhouse (1981: 6-7)。フィールドハウスは、植民地主義を一八七〇年から一九四五年まで続いた明確に歴史的な帝国主義の一段階であるとしている。それの意味するところは、おもにヨーロッパ人によるアジア、アフリカ、太平洋の非ヨーロッパ人に対する支配のことである。もし帝国主義と植民地主義を分けて考えるなら、彼の基準は妥当だと思われる。この点についてはさらに、Kumar (2021)。

(2)　ハーバート・ルーシーは、帝国を一つのプロセス、つまり文明とともに開始し植民地帝国として継続したプロセスとしての、世界規模の植民地化という、より広い文脈に位置づけた上で、「植民地化の歴史は人類の歴史そのものである」と述べている(Lüthy 1961: 485)。

(3)　帝国の歴史的、地理的な広がりを全体としてイメージする最良の方法は、地図と図解が載った帝国の歴史地図帳を参照することである。全世界をカバーするものとして次の二書がすぐれている。Farrington (2002), Davidson (2011).

(4)　ヤスパースの「枢軸時代」に対する批判的な議論については、Eisenstadt (1986), Arnason et al. (2004), Bellah and Joas (2012)。「枢軸時代」にどうしてもキリスト教とイスラーム教を含めようとする研究者(誇りを傷つけられたのだろうか)は、ヤスパースの設定した紀元前八〇〇年から前二〇〇年という時代を越えて、「枢軸時代」の終わりを紀元六〇〇年から七〇〇年においている(例えばMann 1986: 301, 341; Goldstone and Haldon 2010: 3)。だがこのような人々は、ヤスパースがキリスト教とイスラーム教をユダヤ教の支流とみなしたこと、だからこそユダヤ教の預言者も含めて、全体を捉えようとしたこと(ヤスパースの言っていることは完全に正しい)を理解し損ねたのではないかと思う。

(5)　神にして「強大な君主、四方世界の王」という支配者の称号の保持者として最初に記録されたのは、アッカドのサルゴンの孫ナラム・シン(前二二九〇―前二二五四年頃)であったと思われる(Mann 1986: 135; Davidson 2011: 16)。「王のなかの王」、全世界の支配者といった称号が近東における初期の帝国の支配地域で普通に見られたことからして、先行する名高い帝国が模倣されたと推測される。これらの称号は、その地域はもとより、外部でもその後何千年にもわたって使用された。その意味では、これは世界史の帝国の伝統において最も永続性のある称号の一つであったと言える。

(6) これらの「古典的」帝国に関するすぐれた解説として以下を参照。いずれも非常に有益な地図と図解が掲載されている。Larsen (1979), Alcock et al. (2001), Harrison (2009), Morris and Scheidel (2010), Davidson (2011: 36–81), and Benjamin (2018). さらに、Garnsey and Whittaker (1978), Burbank and Cooper (2010: 23–70)。ギリシアとペルシアについては、Morkot (1996)。

(7) ペルシア帝国がどれほどの一貫性をもってゾロアスター教を広めようとしたのかについては、多くの議論がある。ただ現在では、それが実用主義的な考慮から取り組まれたに過ぎず、後続の帝国に見られるような「使命」感に突き動かされたのではなかったようだという点では一致している(例えば Llewellyn-Jones 2009: 120; Wiesehöfer 2010: 88)。帝国におけるゾロアスター教の重要性をより大きく評価したものとして、Mann (1986: 241–242)。

(8) 「アッシリア帝国は、初期の政治の現場に秩序をもたらした。この秩序は、西アジアのすべての住民と国家の神々がアッシリア神を主人と認める天上の王国で獲得されたものであった」(Bedford 2010: 48)。「アッシリアの中央の王国の帝国主義的な拡大は(略)、その周囲のカオスを覆うコスモスの広がりであり、秩序と文明をもたらす事業であった」(Liverani 1979: 307)。アッシリアとバビロニアについては、Mieroop (2009: 94)。エジプトについては、Kemp (1978: 8)。

(9) 世界を変えた一五〇〇年頃の「急変」、歴史的分水嶺、といった観念は、イマニュエル・ウォーラーステインをはじめとする「世界システム」論者たちの著作にも、またより一般的には他の世界史家たちの著作にも見受けられる。例えば、ジェリー・ベントリーは、「一五〇〇年から現在までの近代」や「全世界の地域と住民が最終的に継続的な相互交流に打ち込み始めた時期、従って世界史の真にグローバルな段階が始まった時期」について語っている(Bentley 1996: 768–769)。また、ウィリアム・グリーンも似たような口調で、「一四九二年以前の歴史は、最も大きな次元でも半球を越えるものではなかった。完全に統合された世界史は、両半球の永続的な接触が始まって以降のことに過ぎない(略)。その意味で、一四九二年はグローバルな歴史の推移にとって圧倒的に重要な年だと言えるのではないだろうか」と述べている(Green 1995: 101, 111; Green 1992: 46, 50 も参照)。また、ハーバート・ルーシーによれば、ヨーロッパの海外帝国は、「私たちが今日生きている世界を作り上げた(略)。近代世界そのものが、ヨーロッパによる世界の植民地化という(略)産みの苦しみを経て誕生したのである」(Lüthy 1961: 485–486, 494)。真の転換点として、一五〇〇年ではなく一八〇〇年を挙げる論者もいる。例えば、フランク(Frank 1998,

esp. 12–34, 258–320)。ケネス・ポメランツ(Pomeranz 2000)も、中国と西洋の「大分岐」が始まったのは一八〇〇年頃であり、それ以前ではないとしている。

(10)　Blanshard (2009: 128)とMorris (2010: 128–134)を参照。ほぼ非公式な形であるが、確かにアテネ帝国と呼ぶべきものが存在したという考えもある。それについては、Finley (1978)とDoyle (1986: 54–58)。

(11)　新世界の土地と住民に遭遇したヨーロッパの経験については、各著者の多様な観点がうかがえる以下の著作(すべて一四九二年のコロンブスの第一回アメリカ航海五〇〇周年を記念して出版されたものである)を参照。Elliott (1992), Greenblatt (1992), Todorov (1992), and Pagden (1993). ヨーロッパの征服に対するモンテーニュの激しい弾劾については『エセー』所収の「馬車について」を、そして新世界の「野蛮人」の方が彼の同時代のヨーロッパ人よりすぐれている、という彼の議論については、同じく『エセー』所収の「人喰い人種について」を参照。

(12)　ポルトガル帝国については、Boxer (1977), Newitt (2005), Dias (2007), Disney (2009, II), Crowley (2015), Elliott (2016)を参照。

(13)　J・H・エリオットによれば、こうした見解の大部分は英語圏の歴史家や解説者によるものであり、彼らは、ポルトガルさらにはイギリスの研究者による膨大なポルトガル帝国研究を無視している(Elliott 2016: 76)。確かにそうであろう。ただ、帝国に関する最も一般的な議論においても、ポルトガルの経験は、おもに最も有名な新世界でのスペインの事績の序章をなすものと捉えられている。例えば、Hart (2008: 50–60)。ポルトガル帝国は、ヨーロッパの海外帝国のなかでは未だ埋もれた人知れぬシンデレラと言ったところか。

(14)　スペイン・ハプスブルク朝の帝国についてはElliott (1970; 2007), Kamen (2003), Fradera (2007), Kumar (2017: 147–166, 同書所収のさらなる参考文献も参照のこと)。

第2章 東洋と西洋の帝国の伝統

帝国移動(translatio imperii)――「永遠のローマ」

これまで世界には多くの帝国が存在してきた。もしくは、通常そのように考えられている。だからこそ私たちは、古代帝国と近代帝国、東洋の帝国と西洋の帝国、陸上帝国と海外帝国などと分類することができるのだが、これだけではある種の整理を行なったに過ぎない。現代の帝国研究は、帝国が本質的に多様で多元的だと考えている。実際の研究においても研究書のタイトルにおいても、帝国が単一ではなく複数あることが示唆されるのはそのためである。

しかし、「帝国」という言葉の伝統的な使用法と、それをめぐる思索においては、帝国は唯一にして一元的な事業であったとみなされてきた。例えば、一八世紀ごろまでの西洋において「帝国」はただ一つあるだけだった。すなわち、八〇〇年のカールの皇帝戴冠に始まる神聖ローマ帝国である(Koebner 1961: 19)。確かにこの帝国は一五世紀以降「ドイツ人の神聖ローマ帝国」と呼ばれるようになるが、その長きにわたりマルチナショナルなハプスブルク朝に支配されたこともあって、大部分の人々はそれがドイツ諸国家に限定されているとは考えなかった。この帝国は、全ヨーロッパ、全キリスト教世界を意味していたのである。ドイツ諸国家との結びつきによって、帝国理念を実質的に「担う」政治権力の所在が明らかにされる一方、帝国に冠された「ローマ」という称号は、同時に帝国の普遍的性格も高らかに宣言していた。(1)一八〇六年にナポレオンが神聖ローマ帝国を廃止したのは、それを自らの帝国、すなわちナポレオン帝国にとって替えようとしたからであるが、このナポレオン帝国も、世界全体とは言わないまでも、全ヨーロッパを覆う帝国であろうと努めていた。すなわち、ドイツの帝国であれフランスの帝国であれ、一つの時代には一つの帝国しか存在してはならなかったのである。帝国は、断絶を経ながらも永続的なものだと考えられた。ナポレオンがそれを最初に明示したのは、一八〇四年、かつてのカール大帝(シャルルマーニュ)と同様、彼が教皇の祝福を受けて皇帝として戴冠したときである。そして二度目は、一八一〇年、ハプスブルク朝の最後の神聖ローマ皇帝フランツ二世の皇女マリー・ルイーズと結婚したときである(2)(Heer 2002: 276)。

それこそ、フランスやイギリスの王、女王がときに広大な領域を支配しながら(のちの時代にはそれらは帝国と呼ばれるが)、「皇帝」を自称するのを長らく躊躇してきた理由の一つである。彼らは皇帝の称号を神聖ローマ皇帝に委ね、自らは君主 monarch と呼ばれる方を好んだ(3)(Koebner 1961: 55–56; Muldoon 1999: 9, 114)。彼らが「帝国」という言葉を使ったとしても、それは「至上権」や「絶対的権威」といった古い意味においてである。例えば、ヘンリー八世は「上告禁止法」(一五三三年)で「イングランドの王国は帝国である」という有名な宣言を行なったが、その意味は、イングランド王はその支配領域においていかなる上位者も認めない、つまりイングランド王の支配は絶対的であり、上位権力(例えば教皇)への上告は許さないということであった(Ullmann 1979)。ヘンリー八世は、イングランドがとくに広大な国家だとか、多様な国家と人民を支配している(これは絶対的な至上権という帝国観念の本来の意味に、あとから付け加えられた用法である)などと言いたかったわけではない。当然ながら、彼は神聖ローマ帝国に挑戦しようなどとは考えていなかった(ただ他の多くの君主と同様、ヘンリー八世が神聖ローマ皇帝の玉座の候補者となることを嫌ったわけではない。実際彼は一五一九年に皇帝選挙に名乗りを挙げている)(Scarisbrick 1970: 97-105)。

神聖ローマ帝国は自らが始源的なローマ帝国の直系の子孫であることを自覚していたし、そう公言していた。コンスタンティヌス帝の時代以降、すでにローマ帝国がキリスト教の帝国であると言明されていたことがそれに拍車をかけた。神聖ローマ帝国はrenovatio imperii,すなわち「帝国復興」そのものであり、この場合の帝国とはローマ帝国の謂に他ならない。西洋は、ローマ帝国を軸とする伝統に特別な位置を与えることで、唯一で一元的で普遍的な帝国の性質を明確化していったのである。確かに、ローマに先行するアレクサンドロス大王の帝国の重要性は認識されていた(それどころか、他のいかなる帝国もこれほどの価値を与えられなかった)。しかし同時に、アレクサンドロスの帝国は比較的短命で、そのギリシア文明伝播の使命は、より確実にして永続的なかたちでローマに引き継がれたとも言われてきた。ローマはその自意識において文明そのものであり、知られる限りの世界のエクメネ(人類の居住空間)全体であった。詩人オウィディウスも「世界とローマ国家は同一の場所を占めている」と言っている。中国人が自らの帝国を「中央の王国(中国)」とみなし、その外部には野蛮人が住んでいるだけだと認識したように、ローマ人も帝国外部の世界は文明から見放された部族や王国に満ちていると考えていた。その後、ローマ帝国が四世紀にキリスト教を国教に定めて以来、周辺の部族は野蛮人であるだけでなく、異教徒だということになった。ローマの「文明化の使命」は、さらにキリスト教化の使命としても引き継がれることになったのである。

従って、西洋では帝国はただ一つであり、それはローマ帝国のことだとされた。偉大な古典学者テオドール・モムゼンが言ったように、「ローマ人は通常、巨大権力としてはローマが地上初であるだけでなく、ある意味では唯一であると考えていた」(Pagden 1995: 23)のである。さらに、同時代の多くの論者が明確に述べていたことだが(そしてそれは後の時代にも繰り返されることになるが)、ローマ帝国は世界の平和と繁栄にとって不可欠な存在であった(Kumar 2017: 47–59)。こうした確信は、「ローマ帝国の没落」によっても、つまり四七六年に西ローマ帝国が崩壊しても揺らがなかった。それは、帝国はただ一つでしかあり得ないという信念についても同様である。

一つ付言すれば、ローマ帝国の崩壊と言っても、その全体ではない。崩壊したのは西側の部分だけである。東側では、ローマ帝国はビザンツ帝国として、だが国民は自らローマ人(ロマイオイ Rhomaioi)と名乗り続けつつ、その後さらに一〇〇〇年の余命を保った。しかし西側では、八〇〇年のクリスマスに教皇レオ三世がカール大帝に帝冠を授けて神聖ローマ帝国が始まり、ローマ帝国が刷新された。問題はそれがどのように正当化されたのかということだが、少なくともその一部は、東側で七九七年にビザンツ皇帝のコンスタンティヌス六世が母后エイレーネーによって廃位され、エイレーネー自身が権力の座についたことによってもたらされた。この事件に対し、西側は女性の統治権を認めず、ビザンツの帝位が実質的に空位であるとみなしたのだった。「神聖ローマ帝国の支持者にとって、自分たちの帝国は劣った、新奇な創造物ではなかった。それは古代ローマ帝国の直接の後継であり、ローマ帝国という名称は教皇レオ〔三世〕を介してビザンツからカール大帝とその継承者へと「移動」したに過ぎないのである」(Wilson 2016: 27)。

帝国移動(translatio imperii)という観念のおかげで、ローマ帝国は、コンスタンティヌス帝のローマから、ビザンツ帝国、カール大帝の神聖ローマ帝国へと多様な形態をとって存続することになった。神聖ローマ帝国は一〇〇〇年間、すなわち一八〇六年まで続いたのだから、それはローマ帝国としてきわめて長期間存続したことになるし、またカトリック教会はローマ帝国を引き継ぐ真の後継者であるという教会の主張を受け入れるなら、ローマ帝国は現在においても存続していることになる。

しかし、その後の帝国も、ローマ帝国とは名乗らなかったものの、ローマ帝国の遺産の継承者をもって自任することはできた。例えばリチャード・コーブナーによると、神聖ローマ帝国がイタリア全土の支配権を要求したのに対し、一五世紀のイタリアの人文主義者たちは、「ローマ」を名乗らずとも一般的に広域的な国家を指す「インペリウム」の本来の意味を復活させた(Koebner 1961: 50-60)。それは、最終的には他の国々も、唯一の帝国にしてローマの威厳と使命の唯一の継承者という神聖ローマ帝国の主張に挑戦できることを意味した。一八世紀には、オスマン、スペイン、イギリス、フランス、ロシアが、ローマ帝国より広大とは言わぬまでも、どの点から見ても同程度には巨大な帝国を有していると主張することも可能であった。実際、ロシアの場合、一四五三年のオスマンによるビザンツ帝国の崩壊を受け、モスクワを「第三のローマ」と呼び始めた。しかし、オスマン、イギリス、フランスは、ローマを自称する必要を感じなかったようだ。一八四〇年、トーマス・カーライルは勝ち誇ってこう述べている。「ローマ人が死滅し、イギリス人が到来した」(4)(Kumar 2017: 14)。

しかし、ローマを自称するかどうかにかかわらず、西洋のすべての帝国は、ますます弱体化し、混乱の度を増していく神聖ローマ帝国以上に、自らがローマの責務を受け継ぎ、帝国の文明化の使命を世界で遂行しなければならないと考えていた。ダンテはこうした観念を、『帝政論』(一三一四年)において類まれな力強さで表現している。

人類は天の子、そのすべての活動においてこの上なく完全な天の子である(略)。それゆえ人類は、己の性格が許すかぎりにおいて天の足跡を模倣するとき、最良の状態にある(略)。天全体がそのあらゆる部分、諸運動、諸動者が唯一の運動すなわち原動天の運動と、神たる唯一の動者により支配されているのであるから、もし我々の推論が正しければ、人類も、その諸動者と諸運動が唯一の動者としての一つの君主および唯一の運動としての一つの法により支配されているとき、最良の状態にあることになる。それゆえ、世界が善い状態にあるためには、君主国ないし「インペリウム」と呼ばれる唯一の支配が必要であることは明らかである(Dante [1314] 1996: 13-14)〔小林公訳『帝政論』中公文庫、二〇一八年〕。

ダンテは、世界君主国、もしくは世界インペリウム(帝国)を希求するさい、全世界に平和、正義、公正をもたらすべく神によって定められた機関として、ローマ帝国を選択した。「ローマ人は神の意図を実現するために、その自然本性からして、支配者たるべく定められている」(Dante 1996: 47)。しかし、そこで、先ほどのイタリアの人文主義者たちが、ローマ人以外が神賜(しんし)の任務を遂行する権利と義務を担う可能性を打ち出したのである。一八九四年にジョージ・カーゾン卿も述べたように、一九世紀には多くのイギリス人が、イギリス帝国は「神の摂理により、かつてなかったほどの偉大な善の道具となった」と信じていた(Porter 2004a: 138 に引用)。

第1章で触れたように、「帝国移動」の観念を最初に持ち出したのはおそらくヘロドトスである。彼によれば、帝国はアッシリアから、メディア、ペルシアへと引き継がれたのだったが、これらの帝国のあとの時代に生きたギリシア人にとって、マケドニアの帝国、すなわちアレクサンドロス大王の帝国がペルシア帝国を継承していると考えたのはもっともなことであった。そして今度はそのあとから来たローマ人が、自分たちがマケドニアの帝国の継承者であると考えたこともさらにもっともであった。

しかし、とくに西洋中世にとってさらなる影響力を及ぼしたもう一つの起源がある。それは旧約聖書である。ダニエル書で(二章三一―四五節)、ダニエルはバビロニア皇帝ネブカドネザルの夢を、四つの「世界君主国」もしくは帝国の継起の預言と解釈したが、それによると、夢に現れた黄金に象徴される最初の君主国はバビロニアである。そしてバビロニアの衰退のあと、名指されてはいないが、劣位の金属である銀、青銅、土が混じった鉄によって象徴される一連の君主国が続く。さらにダニエルは、「天上の神」が「永遠に支配する」五つ目の君主国も預言していた。

四世紀には、教父ヒエロニムスがヘロドトスとダニエルの両方を再解釈し、ダニエルの四つの「世界君主国」はバビロニア、ペルシア、マケドニア、ローマであると厳然と明言した。ヒエロニムスは、そこに重要な二つの新しい特徴を付け加えた。一つは「帝国」は唯一にして専一であること、もう一つがローマ帝国は最後の帝国であらねばならず、この帝国は神自身の統べる五番目の帝国の到来まで存続すべきだということである。「帝国は他と共存しえず、厳密な順序に従って次々に生起する。それは支配者や王朝の単なる交替ではなく、神が定めた権力と人類に対する責任の移動をともなう、まさに時代を区切る事態の生起であった。ローマ帝国が存続すべきだと考えられたのは、もしこの地上で五番目の帝国が出現した場合、ダニエルの預言が無効となり、神の摂理が否定されるからである」(Wilson 2016: 38)。

中世になると、ヨーロッパ人はヒエロニムスのダニエル注解(これはとくにオロシウスの『異教徒に抗する歴史』によって広まった)に導かれて「帝国移動 translatio imperii」の観念を受け入れた。そしてそれを同種の移動論である「学問移動 translatio studii」(知と文化の移動、すなわち文明の移動)の観念と一体化させた(Le Goff 1990: 171-172)。この修正によって、神聖ローマ帝国という唯一の世界帝国があるだけでなく、文明も、ただ一つの世界文明しか存在しないということになった。つまりヨーロッパのキリスト教文明である。帝国は、このヨーロッパのキリスト教文明に健全な繁栄をもたらす使命を神に託されたのだった。帝国が時代を追って一つずつ誕生するたびに、それにともなって文明もまた生まれては消えていく。文明は西漸し、インド、エジプト、アッシリア、バビロン、ペルシアからギリシアとローマへと移り、西欧で頂点に達するのである。一二世紀にフライジングのオットーはこう述べている。「人間のすべての力や学問は東方に生まれ、西方で終焉を迎える」(Le Goff 1990: 172)。こうして「西洋の勃興」の観念が誕生した。

その後のヨーロッパの帝国は、自らを容易にこの伝統のなかに位置づけることができた。ローマの遺産の継承者をもって自任するのにもっと有利な立場にあったのは、スペインとオーストリアを支配し、実質的に神聖ローマ皇帝位を世襲してきたハプスブルク家である。さらに驚くべきはビザンツ帝国を滅ぼしたイスラーム教徒のオスマン帝国で、彼らは少なくとも初めのうちは、自らを伝説上のローマの建国者であるトロワ人の子孫であり、ローマの後継者であるとみなしていた。他方、ロシア帝国も、東方正教会の旗手である自分たちの帝国こそが真の「第三のローマ」であり、「今後も第四は存在しない」と考えていた。

一八世紀から一九世紀にかけては、どちらの帝国が、古(いにしえ)のローマのように世界の「文明化の使命」を最もよく担いうるかをめぐってイギリスとフランスが争った。両国の自己理解におけるローマの重要性からすれば、頻繁にローマとの比較が行なわれたのは当然であるし、それも無理からぬことであった。

さらに二〇世紀になると、アメリカとソ連の両帝国がその競争を引き継いだ。同じように地球規模で、人々にどちらか一つだけを選ぶよう迫る厳しいメッセージが送られた。今度の選択肢はアメリカ型資本主義か、ソ連型共産主義かである。一九九一年のソ連崩壊により、アメリカは唯一勝ち残り、世界の「孤独な超大国」になったかにみえた。その多くの支持者にとって、世界中に自由資本主義を広げることが、新たなローマとしてのアメリカの使命となったのである。こうして、ローマ的な帝国モデルの有効性が再び証明された(それはローマとしてのアメリカに対し、イギリスにギリシアの役割を担わせることでより説得力が増した)[5]。

これらはすべて、実質的にはオスマン帝国さえも、西洋の諸大国である。西洋は、自らが優越的な文明を有し、その帝国は世界で最も強力で影響力があり、自分たちこそ古代の諸帝国の継承者であると考えるに至ったようである。しかし、他のすべての帝国が消えてなくなったわけではない。確かに、アッシリア、バビロニア、エジプト、マケドニア、ギリシア、ローマの時代は昔日のことに過ぎない。インドも、帝国の短い栄光の時期が過ぎると他の大国、他の文明に屈服したようにみえる。しかし、西洋世界が中世を迎えたころにも、またそれ以降も、まだ古の繁栄が続いていた中国とその帝国はどうだろうか。もしくはイスラーム帝国は？　それが七世紀のイスラーム教の誕生以来、驚くべき速さで成長、拡大し、その力と支配をキリスト教徒の諸帝国と競ってきたことは疑いようがない。一六世紀にヨーロッパ人が「新世界」で接触したときに、まだ発展を続けていたアステカとインカの帝国はどう考えるべきだろうか。これらの帝国も自らを「唯一」の帝国だと考えていたのだろうか。ある種の帝国の伝統、帝国の観念と理想の継承や存続といった感覚を有していたのだろうか。帝国現象をより広汎に、また全般的に見通すためには、西洋以外の世界において帝国がいかに考えられていたのかを検討する必要がある。

中華帝国──「中心の王国」

あらゆる非西洋の帝国のなかで、中華帝国は最も古く、最も長く存続した。この帝国は正式には紀元前二二一年に誕生し、その終焉はなんと一九一二年である。ただし、中華帝国が実際に二〇〇〇年以上にわたって存続したと言えるかについては疑問もある。その間に看過し得ない異民族支配の時代があったからである。モンゴル人の元朝(一二七九─一三六八年)、満州人の清朝(一六四四─一九一一年)などの支配がそうだ。しかし、ほとんどの研究者が一致して考えるところでは、異民族(漢民族ではないという意味での)の支配層は、言語をはじめとする中華の習俗や、中国文化の基本的な諸形式を早々に採用したらしい。その意味では、中華帝国が連綿と続いたと言うことも充分可能であるし、単に存続期間の長さの点では、それに匹敵するものとしてはエジプトの帝国があっただけである(Keay 2009: 79; Zhao 2015 参照)。

ただし、他のすべての非西洋の帝国と同じく、中華帝国の場合も名称の問題がある。それをどのように呼ぶべきだろうか。それは実際に「帝国」だったのだろうか。ローマ帝国やイギリス帝国と同じような意味で、それを中華「帝国」と呼んでよいのだろうか。多くの西洋の言語においては、「帝国」という言葉はラテン語の imperium に由来する。従って、そこでは意味の束をなす語彙が広く共有されている。つまりいずれにせよ、西洋の諸帝国の間では「家族的類似性」が存在するのである。

他方、非西洋の帝国には、何らかの起源を同じくする共通の言葉がない。私たちが、中華帝国、マウリア帝国、ムガール帝国、サファヴィー帝国などと言うのは(私たちはそのように言うことができるし、そう言うべきなのだが)、これらの帝国について見聞したり論じたりした人々が、通常は西洋の帝国との類似性を感じ取って、ある時期以降、それらを帝国と呼ぶに至ったからである。さらに重要なのは、そこに生まれて生活する人々が、自分たちの国家や国土を帝国と呼び、それを他の帝国(ここでも通常は西洋の帝国)と比較し始めたという事実である。

つい最近の例からも、それがどのように起こりうるかを見ることができる。一九九〇年代の初頭まで、「ソ連帝国」などと言うロシア人はほとんどいなかった。西側においてさえ、ソ連を「悪の帝国」と名指したロナルド・レーガンのように、ソ連を帝国と呼ぶのはこの国に敵対的な人々がほとんどだった。それはソ連に拡張主義、それもおそらくは帝国主義的な拡張主義のレッテルを貼ろうとしてのことである。しかし、一九九一年のソ連崩壊後、西側でソ連帝国と呼ぶことが増えただけでなく、ロシアや他の旧ソ連構成国家に住む人々も遠慮なくソ連を帝国と同一視し始めた(Khalid 2007: 113)。そして、かつてのソ連を帝政ロシアも含めた史上の他の諸帝国と比べることも普通に行なわれるようになり、東欧でも西欧でも、研究者がこうした観点に立って本を執筆したり、シンポジウムを主催したりするようになった(例えば Barkey and von Hagen 1997)。ソ連自身は否定したが、ソ連はそう名乗っていなかっただけで実質的には帝国であったと考える人は今は多い。ソ連が帝国と呼ばれるようになった今では、それを他の帝国と広く比較することができるようになったのである(Beissinger 2006)。

ときには、帝国が没落して初めて帝国の名称が付され、さらにその名称が定着していくのかもしれない。アメリカに対しても、その敵の多く、または味方の一部は「アメリカ帝国」という表現を使っている。それが好意的な意図から生じることもある。それがアメリカに世界で果たすべき責任を、ひいてはその役割を思い起こさせるというのである(Ferguson 2005)。さらには、アメリカを帝国と呼ぶことの正否は別にして、そのように扱うことで、過去に覇権的な力を持った広大で強力な国家との有益な比較を行なう可能性が開かれることを期待する向きもあった(Maier 2007)。しかし、この問題に関してすべての人の賛同を得ることはできない。おそらく、アメリカが世界の覇権国としての現在の地位を実際に失うときにこそ、もしくはそのようなことが起こったとすれば、「アメリカ帝国」という表現が一般に広まるのではないだろうか。現在の段階では、たとえアメリカが帝国だとしても、それはそう名指すことをあえてしない帝国なのである(アメリカ帝国については、本書の第6章以降)。

興味深いことに、中国が「エンパイア」、すなわち帝国と呼ばれるようになり、多少とも西洋に由来するこの名称を受け入れるようになったのは、一九世紀後半におけるその衰退が始まった頃のことである。ただ当時は、それは必ずしも弱さを認めることではなく、中国が、帝国を自称する西洋の大国とかつて同等であった、もしくは同等であり続けていると主張しようとしてのことであった。中国に付された「エンパイア」という呼称が、中国の後進性や西洋に伍する能力の欠如という否定的なニュアンスを帯びるのは、一九一一年の帝国崩壊後のことに過ぎない。そのとき、中国は西洋の発展を誤解したのだった。つまり、第一次世界大戦後のヨーロッパの海外帝国はその頂点にあり、帝国を放棄する兆しなど微塵もなかったはずなのに、中国の改革者たちは「国民国家」になることこそが、中国が「封建制度」と儒教的伝統の古い遺産を廃棄する唯一の手段であると論じ始めたのである。彼らの考えによれば、近代化することとは、儒教の遺産を背負い込んだ旧式の王朝帝国に代えて、西洋式の国民国家を作ることを意味していた(Schwarz 1984; Duara 1995: 85–113; Rowe 2012: 253–254; Wang 2014: 59–60)。

このように、ヨーロッパと中国の双方が、中国を名指すのに「エンパイア/帝国」[(6)]という言葉を使ってきたが、その用法の歴史は複雑を極める(さらに明らかに研究の量も少ない)。一七世紀半ば、それまで中国を「王国」と呼んでいたヨーロッパ人は、ヨーロッパの諸帝国からの類推で、「中華帝国」と呼ぶようになった。そして一八世紀には、そうした呼称の方が一般的になった。モンテスキューは、当時幅広い読者を獲得したその『法の精神』(一七四八年)において、良い意味でも悪い意味(例えば「中国は専制国家であり、その原理は恐怖である」など)でも、「巨大な中華帝国」について多くを語っている(Montesquieu [1748] 1962, I: 122, 125)。

中国にエンパイアのレッテルを貼ることは、それが後進的で蒙昧であると言って非難しようとしてのことではない(ただ、私はこの点で自分と意見を異にする研究者の方々への敬意を失わないつもりだ)。ヨーロッパの当時の主要国はことごとく帝国であったし、帝国ではない国々もそうなることを目指していたからである。つまり実は逆で、中国をエンパイアと同一視することは、世界の舞台における中国の重要さ、その力と独自性の承認を意味したのである。さて、一八四〇年代のイギリスによるアヘン戦争を手始めに、西洋が一九世紀に中国に圧力をかけたのは、この類なき文化と富を有する中華世界に入り込もうとしてのことであった。ヨーロッパの侵入は一八六〇年代に再燃し、一九〇〇年の義和団の乱へとつながり、その結果、中国は実際に決定的に弱体化することになった。しかしヨーロッパ人にとって、また中国人自身にとっても、帝国が崩壊するまでは、帝国の呼称は時代遅れで「前近代」的な支配形態を示唆するものではなかった。(7)

中国人自身にとっても、自国を呼ぶさいに使われる「帝国 diguo」という言葉は曖昧で、その意味も時代によって異なっている。古代の文献にも帝国や、皇帝を意味する「皇 huang」という言葉が確認できるが、多くの場合それは「徳の帝国」、すなわち神話上の三皇五帝の如き有徳の指導者(権力行使の手段として武力を放棄し、それに代えて賢慮と正義に依拠するという点ではプラトンの言う「守護者」にも比すことができる。Wang 2014: 31-32)に治められた国家を意味した。その歴史のほとんどにおいて、領域的な意味での国家を表すのに最も普通に使われた言葉は、偉大な国家を意味する「大国 daguo」である。大抵はそれに王朝名をつけて、大宋国、大清国などと呼ばれた(Brook 2016: 959-962)。こうした名称には、中国の支配者を遍く「天下」を治める「天命」を帯びた「天子」とみなす観念が結びつけられることも多かった。なお「天下」とは、人類に知られる限りのすべての文明世界のことであり、それは通常「中心の国＝中国 Zhongguo」そのもののことであるとされた。しかし、「中心の国＝中国」が現在のように、他国が「中国」と呼ぶ国を指す一般的な言葉となったのは、帝国と同じく一九世紀になってからのことである。基本的に、かつての中国人は自らの国を指すのに、その時々で支配した王朝の名前で呼んだようである。人々は、中国ではなく、秦、漢、唐、宋、元、明、清などの下で、もしくはそれらの時代に生きたのである。

以上のことからすると、「大国 daguo」から「帝国 diguo」への移行はそれほど重要な出来事とは思えないかもしれない。しかし、まさにこれは世界における中国の位置の変化を示す、中国思想にとって巨大な転換だったのである。かつて中国は自らを文明の中心だと見なしていたし、実際、その富と力によって中国は何百年もの間、世界経済において支配的な地位を占めていた(Frank 1998)。しかし、一八四〇年代のアヘン戦争以来、中国はいわゆる「百年国恥」の時代に入る。この屈辱は、一九四九年の中国共産党の勝利の時まで晴らされることはなかった。一九世紀に西洋の大国に立て続けに敗北を喫し、西洋による主権の侵害を止めることもできなかったことから、人々は中国の驚くべき脆弱さを認識し始めていた。そのため中国の知識人は、統一国家の基盤が秦・漢によって据えられて(前二二一—後二二〇年)以来、ずっと中国における支配を正統化してきた古典的な儒教の遺産をまるごと再考せざるをえなかった。その結果、儒教的伝統、およびそれを支えにしていると見なされた社会制度（「封建制」）が総体として否定された。そこで、西洋思想に強く影響を受けた「支配的なイデオロギー」が取って代わった。孔子の思想に基づく「天の原理」に、西洋の実証主義に由来する「普遍的な原理」が置き換わったのである(Wang 2014: 61-100)。この新しい思考の文脈の中で、「エンパイア」の言葉には新しい意味が与えられた。帝国は依然として「帝国 diguo」と呼ばれたが、この「帝国 diguo」は新たな意味合いを獲得したのである。それによって中国と他の西洋の諸帝国との比較が可能になり、同時に中国自身が、自らの過去の大部分を「帝国」という言葉で思考できるようになった。

一九世紀末に西洋思想が中国に導入されるさいには日本の貢献がきわめて大きかったが、「帝国」においても、入口を提供したのは日本だった。一八六八年の明治維新以降、日本は何百人もの知識人、科学者、企業家を西洋に送り出し、その様々な側面を広く見聞させていた。そこで蓄積された知識が、日本における近代化と工業化の巨大なプログラムの跳躍台となった。その最初の成果が、世界の檜舞台への日本の登場を高らかに知らしめた中国（一八九四年）とロシア（一九〇四年）との戦争で両国に決定的に勝利したことである。中国の知識人たちは、西洋の大国に直面したときの日本と中国の差異に愕然とせざるをえなかった。西洋を打ち負かすには、明らかにまずそこに参入すること、もしくは少なくとも彼らに似た者になる必要があったのである。

一八六八年に明治天皇を中心とする勢力が徳川政権を転覆し、そこで新たに誕生した国家は「大日本帝国」と名付けられた。こうした命名に新旧の二つの影響を典型的に見て取ることができる。第一に、この名称は古代中国の「天子」と、徳の帝国としての中国的な「帝国」の観念に遡る（日本語でも中国語でも漢字で書けば帝国は「帝国」である）。しかし第二に、日本は同時代のイギリスや他のヨーロッパの帝国を非常に意識していた。つまり、帝国を名乗ることで、日本は自らが、まさにいま目の前で世界を支配し、その相貌を変化させつつある他の大帝国と同じような存在であることを知らしめようとしたのである。こうして、第二次世界大戦の敗北までの半世紀にわたって、日本は世界支配の一角を占めるに足る力を示し続けたのであった。

日本とヨーロッパが使った「帝国」に相当するような言葉は、中国には一九世紀末に入ってきた。当然ながら、それは日本思想と中国思想が歴史的に緊密な関係にあったことも与っていた。「帝国」の新しい使用法は日本の事例に従って意識的にモデル化され、その結果、「帝国 diguo」には、その伝統的な用法に明らかに欠如していた意味が付与されることになった(Wang 2014: 33-35; また Rowe 2012: 265-266)。しかし、これによって中国は他の帝国と同種の帝国ということになり、この用語を時代を遡らせて中国の初期の歴史の大部分にも適用し、中国が実際に、世界で最強最長の帝国の一つを有していたと主張することが可能になった。

紀元前二二一年、秦の最初の皇帝が敵対する六つの王国を征服し、統一国家を建設して始「皇帝」を名乗った。あとを継いだ支配者たちもこの称号を使い続けたが、それはおもに先行する周の「王」の観念と、それに結びつけられた地方分権的な「封建」の制度とから自分たちを区別するためである。この意味における皇帝は、必ずしも「帝国 diguo」の支配者というわけではなかった(中国における支配領国を示すのにもっと一般的な言葉が他にもあった)。むしろ、皇帝は天の意志を実現すべき「天子」になったのである。さらに、この皇帝の称号によって、その保持者には最高の軍事的権威が与えられ、中央集権的な新国家において正義と秩序を維持する任務が課されることになった。

このことは、「帝国 diguo」の新しい意味を、秦、漢およびその後の王朝の支配にまで遡って適用する充分な理由となった(Lewis 2007: 2)。一九世紀末になると中国は、ローマ、ビザンツ、また他のヨーロッパ諸国と同じような意味で、常に帝国であり続けたと考えられるようになった。もちろん、その独自性はあったが、それは他の帝国でも同じである。例えば、系譜上のつながりや継続性の感覚にもかかわらず、ローマ帝国はスペイン帝国やイギリスの帝国とは多くの点で異なっている(一つ例を挙げると、ローマ帝国は海外帝国ではない)。とはいえ、そこには常に共通性の感覚があったのだから、そうした感覚を基礎とする比較ができないわけではない。帝国のすべての事例において、普遍性と唯一性に対する同じ信念、人類の利益のために人類を支配する使命を神から与えられているという同じ確信、帝国の命運に対する同じ希望と不安が存在していた(Fairbank and Goldman 2006: 44)。

中国には、そのすべてがあった。それはまさに「世界の中心にある王国」を意味する「中国」という名称に込められている[8]。そうした考えによれば、儒教哲学に支えられた中華文明ほど偉大な文明はかつてなく、中華帝国はすべての人々にその利益を享受させるべく、この文明を可能な限り普及させる使命を負っていた。「天下のすべて」に対する支配は、漢民族の根拠地を越え、契丹、女真、蒙古、満州、ウイグル、チベット、日本、ベトナム、朝鮮などの諸民族にも及びうるとされた。

明朝や清朝の初期には、中国は拡張傾向にあり、海外帝国を建設する可能性さえあった。確かに、鄭和提督はインドとアフリカ(およびおそらくさらに先)に七回も遠征を行なっており(一四〇五―三一年)、中国にも海外膨張に対する渇望や野心がなかったわけではない。「中国には、船舶も、人材も、資金もあった(略)。中国は、その後一〇〇年のうちにヨーロッパが帝国を打ち立て、地球大の支配を求めることになる海を支配し、その貿易を独占する準備ができているように見えた」(Keay 2009: 380-381; また Dreyer 2007; Brook 2013: 93-94)。そこで次のような歴史の仮定を考えてみよう。もし中国がヨーロッパ人より一〇〇年前に海外帝国を建てていたらどうなっただろうか。その後、世界はどう変化していただろうか。しかし、議論が重ねられたわりに、まだ理由はよくわからないのだが、明の皇帝は急に海外渡航を禁止し、艦隊は破壊された。おそらく、当時は国内問題、とくに北方の蛮族の侵入という緊急事態に対処すべきだと考えられたのであろう。いずれにせよ、その後の皇帝は誰もこのような長距離の遠洋航海を企てることはなかった。中国が海外帝国を建設する見込みは潰えたのである。

しかし、だからといって他の拡張方法までも諦めたというわけではない。そもそも中華帝国は「自己抑制的」な帝国であったとする考えが今でも根強く残っている。つまり中華帝国は何よりも国境地帯の安全を確保することだけを考えていたのであり、ときに自らの意に反し、あくまでも安全保障を強化するために、不穏な地域を併合したことがあったにすぎなかった、と言うのである。こうした見解は、中国に対するステレオタイプ、つまり伝統的には孤立志向で、内向的で、万里の長城の背後に身を潜め、「外国人」を軽蔑して信用しないという、西洋に根づいたイメージと結びついている。そこから類推して、だからこそ明朝の宮廷では鄭和の遠征に対する強い反対意見があり、結局その計画が押し潰されてしまったのだと結論される。こうして中国は、他の帝国、とくに、ほぼ生来の拡張傾向を有するとも言うべき西洋のような帝国(意図的もしくは積極的にそれを目指していたかどうかは別にして)とは異なると感じられたのである。

今日の中国は、過ぎ去った中華帝国に関するこの種のイメージを広めようとしているように思える。その理由の一端は、目下彼らが、習近平の「一帯一路」構想によって世界的な帝国を建設し、アメリカの優位に取って代わろうとしていると非難されていることにあるのだろう(Miller 2017)。しかし、いかなるイメージを抱こうとも、かつての「自己抑制的」な中華帝国という観念は一種の神話である。他のすべての帝国と同様この帝国にも潮の満ち引きのような変化があり、拡大期と縮小期があった。熱狂のあとには、帝国の過剰な拡大と衰退の予感がやって来た。しかし、また他のすべての帝国同様、中国も機会を見ればそれを摑んで離さなかった。とくに、拡張の必要があり、新たな領土を獲得できそうなときにはそうである。

中華帝国の成長

中華帝国は、北方の黄河周辺を中核とする地域から拡大していった。[9] 周による初期の統合(前一〇四五―前七七一年)ののち、「春秋」と「戦国」の時代(前七二二―前二二一年)が到来した。それは、分裂と分断の時代であったが、文化的、思想的にはきわめて高い創造性を誇り、いわゆる「百家争鳴」を生んだ。その時期に、孔子の思想が形成され、非常に強い影響力をもった孫子の『兵法』が書かれたのである。孔子(前五五一―前四七九年)は、過去を遡って周の初期、とくに周公(初代周王の弟で、兄王の死後に王に即位したその息子を摂政として補佐した)の治めた時代を、正しく調和の取れた社会の模範であると考えた。孔子に導かれつつ、「古き良き周公の時代」に立ち返れ、というのがのちの時代の多くの改革者にとってスローガンになった(Keay 2009: 51-57, 219)。周公は、「天命」を与えられた支配者、ただし振る舞いが正しくなければときにそれを取り上げられてしまう支配者の観念を体現した人物である。しかし、儒者の考えに部分的に反対する思想も生まれた。例えば、法家(前四―前三世紀)である。法家は、マキアヴェッリ流のレアルポリティークを重視し、安定した平和な支配を手に入れるには、いかに冷酷であろうとも必要に応じてあらゆる手段を用いるべきだと論じた。そこでは刑法と、強力で効果的な官僚制がその目的に達する主要な手段であると考えられた(Schwartz 1985: 321-349; Mote 1989: 101-114; Zhao 2015: 52-55, 184-187)。

始皇帝(「最初の皇帝」)に始まる秦王朝は、短命ではあった(前二二一―前二〇六年)が、中国を再統一し、書き言葉をはじめとする多くの分野で標準化を導入した。中国の初期国家の手になる北方の城壁につなげるようにして、最初の万里の長城を建設したのも秦である。この時代は、伝統的な家族や氏族の権威を覆し、法家の原則を基盤とする官僚制の黎明期でもあった。周の統治に特徴的であった封建制は、民政と軍事の総督が共同で管理する、「郡県制」として知られる政治的単位に置き換えられた。そこでは、厳格な官僚支配によってすべての社会関係が律せられた(Schwartz 1985: 345-349; Fairbank and Goldman 2006: 55-57; Lewis 2007: 260-261; Zhao 2015: 195-198, 254-267)。他と区別された固有の意味での「中華帝国」は秦に始まるとするのが慣例となっている。秦の時代は短く、統治は暴力的ではあったが(そのため最終的に反乱が起こった)、それには正当な理由がある。[10] そしてその遺産はいつまでも残り続けた(Mote 1989: 100-103; 2003: 4; Jenner 2009: 258-263)。

漢の支配(前二〇二―後二二〇年)は、途中で短く新(八―二三年)を挟むものの、およそ四〇〇年続いた。その間に、秦の政策の多くを継承し、より堅固な基盤の上に帝国を築くことができた。秦のいわゆる権威主義的な法家思想は緩和され、帝国のイデオロギーとしては儒教がより中心的な位置を占めるようになった。それがフェアバンクとゴールドマンが言うところの、儒教と法家思想の混合した「帝国儒教」である(Fairbank and Goldman 2006: 62; また Jenner 2009: 274-275)。漢は、儒教の古典を習得した文民を登用するため、科挙を制度化した。また領土の拡大も行なわれた。漢の武帝(在位前一四一―前八七年)の時代には、帝国は中国南部の広範囲にわたる部分、さらには北ベトナムの一部(安南)も併合するにいたった。西部では、河西回廊もその保護領となった。そこには、敦煌を通ってシルクロードに出る地点も含まれている。満州南部と朝鮮北部の国境地域も鎮圧された。漢がその終焉まで拡大し続けた国境線は、一八世紀に清の征服活動によってさらに拡大されるまで、基本的に帝国の国境線として維持された。

漢はまた、北部、北西部のステップ遊牧民(その代表が匈奴である)と朝貢関係を結んだが、それは帝国の歴史における基本的な形式となった。帝国は軍隊の維持育成のために遊牧民が大量に飼育していた強い馬を必要とし、遊牧民は何よりも中国の茶、絹、銀を必要とした。帝国軍は何度も遊牧民を征服しようと試みたが、それは大きな失敗に終わった。その結果、「蛮族」の取り扱いに関しては、いかにも中国らしい「貿易と貢納」、もしくは貢納の形態をとった貿易という方法の方が好まれるようになった(Mote 2003: 185; Perdue 2005: 34–36; Fairbank and Goldman 2006: 61–62; Lewis 2007: 132–133; Jenner 2009: 263–266)。

漢の滅亡(二二〇年)後、中華帝国史の一大特徴ともいえる「軍閥割拠」が一〇〇年ほど続き、中国は北朝と南朝に分断された(三一七―五八九年)。隋(五八一―六一八年)は以前の秦と同様短命ではあったが、軍事的に国内統一を果たすことができた。その後、より永続的な政治的・文化的な統合を成し遂げたのが唐(六一八―九〇七年)である。秦(または周)と同じように、隋と唐もその起源は辺境地帯にある。これも中華帝国史の重要な特徴だと言えるだろう。完全に中華系とも非中華系とも言えないような、一部にそうした要素を含んだ民族が、帝国の発展と強化にきわめて大きな役割を担ったのである(Mote 2003: 5; Fairbank and Goldman 2006: 77)。ピーター・デイヴィッドソンはこう述べている。「四二〇年以降、二つの中国が存在した。南には船に乗る漢民族の中華王朝、そして北には馬に乗るステップ遊牧民の王朝である」(Davidson 2011: 105)。

「ほとんどの中国人は、政治的にも文化的にも唐朝が中華帝国の絶頂期であったと考えている」(Lewis 2009: 1; cf. Farrington 2002: 56–59)。確かに、詩歌、製陶、絵画、彫刻(これらは則天武后が奨励した仏教の影響を強く受けている)は、これまでにない高みに達した。領土的にも、唐は漢よりも野心的であった。チベット、ネパール、カシミールが朝貢国となった。北ベトナムも再征服された。また日本と朝鮮の中国化も進み、唐に来貢使節を送るようになった。西方では、唐はタリム盆地とジュンガリアを通って中央アジアに進出した。だがそれは、七五一年のタラス河畔(フェルガナ)の戦いでアラブ人に押し止められた。最終的には、西方のイスラーム化により唐は撤退せざるを得なくなり、唐末期の帝国の国境線は漢末期と似たようなものとなった。その時以降、中央アジアはもはや仏教と中国文化の花開く地域ではなく、イスラームが支配する地域になるのである(Lewis 2009: 145–147, 158–159)。

しかし、同時に国内において、新たに地政学的な構造を作り出す重要な住民の移動も見受けられた。漢民族は経済的に繁栄する南部に少しずつ移住したが、それが「豊かだが比較的非武装化された南部が、戦略的な理由で北方に置かれていた首都を物質的、財政的に支える」(Lewis 2009: 13; cf. Mote 2003: 6, 19)という永続的なパターンを生み出した。それによって、「二つの中国」、すなわち政治的に優勢な北部が、経済的により豊かでも従属的な南部を支配するという感覚が強められた。

西方での唐の領土的野心は結局頓挫した。しかし、唐の出自をたどれば、その一部が北西部の国境地帯のトルコ系住民に行き着くこともあり、それで北方の遊牧民との広範囲で定期的な接触がなくなったわけでもなかった(Lewis 2009: 147–153)。古のシルクロードが繁栄したのはこの時期である。唐の首都を中国の「西域」、インド(唐初期に中国で広く伝播した仏教の故地)、そしてさらなる西方へと結ぶシルクロードによって、中国は、ゾロアスター教、マニ教、イスラーム教、ユダヤ教、ネウストリア派のキリスト教などを信奉する人々の集団との関わりをもつようになった。唐の首都である長安は、当時一〇〇万の人口を有する世界最大の都市であり、世界に広く開かれていた。道教と仏教の礼拝所の傍らには、イスラーム教のモスク、キリスト教の教会、ユダヤ教のシナゴーグ、ゾロアスター教の寺院が立ち並んでいた。マーク・ルイスは、唐を「国際的な帝国」と呼んでいる。「中華帝国の歴史において、唐の時代は最も開放的でコスモポリタンな時代であった(略)。少なくともこの二〇〇年の間、唐朝は外国の人々と文化を温かく迎え入れた。これは中国文明にとって決定的な時代であった」(Lewis 2009: 145, 147; cf. Mote 2003: 5-6; Fairbank and Goldman 2006: 78)。

唐の支配は、最初は安禄山将軍の乱(七五五―七六三年)、次に盗賊団の頭目が起こした黄巣の乱(八七八―八八四年)という二つの大規模な反乱で混乱に陥った。そのため国土は荒廃し、唐朝もひどく衰えて、ついに九〇七年、かつての反乱軍の指導者であった朱全忠によって滅亡させられた。ここに「五代十国時代」(九〇七―九六〇年)が幕を開ける。その間に、中国は再び戦国時代に突入した。しかし、最初の戦国時代のときと同様、政治的無秩序の背後で、根本的な変革も起こっていた。その一つとして、中国の政治的中心が多少とも西から東へと移ったことが挙げられる(Mote 2003: 17-18)。現在の陝西省南部、渭水沿いの長安とその周辺地域は長らく帝国の政治的中心地であったが、唐末における戦争の混乱や略奪が止まなかったことでその重要性を失い、弱体化した。歴史的な感傷とは無縁であった朱全忠は首都を東に、すなわち最初は洛陽、次にさらに東の開封に移した。隋と唐が張り巡らせた運河による水上交通網は強化され、経済的に繁栄する長江盆地と北東部、黄河と新首都の開封がより強く結びつけられた。これによって交易路はいっそう海岸に接近し、朝鮮と日本、また北の契丹帝国とのさらに密接な交易が可能になった。こうして、宋時代の巨大な商業的発展の舞台が整ったのである。

唐末から五代にかけて起こった変化としては、他にも、中国の政治を何百年も支配してきた巨大な氏族や家門の権力喪失を挙げることができる(Fairbank and Goldman 2006: 83-85)。長年にわたる政治的無秩序によって一族の指導者が殺され、その所有地も細分化したのである。彼らのあとを引き継いだのが、科挙によって「本人の能力」に応じて選抜された新しいエリート層である。それも宋の時代に起こったことである。ロシア帝国やオスマン帝国のようなその後の多くの帝国のように、しかしそうした帝国が出現するはるか以前に、中華帝国は、少なくとも原則としては世襲ではなく、ある種の「勤務貴族」(ツァーリに従属する官職貴族)を有していた。それが、世襲制が一般であった封建的な君主政国家との違いである。

九六〇年、中国北部の五代最後の王朝のもとで近衛軍の将校を勤めていた趙匡胤(ちょうきょういん)が、自らの指揮する軍団によって皇帝に推戴された。こうして宋朝が始まった。ただし宋は、北宋(九六〇—一一二六年)と、女真族により首都開封が征服されて以降に杭州を首都とする南宋(一一二六—一二七九年)に分かれる。

宋朝の時代は、昔から中国史上最も創造的な時代であったと言われている。フェアバンクとゴールドマンに言わせれば、それは「中国の最も偉大な時代」であった(Fairbank and Goldman 2006: 88; cf. Elvin 1973: 179-199; Mote 2003: 119-167, 323-350; Keay 2009: 343-344)。まず都市の成長が挙げられる。開封と杭州はどちらも一〇〇万以上の人口を有し、当時としては世界最大であった。さらに、経済的にも繁栄し、重要な技術革新もなされた。印刷と紙幣の使用範囲も拡大した。科挙の改革も行なわれ、儒教も「新儒教」として刷新されて、長きにわたって中華国家の礎となった。こうして形成された新たな儒者官僚エリート層、いわゆる文筆を生業とする「士大夫」たちが、書道、絵画、詩歌、学問を先導し、これらの分野に邁進する後世の人々にとって指標となる基準を作り上げた(Mote 2003: 152, 321)。

それは、従来中国貿易のごく一部を占めていたに過ぎなかった国際貿易が、首都での需要の高まりに刺激され、東南アジアとの香辛料貿易を中心に急成長した時代でもあった。船体をいくつもの隔壁で区切り、船尾に方向舵を備えた新しい大型船によって、東南アジア、インド、東アフリカへの遠洋航海が行なわれた。明の初期には、鄭和提督が似たような、しかしより有名な航海を行なったが、そこから、それ以前の宋の時代の航海のあり様を推測することができる。フェアバンクとゴールドマンはこう述べている。「現代の帝国主義者がこうした中国の発展ぶりや創造性を振り返るなら、宋時代の中国がいかに自分たちだけの力で世界の海を支配し、アジアからヨーロッパを侵略し、植民地化することによって歴史を転覆することとさえ可能だったかを想像できるだろう」(Fairbank and Goldman 2006: 93)。だが宋でも明でも、実際そのようなことは起こらなかった。そこにはいくつもの理由が考えられるが、とくにこの両王朝が北方の「蛮族」の脅威に対処しなければならなかったということは言えそうである。しかし、まさにこのような問いが発せられるということ自体、中華帝国の力と潜在能力に関して、またその結末から考えれば、その特質に関して、何がしかを示しているのである。

繁栄と創造性の頂点にあった宋時代の中国が内陸アジアのステップ民族に屈服し、それが元朝(一二七九—一三六八年)の下でのモンゴルによる中国全土の支配へとつながったことを、パラドックスだと考える論者も多い。そのような状況に陥った一つの大きな理由としては、宋が貢納＝貿易制を基礎とした比較的安定的なステップ民族との関係(ステップ民族が中華皇帝に臣従する代わりに、皇帝から絹などの気前よい贈り物を下賜される。通常、そこから両者の貿易関係へとつながる)の維持に失敗したことが挙げられる。周、秦、隋、唐の王室はみなステップ民族の血を引いていたり、婚姻関係を結んだりしていたが、その歴史を通じて、ステップ民族とは貢納＝貿易制を基礎としつつ、共存し続けてきた。この制度は、ステップ民族に中国の支配の一部を委ねることもあった。例えば、唐支配ののちに二〇〇年の命脈を保った契丹の遼帝国(九一六―一一二五年)がそうである。中国北部を支配した契丹の帝国は、二重国家である。つまり、より広大な北側の部分ではステップ草原の伝統と慣習を維持し、南側の部分では、中国人の行政官僚の助けを借りて、中国のやり方を採用していたのである。フレデリック・モートによれば、この方法は非常に成功を収め、永続的な制度となった。それは柔軟で、「中国の要素と北方民族の要素がバランスよく結びついて」いた(Mote 2003: 90; また Fairbank and Goldman 2006: 112-115)。

宋は準備も整わないまま遼に対する軍事遠征を行なったが、費用がかかっただけで何の成果もなく、上記のような古来の制度を活用することができなかった。宋はあまりに弱体だったので、契丹にも、もう一つ別の北方民族であるタングート系の西夏にも、朝貢を強要することができなかった(Mote 2003: 112-118; Keay 2009: 305-314)。一一二五年、また別のステップ民族である満州の女真族が遼を征服し、金朝(一一一五―一二三四年)を建国したさい、宋は金の進軍を止めることができず南に退去した。それ以降を南宋という。金は遼と北宋支配領域を吸収しただけでなく、長江盆地まで進出し、さらには南宋の首都である杭州も攻撃した。その結果、宋はかつて契丹に対して行なっていたように金に臣従し、自らが金の臣下であることを公式に認めた。

ただし、契丹と同様、金もステップ民族固有の軍事機構の幾ばくかを残しつつ、漢型の行政組織と洗練された中華文化を契丹よりも完全に吸収し、実践した(Mote 2003: 222-248)。中国式の宮廷儀礼と作法の採用などがそうで、支配者たちは中国語を話し、儒教の古典的教養を身につけた。こうして、彼らは自分たちが宋の正統な後継者であり、天命の保持者であることをより強く主張したのである。さらに象徴的に、首都を北方にある満州の哈爾濱(ハルビン)から、南方の燕京、つまりのちの北京に移した(その後、モンゴルに押されて、首都をより南方の北宋の首都であった開封に移した)。

杭州や南京(南の首都)が南方の首都であったのと同じように、北京(北の首都)は、ある意味では中国北方のステップ的な首都であり、諸々のステップ民族の居住地との境界上に位置していた。万里の長城は北京から指呼の間にある。しかし、ローマ帝国のリメス(防御の境界)と同様、「蛮族」は防壁を行き来できたし、蛮族の間でローマ化が起こったように、中国でも中国化が起こった。女真族の金がその典型的な例である。しかし満州におけるその継承者たる清では、金をも上回る中国化が行なわれた。ただし、金にせよ清にせよ、それは自らの民族的なアイデンティティーを失うことを意味しなかった。彼らは、中国人も遊牧民も居場所を見出すことのできるような、儒教原理に則った「超民族的」で「普遍的」な帝国を創出しようとしたのである。南宋で作られた「新儒教」の体系では、「普遍的」な儒教原理を遵守する限り、中国以外の王朝も中国を支配する余地があった。「ステップ民族と農耕の民」もしくは遊牧民的な「蛮族」と土地に定着した中国人は、手を携えて、中華文明の形成に与ったのである(Fairbank and Goldman 2006: 117–118; cf. Mote 2003: 145)。

このような解釈は、モンゴルにも当てはめることができる。モンゴルは、当初はチンギス・ハーン(「世界の支配者」という意味)自身の指揮下に脅威的な戦闘力を発揮し、かつて覇を唱えた金もその軍門に降った。一二一五年には、北京も奪われた。宋はこれを好機と見て、共通の敵である金を討とうとモンゴルと同盟し、一二三四年には金を滅ぼした。しかし、その見返りとして得たのは、今度は一二七九年に宋自身がモンゴルに征服されたことだった。こうして、モンゴルは元朝(一二七九―一三六八年)を建国した。彼らは伝統的に中国とみなされていた地域の全体を支配した最初の異民族王朝であり、唐の滅亡以来、一人の君主の下に中国を統一した最初の王朝であった。彼らはまた、中国全土を、明以降「北京」と呼ばれることになる場所から支配した最初の王朝でもあった。元朝皇帝のクビライ・ハーンは、遼(契丹)と金(女真)の時代に「大都」と呼ばれて首都に定められていたこの都市を再建し、中国の伝統的な帝都の特徴とも言うべきいくつもの直線に沿った空間の配置を行なった。

元、その後継者である明(一三六八—一六四四年)、満州族の清(一六四四—一九一一年)については、中華帝国の支配の様々な側面と同様、のちほど改めて言及したい。ここで行ないたいのは、ただ西洋の帝国を除けば最も重要な帝国の概観を簡単に紹介することである。世界における帝国の一般像を提示するなら、二〇〇〇年にわたる旧中華帝国を絶対に考慮しなければならない。しかし、問うべき点は残る。中国は本当に帝国だったのだろうか。つまり、西洋においてローマとその後継者が帝国だったのと同じような意味で帝国だったのだろうか。これまでも、中国が日本経由で西洋由来の「帝国」を自称するようになるのはかなり後になってからであることは確認した。では、ここで仮説的に採用した「帝国」という言葉のせいで、一つの異なった現実、「中華帝国」を西洋の帝国から、さらには西洋以外の帝国から分かつ異なった現実が、覆い隠されることはないのだろうか。

この問題は、フレデリック・モートによって検討されている。彼によれば、西洋で言うところの「帝国」とは、「自国とは異なる歴史、言語、文化をもつ人々の土地を支配するために征服し、領土を拡大した王国」のことである。しかし、中華帝国はそうしたことをしなかった。「中華皇帝は、わずかな例外はあれど、自国の文化と言語の範囲を越えた地域に対する直接支配を広げようとはしなかった」。モートは、そもそも「エンペラー」という言葉が中国の場合に使用可能なのか、とさえ問いかけている。それに対して彼は、秦最初の支配者である「始皇帝」を、通常訳しているように「最初の皇帝」ではなく、どちらかと言えば「最初の尊厳者アウグスト、至高の支配者」として理解すべきであるとしている。

さらに、中華皇帝に対しては、一九一一年の最後の皇帝まで、西洋語の「エンペラー」ではなく、「最初の尊厳者アウグスト、至高の支配者」を意味する中国語の「皇帝 huang ti」を使うべきだともしている。もし秦とそれ以降の王朝に「インペリアル」という用語を使いたければ(モートはそうしているが)、それは「国内政治の構造と様式における新時代」、それまで中国に存在したいかなる王国よりも新しく、高度な中央集権的管理と行政を意味するものでなければならない。モートの考えでは、「この場合、中国とその国境線の外にある異民族との関係はとくに重要ではない」(Mote 1989: 111-112; また Mote 2003: 183, 983 n. 7)。

こうした見方に問題があることは、すでに述べてきた。モート自身も、清朝時代の中国の拡張が「例外」であることは認めている。ただし、清朝の支配は一六四四年から一九一一年まで続いており、王朝としては中国史上最長であることを考えると、例外と呼ぶにはきわめて巨大な例外と言わねばなるまい。実際、中華帝国には他には見られないような独自な点も多く存在する。しかし、これから見るように、他の帝国に比べてとくに独自性が高いというわけではない。

それに関連して、もう一つ問うべき点がある。モートは、帝国として二〇〇〇年以上存続した中国文明には文化的統一性と連続性があったという標準的な見方を受け入れている。彼によれば、中国文明は本質的に「城壁のなかで発達した文明であった。それは将来において発展しうる新しい文化的・制度的混交にとって基盤となる要素を、常に自らの内部で生み出し続けた」(Mote 1989: 101)のである。標準化された文字がもたらした言語的統一は、「「中国的」な特徴と、世界のなかで独自の共同体であることを示す文化的求心性の自覚」などの他の「文化テスト」と相俟って、中国人を「一つの民族」(Mote 1989: 112)にしたのである。モートにとって、それはまさに帝国に先行する達成であり、帝国はその点で何も新しいことは付け加えず、単にそれを継続し、強化したに過ぎないのである。

しかし、他の多くの研究者は、このように中国の文化的均質性や連続性を想定すること自体が問題であり、それは何百年にもわたる漢民族の公式の宣伝政策の産物であったと考える(Keay 2009: 294–296)。それはモンゴル人、満州人、ウイグル人、チベット人などの中国以外の人々や地域文化が中国の中心地に頻繁に侵入し、それによって中国文化に新たな要素が付け加わったり、修正が施されたりしたことを無視してしまう。仏教のような外来の宗教が果たした途方もない役割(仏教はある程度は中国化していたし、政治的に周縁的な地位にあったとしても)を軽視してしまう。さらに、秦による統合に先行した「戦国時代」、漢滅亡後の「三国時代」、唐滅亡後の「五代十国時代」など、政治の支配における大規模な断絶を揉み消してしまう。これらの出来事は、秩序ある王朝支配という「正常」な状態に対する一時的な闖入(ちんにゅう)であるとみなされてきた。修史官が編纂した叙述に則って、こうした見解は主要な王朝の余命を人為的に引き延ばし、唐末、宋末、清末などのかなりの期間、支配者と目された人々が国の大部分を統治し得なくなっていた事実に蓋をするのである。それは、中国文化の最も創造的な達成(戦国時代の「百家争鳴」など)が、まさにこうした「休止期」に起こったことを否定することにつながる。総じて言えば、「軍閥割拠」は中国史にとって王朝的秩序と同程度に常態的な現象だったと見なすこともできる。それは単に逸脱として退けるわけにはいかないのである。プラセンジット・ドゥアラが示唆するように、おそらく「軍閥割拠」はもう一つの歴史だとも言えるだろう。それは中国の発展に関するもう一つ別の可能性をもたらす「地方主義」の歴史として考えることもできるかもしれない(Duara 1995: 177–204)。

さらに別の言い方をすれば、これまで述べてきたことは、中国と中華帝国に固有の特徴ではないのかもしれない。そこには、いかなる帝国にも見受けられる断絶と多様性、危機と刷新がある。ただし断絶などは、長期間にわたる包括的なイデオロギーと共通の実践があれば、大いなる連続性と共存できるのである。後述するように中華帝国においても、やはりこの両方の側面を考慮することが必要である。だが、西洋以外の帝国の伝統について概観したこの章を終える前に、他の非西洋の帝国にも少々目を向けておくことにしよう。

イスラームの帝国

ビザンツとササン朝ペルシアの大帝国のはずれに位置する砂漠地帯には、多様な部族集団からなるベドウィン、つまり砂漠のアラブ人が住んでいた。彼らは紅海附近のメッカをはじめとする裕福で国際的な市場町と接触していたが、そこではゾロアスター教、ユダヤ教、キリスト教といった一神教の思想が盛んであった。六一三年頃、メッカ出身の商人ムハンマド(五七〇—六三二年)が啓示を受け、この地域の有力な一神教の宗教から多くの思想を引き出して、新しい宗教、すなわちイスラームの教えを告げ知らせた。ムハンマドは、イスラーム(「服従」)の観念を基礎に、戦争を繰り返していたアラブの諸部族を一つの信仰共同体(ウンマ)へと融合した。その構成員のことを、イスラーム教徒＝ムスリム(「服従する者」)という。ウンマは、その普遍主義と信者全員の平等の教えによって、社会組織の基礎を血縁(kinship)から信仰に置き換えようとした(Lewis 1958: 43-44)。それは部族の慣習や信念に、明らかに、また決定的に対立するものだったので、メッカではムハンマドに対する激しい反発が引き起こされた。しかし、メディナへの逃亡を余儀なくされたムハンマドは、その後メッカに戻ってイスラーム教を宣教し、それをアラビア半島の大部分に広めた。

ムハンマドの後継者(カリフ)たちの下でアラブ人は巨大な帝国を作り上げた。彼らはササン朝ペルシアを圧倒し、ビザンツ帝国の奥深くにまで侵入した。[11] ムハンマドの死から一〇〇年の間に、最初はウマル(在位六三四—六四四年)、次いでウマイヤ朝(六六一—七五〇年)の支配の下、イスラーム世界は中東、中央アジア、北アフリカ、イベリア半島へと爆発的に拡大した。アラブ人が、シリア、イラク、ペルシア、エジプト、スペインを征服したのである。その支配領域はインドとの境界線まで到達した。ピレネー山脈を越えたアラブ人は、七三二年、トゥールにおいてフランク王国宮宰カール・マルテルに阻まれた。これはキリスト教徒にとっては祝福すべき大事件であったが、イスラーム教徒にとっては大した事件ではなかった。彼らはすでに充分な領土を手にしていたからである。八世紀末までには、彼らは大西洋からインド洋に広がる帝国を建設していた。これを凌ぐ領土を、さらに短期間で獲得したのはアレクサンドロス大王のみである。

広域的に拡大したアラブ帝国は、ウマイヤ朝を引き継いだアッバース朝(七四九—一二五八年)の時代になるとより強大化した。首都もダマスカスからバグダードに移り、アッバース朝が作り上げたイスラーム文明は世界文明の頂点の一つとみなされるようになった(Kennedy 2006)。七五一年、アッバース朝は、中央アジアに深く入り込んだタラス河畔で中国軍を打ち破ったが、この勝利によって、中国の野心が摘み取られただけでなく、紙と製紙職人がアラブの地に入ってきた。紙は安価で便利だったのでパピルスに取って代わり、大がかりな文筆、翻訳、出版の計画が促進された。その結果、プラトンやアリストテレスなどのギリシアの古典、また数学、工学、天文学、医学に関する数えきれないほどの文献がアラビア語に翻訳されることになった(それがイスラーム支配下のスペインを通して西洋に到達した)。インドの数学もここでギリシアの幾何学と結合し、その結果、代数が生まれた。一連の技術革新によって、ポンプや水時計だけでなく、歌う鳥など創意工夫に富んだ機械仕掛けの玩具も生み出された。著名なカリフであるハールーン・アッ＝ラシード(在位七八六―八〇九年)の治世下、バグダードは、多くの学者たちが考えているように「世界の知的中心地」となったのである(Farrington 2002: 68)。

一二五八年、カリフの支配するアッバース朝がモンゴルの侵攻で崩壊した。バグダードは略奪され、何千人もの人々が死んだ。しかし、これはイスラーム帝国の終わりではまったくなかった。一三世紀にはオスマンによって新たなイスラーム帝国が建てられ、一六世紀にはムガール帝国とサファヴィー帝国がそれに続いたからである。後続のイスラーム帝国にとって、アッバース朝のカリフ支配は、インスピレーション源、もしくは模倣すべきモデルのようなものをもたらした。例えば、アッバース朝がアラブ、ヘレニズム、ペルシアの要素を結合させたことは、その後のイスラーム帝国に、きわめて大きな影響を与えている。これらの諸帝国がその多様性にもかかわらず、イスラーム帝国の一般的類型を表す事例と見なしうるのはこのためである。

さらに論じておくべき点がある。イスラーム帝国は、他のほとんどの帝国に比べてはるかに多くのことが宗教に規定されている。彼らの国家は明確に境界づけられておらず、国境線も比較的自由に人々が行き来していた。つまり、それは境界で区切られた政治体というよりも、一つの文明であったのだ。信仰共同体である「ウンマ」は地理的な区画ではなく倫理的共同体であり、それを拡大することがすべてのイスラーム教徒にとっての倫理的な義務だと見なされた。イスラーム帝国の拡張、世界中に「ダール・アル＝イスラーム(イスラームの家)」を広げるために奮闘すること(ジハード)があれほど重要であった理由の一端もそこにある。そのことが、他のほとんどの帝国と同様、彼らを普遍主義者にした。彼らは世界の真理を見つけたのであり、彼らの考えによれば、世界は神が明示した真理の下で、ということはそれに服従して、生きなければならないのである。またここでも、他のほとんどの帝国と同様、信仰は帝国支配の現実を前に折り合いをつけねばならなかった。支配者は、イスラームとは異なる臣民たちの別の信仰も認めざるを得なかったのだ。アラブ帝国、オスマン帝国、ムガール帝国はそれをよく認識しており、そうしたこともあって、これらの帝国が成功したのだということもできる。しかし、帝国にとって最も重要な目的がイスラームの信仰を世界の隅々まで広め、維持することであるという点については、誰も忘れることがなかった。もし忘れたとしても、誰かが思い出させた。そのため、イスラーム帝国は他の帝国と比べて、きわめて脆弱で不安定なところがあった。「ウンマ」は、ある意味では帝国にとって、またはいかなる堅固な国家にとっても競争相手であった。バーナード・ルイスによれば「ウンマ」とは、一つの「神政支配」なのである(Lewis 1958: 44)。その緊急の呼びかけは、ある状況下においては、あらゆるイスラーム国家の正統性をも掘り崩す可能性がある。それは、カリフを抱いた国家であっても同じことである。(12) バーバラ・ロバートソンによれば、イスラームは「いかなる政府にも囚われず、国家に頼らずとも生存し、中央集権的な権威によって想定通りに操作されることがない」(Ferguson and Mansbach 1996: 322)。もちろん、同じようなことは他のいかなる世界宗教に関しても言えるかもしれない。しかし、イスラームは政治に対して、過剰なほどの冷淡さ、もしくは敵意さえ発達させたように思える。

実際、イスラーム帝国の歴史には分裂や崩壊が刻印されている。一〇世紀初頭以来、自国だけで全イスラーム教徒を代表した国家は存在しなかった。一二五八年のモンゴルによるアッバース朝の征服以前においてさえ、競合する諸国家がすでに数多(あまた)勃興しており、そのすべてがカリフ国を自称していた。例えば、ウマイヤ朝の一派がスペインで後ウマイヤ朝として権力を確立して、カリフを名乗っている。エジプトにおけるイスマイール派のファーティマ朝（九〇九―一一七一年）の歴代の君主も同様である。イスマイール派はシーア派であったが、シーア派とスンナ派の分裂により、他にいくつもの王朝が生まれた。モロッコのイドーリス朝などがそうである。ただしこれらは、アッバース朝の支配には挑戦したものの必ずしもカリフを名乗ったわけではなかった。一六世紀にはスンナ派のオスマンの首長がカリフ位を要求したが、この時期においてもイスラーム教徒の間で合意はなかった。強力なシーア派の王朝であるイランのサファヴィー朝が反対したからである（Hourani 1992: 38–43, 81–86）。オスマン朝の正統性についてイスラーム教徒たちの間で多少とも合意が形成されたのは、一九世紀にオスマン帝国でカリフ位が再興したときに過ぎない。そしてそれから一〇〇年も経たない一九二四年に、カリフ制はケマル・アタテュルクによって廃棄された。この期間の全体を通して、最も重要だったのはカリフであるかどうか（それは政治的な問題である）ではなく、イスラーム信仰の強さや力であったように思われる。様々な指導者たちが、必ずしもカリフ位を要求することなく、イスラーム世界における卓越したリーダーとして受け入れられようとした。

このような分裂や対立にもかかわらず、アッバース朝を引き継ぐ強力なイスラーム帝国がいくつも誕生した。その一つがインドである。インドでは、イスラーム教が成立した当初から、おもにアラブ人の貿易商人を通じて改宗が進められてきた。さらに、初めのうちから、つまり七一二年に最初にイスラーム教徒がシンド州を征服したときから、ヒンドゥー教徒は「ムシャビン・アフル・アル・キターブ」（「啓典の民」に似た者たち）と宣言された。ヒンドゥー教徒によると、他のイスラーム教徒の土地ではズィンミー（「保護された者たち」）としてユダヤ人やキリスト教徒にも広げて与えられていた権利や保護が、彼らにも与えられるようになったのである。このような政策は、実のところ、イスラーム教徒が何百万人もの多数派のヒンドゥー教徒を支配するさいの前提とでも言うべきものであった(Dale 2010: 24-26)。

一〇世紀後半、トルコ系の奴隷王朝であるガズナ朝が、インド北西部にイスラーム国家を建設した。それはインド北西部に展開した一連のイスラーム王朝、いわゆるデリー・スルタン朝(一二〇六―一五二六年)の先駆けとも言うべき存在であった。デリー・スルタン朝は帝国と呼ばれてきたものの、その政治組織は頻繁に戦争を繰り返す騎士エリートを基盤とした軍事封建国家であり、王朝の権威は脆弱であった(Davidson 2011: 112-113; Rothermund 2013: 24-27)。一三九八年、強大なトルコ＝モンゴル系の征服者ティムールがデリーを襲撃し、デリー・スルタン朝は決定的に弱体化した。ただデリー・スルタン朝の支配はあと一〇〇年の命脈を保ち続けるが、それでもその権威はますます無視されるようになった(Dale 2010: 30-31)。

一五二六年、ティムールとチンギス・ハーンの両方の血を引くトルコ＝モンゴル系の指導者バーブル(在位一五二六―三〇年)は、デリー・スルタン朝の最後を飾るローディー朝のイブラーヒーム・ローディーを滅ぼし、ムガール(ムガールとはペルシア語でモンゴルの意味である)帝国(一五二六―一八五八年)を建国した。[13] 歴代の偉大なムガール君主フマーユーン(在位一五三〇―五六年)、アクバル(在位一五五六―一六〇五年)、ジャハーンギール(在位一六〇五―二七年)、シャー・ジャハーン(在位一六二八―五八年)、アウラングゼーブ(在位一六五八―一七〇七年)の下で、ムガール帝国は拡大し続け、南部の一部を除いて、現在のインドに相当する領域を占めるまでになった。一八世紀になると、土着のヒンドゥー教徒勢力であるマラーター王国の攻撃と、フランス、イギリスといったヨーロッパの大国の侵略で、ムガール帝国は弱体化し始めた。一七五七年のプラッシーの戦いで、ロバート・クライヴがベンガル太守に勝利して以来、イギリスが主要なヨーロッパの競争相手であるフランスを出し抜き、徐々にインドを支配し始めた。ムガール皇帝は正式な統治権はもっていたが、実権はますますイギリスの東インド会社に牛耳られるようになっていった。一八五七年のインドの大反乱を経て、イギリス王権がインドの直接的な支配権を獲得し、ムガール帝国は崩壊した。

ムガール帝国以外で、強力なイスラーム帝国と言えば、オスマン帝国(一二六〇―一九二三年)とペルシアのサファヴィー帝国(一五〇一―一七三二年)がある。多くの共通点をもち、相互に交流があった一七世紀の両イスラーム帝国は、ハンガリー、バルカン半島からベンガル湾に広がるユーラシア大陸の巨大な領域を支配していた。姿かたちは違っても、イスラーム帝国は、八〇〇年代の初期のアラブの帝国から、最後のイスラーム帝国であるオスマン帝国の崩壊まで、また一九二四年のカリフ制の廃止まで、一〇〇〇年以上もの間、世界で大きな存在感を見せつけてきたのである。

本書の以下の章では、中華帝国やそれ以外の非西洋の帝国と同様、イスラーム帝国についてもその諸相をじっくり検討するつもりである。ただ、紙幅の都合上軽くしか触れることができないような他の重要な非西洋の帝国もあるので、それらについても言及しておく必要があるだろう。例えば、イスラーム以前のインドにはマウリア朝(前三二一―前一八五年)、グプタ朝(三二〇―五五〇年)がある。短命のステップ帝国としては、匈奴、フン、突厥、そしてモンゴルがある。モンゴルのなかでは、チンギス・ハーン(在位一二〇六―二七年)のモンゴル帝国が最大最強であった。また南アメリカには、前コロンブス期のアステカ帝国(一四二七―一五二一年)とインカ帝国(一四三八―一五三三年)がある。その双方とも、先行するトルテカ、チャビン、マヤ、テオティワカンといった偉大な諸王国の後継者である。西アフリカには、ガーナ帝国(九四〇―一一八〇年)、マリ帝国(一三一二―一四六八年)、ソンガイ帝国(一四九三―一五九一年)があった。マリとソンガイは巨大な図書館をそなえたトンブクトゥを中心都市としていた。真の意味で包括的な帝国論(例えばDavidson 2011)を書こうとするなら、本書で論じられている帝国以外にもこれらの帝国について議論する必要が出てくる。もちろん、その差異はきわめて大きく、西洋の用語である「エンパイア」を、それに近似する概念しかもたない国家に適用することの問題性は消えることはない。しかし、以上のような困難は認めたうえでなお、それらを多様な帝国のうちの一つと見なしうるし、こうして改めて、帝国という形式が歴史の全体を通じて、また各地域の差異も越えて普及していたことに注意を喚起することができる。

結局一六世紀このかた、世界を圧倒し、支配したのは西洋の帝国だった。その後五〇〇年の間、帝国の歴史はヨーロッパの帝国が中心になる。実際にある地域を領有したりしなくとも、その力は世界中で感じられたからである。しかし、非西洋世界における他の種類の帝国の事例を忘れたり、無視したりすべきではない。その経験は、帝国史を作り上げるあふれんばかりの目録の形成に多大な貢献をなしたのだ。たとえ本書では、頁の都合上その多くを省かざるを得ないとしても、少なくともその一部分でも、事あるごとに言及する機会をもつことにしたい。

(1) 「ドイツ王国の理念と永遠の帝国の観念との結合は、いわゆる中世における「インペリウム」という用語の歴史にとって最も注目すべき事態である」(Koebner 1961: 33)。ここでローマは「帝権 imperium」、ドイツは「王権 regnum」を表している。

(2) ただし、ナポレオンに関しては帝国の伝統との亀裂や断絶も存在する。カール大帝と異なり、ナポレオンは教皇ピウス七世から帝冠を受け取るとそれを自分で頭に被せた。こうして、自らの帝国も新しい時代を開いたこと、それが過去と断絶していることを宣言したのである。またナポレオンは「フランス皇帝」ではなく「フランス人の皇帝」を自称したが、それはフランス革命における人民的な要素を体現していることを表すためであった(Koebner 1961: 281)。神聖ローマ皇帝としてのカール大帝の戴冠については、Wilson (2016: 26–29)。

（3）一六七五年、アカデミー・フランセーズが、帝国という言葉は「偉大な王によって支配されている国すべて」を意味する、と述べたのは、まさに神聖ローマ帝国と言った時の「帝国」とは異なる、帝国のこのような解釈を前提としてのことだった。それこそ、彼らが「フランス帝国」、ルイ一四世の「帝国」(ヘンリー八世の「イングランド帝国」にも似たものとして)などと述べたことの意味である(Koebner 1961: 277)。

（4）しかしローマの魔法は強く残り続けた。イギリスの代表的な帝国主義者であるセシル・ローズは、同じイギリス人同胞に向かって、「忘れないようにしよう、私たちはいかなる時もローマ人だ」とよく言っていたという(Lockhart and Woodhouse 1963: 31)。

（5）これらの事例については、Kumar (2017: 37-44, 89-93, 276-277, 340-347, 458-459)。

（6）中国史家のティモシー・ブルックは、著者宛の私信(二〇一六年一二月二八日付)で「中国については、「帝国」というテーマが充分に扱われてこなかった」と述べている。ハーバード大学出版会の全六巻に及ぶ『中華帝国の歴史』(二〇〇七―二〇一三年)の総監修を務めたブルックは当初この叢書で「帝国」というテーマを取り上げたいと思っていたが、結局それを可能にするほどの研究の蓄積がなかったため、「帝国は検討できないまま放り出され、事実として認識されない「残余カテゴリー」やレッテルとなってしまった」と告白している。

（7）汪暉は、このように一九世紀にヨーロッパから中国に入った「エンパイア」が後進性を意味していたと解釈した。しかし彼は、一九世紀ヨーロッパにおける帝国の位置と言説を決定的に誤解している(Wang 2014: 39-60)。

（8）確かに、初期の用法においては、「中国」とは単に、その周囲に周縁的な朝貢国家を従えた、統一中国の中心に位置する国家群のことを意味することもあった。しかし、そこからある意味自然に、中国が世界文明の中心で、その周囲には「蛮族」とは言わないまでも、それほど重要ではない国や王国が存在すると考えられるようになった。確かなのは、清の時代(一六四四―一九一一年)には、「中国」が、いわゆる「チャイナ」という国を指す名称として一般的に使用されるようになり、それが定着したということである(Fairbank and Goldman 2006: 44; Wilkinson 2012: 19)。

（9）中華帝国の歴史については、ティモシー・ブルック監修『中華帝国の歴史』(全六巻、ハーバード大学出版局、二〇〇七―二〇一三年)が最も詳しい。これは、各巻ごとに独立して参照することができる。また、デニス・トゥウィチェット、ジョン・K・フェアバンク監修『ケンブリッジ版 中国史(CHOC)』(全一五巻、ケンブリッジ大学出版局、一九七八―九一年)にも豊富な資料が含まれている。CHOCの各巻のリストは、Fairbank and Goldman (2006: 479)にある。帝国の歴史の大部分をカバーする単著としては、Mote (2003)が優れている。Keay

(2009)も良書である。また Ferguson and Mansbach (1996: 168–222) と Davidson (2011: 68–71, 105–111)は、有用な概要である。

(10) 漢代の学者たちは、秦の暴力性や残虐性の原因を、秦が中国辺境に由来し、西戎(せいじゅう)や北狄(ほくてき)などの蛮族と混血した「蛮族」であることに求めた(Lewis 2007: 39–46)。このため、彼らやその後の多くの論者は、秦を「非中国」とみなし、それゆえその支配は「儒教の偉大な伝統」を忌み嫌う厳格な法家思想に基づくものになったと考えられた。しかしフレデリック・モートによれば、法家思想は中華帝国の歴史の大部分においてその主要な基盤であった。ただ秦の不人気と儒教に対する敬意から、公式のイデオロギーがそれを公然とは認めなかったのである。従って「帝国儒教」や「儒教国家」という用語には「限界や矛盾」がある(Mote 1989: 102–103)。儒教的な中国イメージに対する反証としては、中華帝国が儒教と法家思想を巧みに両立させてきたことを明らかにした研究(Zhao 2015)を参照。

(11) アラブ人の帝国の拡大については、Lewis (1958); Hodgson (1977, I and II); Hourani (1992: part I); Kennedy (2006, 2008); Hoyland (2017)。質の高い、簡潔な解説としては Ferguson and Mansbach (1996: 276–323); Farrington (2002: 66–71); Davidson (2011: 89–95)。

(12) カリフが、ムハンマドの後継者としてその宗教的権威も受け継いでいるのか、それとも全イスラーム教徒の政治的代表にすぎないのかについてはよくわかっていない。もし後者なら、カリフを越える宗教的潔癖性をコーランに基づいて主張する人物が現れると、カリフの権威は危機に陥ることになる(Hourani 1992: 59–62; Ferguson and Mansbach 1996: 301–303)。

(13) ムガール帝国については、Mukhia (2004); Schimmel (2004); Robinson (2007: 112–179); Dale (2010)。簡潔な概略は、Keay (2004: 289–382); Davidson (2011: 112–118)。

第3章　支配者と被支配者

対立と適応

帝国は広大で多様な政治体である。そして多くの土地と民族を組み込んでいる。歴史的に見れば、帝国はおよそ王朝（ハプスブルク家、ロマノフ家、オスマン家などの強力な一族）によって支配されてきた。ほとんどの帝国は君主政（一人の支配者による統治）であったが、すべての君主政国家が帝国であったわけではない。しかもルイ一四世の国家のように、帝国は偉大な王国より劣るとして、帝国という呼び名を憤然と拒否する場合もあった。しかし、帝国が共和政であった注目すべき事例も存在する。ローマはその帝国の大部分を共和国時代に獲得した。中世のヴェネツィア共和国は、人民によって選出されたドージェ（統領）の下で巨大な海上帝国を打ち立てた。一七世紀にスペインから分離したオランダも同じように帝国を作り上げ、オランダ共和国を建国した。フランスは、イギリスに敗れたあと、第三共和政の時代に帝国を再建した。ソビエト社会主義共和国連邦、すなわち共和国であったソ連も帝国と言ってよいほどだったし、実際、共和政のアメリカ合衆国も帝国と言っていいだろう。

確かに、君主政国家か共和国かという支配形態の違いは、帝国の支配者と被支配者の関係に影響を与えてきた。神と同一視された皇帝や、王権神授説に依拠した王がその臣下を見る眼差しは(逆に臣下が王を見るときもそうだが)、人民の選出した共和国の指導者の場合とは異なるからである。だがどちらの場合にも、完全に非公式ではあっても、契約的で条件拘束的な要素があった。君主は法の執行と安全を提供すべく期待されたし、さらに臣民の福利にも気を配るよう要請された。人々が共和国の指導者に期待したのも同じようなことである。ただそれに加えて、指導者は市民権に基づく一定の欲求も満たす必要があった。

共和政の帝国の本国住民は、互いに必ずしも平等というわけではなかったが、公権をもつ市民であった。他方、植民地においては、通常、少なくとも建設当初は先住民にこのような権利は与えられなかった。しかし、多くの場合、支配者はたいていある一定の要件(支配民族の慣習の受容、支配民族の法制度の下での裁判など)を受け入れるという条件で、先住民に市民権を付与する約束をしている。例えば、フランス帝国下のアルジェリアのイスラーム教徒は、家族と結婚に関するイスラームの慣習を放棄して、本国の慣習に基づくフランスの法体制を受け入れることで、市民権を獲得した(Kumar 2017: 441-442)。

すべての西洋の帝国にとって、市民権について考えることは(他の多くの問題についてと同様)、常にローマを参照することを意味した。ローマは共和政時代に、複雑かつ慎重に構想された段階的な市民権付与の手続きを発展させた。これはまずイタリアの同盟市にはうまく機能した。そこでこの制度は、帝国レベルで、帝国に組み込まれた他の多くの非イタリア系民族(ガリア人、イベリア人、ブリトン人)にも広げられることになった。そして紀元前二一二年、最終的にカラカラ帝はローマ市民権を実質的にすべての自由人の臣民に付与した。これはその実際上の効果の点だけでなく、象徴的な意味においても重要な決定であったとみられている。たちまちのうちに、臣民が市民になったのである(Kumar 2017: 60-64)。

ローマによる市民権の取り扱い方は、その後のすべてのヨーロッパの帝国のモデルとなった。このモデルは、共和政の帝国、すなわち共和国という政治体制をローマの共和政から受け継ぎ、市民権概念を基盤とした帝国に適用されただけでない。君主政の帝国においても、本国の臣民が市民権を要求するにつれて、このモデルはますます影響を及ぼすようになった。一九世紀末には、イギリス、ロシア、ハプスブルクの帝国はすべて、選挙権をはじめとする本国住民のさらなる市民権の拡大要求に直面していた。このような潮流と思考が植民地へと広がり、さらに植民地出身の多くの先住民エリートが宗主国の中心部で教育を受けることでその傾向に拍車がかかることは避けられなかった。帝国の正規の構成員の権利としての市民権は、当時世界を支配していたすべてのヨーロッパの帝国にとって、切迫した要求となっていた。

この種の要求は、中華帝国やオスマン帝国など、非西洋の帝国ではそれほど明確には起こらなかった。これらの帝国の伝統のなかに、市民権という観念は、少なくとも西洋がローマから引き継いだ形式においては存在しなかったからである。とはいえ、多数派の支配集団に属さない人々を、いかに、またいかなる条件下で帝国に統合するのかという問題がなかったというわけではない。中華帝国においても、とくに一八世紀にこの件について入念に練り上げられた政策を持っていた。イスラーム帝国は明らかにそうだ……

国が多数派の漢民族に属さない大量の人々を統合したときには、この問題が生じた。モンゴル族の元朝や満州族の清朝のように、その支配者が多数派の漢民族の出身ではなかった場合、西洋の場合とは同じではないにしても、似たような難問にぶち当たったのである。では、モンゴル人や満州人のエリート層は、単なる多数派ではなく帝国文化の賞賛すべき源泉とも言うべき漢民族をどのように取り扱ったのだろうか。一つのやり方としては、漢民族を、皇帝支配下の様々な民族のうちの一つに過ぎないものとして(最も数が多く最も重要ではあるが)遇するという方法があった。これは清が好んだやり方である。そのため清朝の皇帝は、女真族、モンゴル族、チベット族、漢族等を表す「多くの帽子」、そして多くの称号を帯びていた(Di Cosmo 1998; Esherick 2006: 231; Rowe 2012: 17)。

支配者と被支配者の関係は、国民国家においてよりも帝国においての方が対立的だと、一般に考えられている。その理由は、民族的な均質性が想定される国民国家と異なり、帝国の構成員は一般的に多様だからである。彼らは異なった出自をもち、異なった宗教、言語、歴史をもっている。そしてときに、互いに肉体的に、すなわち「人種的」に区別することも可能である。他方、国民国家の構成員は実際上、もしくは単なる想定上、同じ民族に属するとみなされるため、支配者と被支配者の関係は帝国の場合とは異なるとみなされている。つまり国民国家では、共通の民族性と同一の国民的アイデンティティーの上に、ある種の平等性が存在するということである。帝国では、この種の平等性は原理上否定されているだけでなく(帝国は階層秩序的であって平等的ではない)、文化の多様性の共存という事実そのものによっても否定される。これらの文化のほとんどは、他の文化を平等であるとか、承認に値するとか考えない。このように帝国の構造には、まさに衝突と敵対が埋め込まれているように思われる。

とくに重要なのは、帝国の支配民族と、彼らによって支配されている、ときに大多数の他の諸民族の、一見すると必然的とも映じる衝突だろう。権力の不均衡は文化の不均衡によって、そしておそらくは人種の不均衡によって形成される。一方の優越的な態度と他方の劣等的な態度は、こうした関係に自然にともなう現象のようにも見える。であるからこそ、従属民族は当然、支配民族とその代表者に対して多かれ少なかれ永続的な対立、多かれ少なかれ永続的な敵意の状態を生きるに違いないと思われる。それは多くの場合秘められたままに終わり、抵抗や反抗として公然と表明されることは稀かもしれない。しかし、それはそこにあるはずであり、明るみに出すべきである。帝国における支配者と被支配者の対立と敵対は、構造的な問題である。それはあらゆる帝国にとって本質的な特徴とみなされなければならない。

もちろん、それを裏付ける証拠はふんだんにあるし、こうした見解は帝国に関する著述(学術的、一般向けを問わず)では標準的であると言っても過言ではない(例えば Moses 2010)。しかし、これが帝国の支配者と被支配者の関係の唯一の、もしくは主要なイメージであると考えると、それは誤解のもとになる。ほとんどの帝国では、支配者と被支配者は、千年とは言わないまでも数百年もの間共存してきた。だとすれば、両者が永遠に対立し続けたとは考えにくいのである。そのような状態で長期間存続した帝国などなかったに違いない。対立と同じく、順応のパターンというものもあるのである。臣民集団は、その他の場所では得られない空間や機会をもたらす隙間を帝国の内部に見つけることができた(ハプスブルク帝国とオスマン帝国のユダヤ人がそのよい事例である)。もしくは、これらの集団の定義ばかりかアイデンティティーそのものも、帝国によって与えられる場合もある(バルカン半島のほとんどの集団的アイデンティティーは、ハプスブルク帝国とオスマン帝国によって与えられたものである)。帝国は往々にして、それまで受動的、または潜在的であった集団を動員し、刺激することで、将来的に帝国に牙をむく存在感と力を彼らに与えることがある(のちにさらに詳細に見るように、ナショナリズムは帝国への抵抗だけでなく、帝国そのものから生み出されることも多かった)。

帝国史家のロナルド・ロビンソンは、その非常に説得的なアプローチによって、ヨーロッパ帝国主義がいかにヨーロッパ人支配者と現地エリート層の協力関係に依存してきたのかを明らかにした。彼の考えでは、こうした協力関係なしにはヨーロッパの支配はあり得なかった。ヨーロッパ人には、帝国に編入された広大な地域と大量の集団を管理する手段も知識もなかったからである。彼らは、支配における不可欠の協力者として、現地の代理人を必要としていた。従って、帝国主義の歴史とは、一方における植民地行政官(現地と本国)、他方における多様な先住民エリート層(植民地内部の特定の地域を管理し、特定の民族や伝統的集団を代表する)の間で繰り広げられた、日々移り変わる「取引」の集積に他ならない。両者の協力関係を通じた調整が崩壊し、先住民エリート層が反植民地ナショナリストと手を携えたとき、ヨーロッパの植民地帝国は終焉の道をたどるのである(Robinson 1972, 1986)。

このように、支配者と被支配者は非常に密接に結びついていたため、単なる対立を越え、ときに共犯関係を思わせることがある。両者の関係性は多面的であり、それを対立に還元するのはほぼ不可能なのだ。あらゆる永続的な社会同様、帝国も有機的な統一体であって、部分同士の一定の調節と相互の適応を必要としていた。もちろん、そこには実際に支配者と被支配者が存在し、影響関係と階層秩序があったこと、また時折、そこで強制と抑圧が働いていたことは否定できない。帝国は民主的でも平等的でもないからである。しかし、だからと言って、両者が決定的に二つの陣営に分かれ、絶えず戦闘を繰り返しているというわけでもない。臣民集団も帝国を構成する一部であり、その中に居場所ももっていたし、ときに帝国の熱心な支持者になることもあり得るのである。

宗主国と植民地——陸上帝国と海外帝国における距離の問題

ほとんどの帝国研究では、宗主国、すなわち権力と政策の源と、本国管轄の従属地域からなる植民地や属領を区別している。それと関連する、より抽象的な言い回しとしては、同じような意味をもつものとして、帝国の構成要素である「中核」と「周縁」がある。いずれにせよ、権力と影響力は、宗主国または中核から、植民地または周縁へと流れていく。一般的な帝国のイメージとは、車輪、しかも外輪のない車輪のようなものである。周縁は中核とは連結しているが、周縁同士は直結していない。中核が周縁同士のコミュニケーションの流れをすべて管理するためである(Motyl, 2001: 4)。しかし、この流れは完全に一方通行ではあり得ず、周縁も中核に影響を与え得ることについては、誰も異論はないであろう。

宗主国と植民地の関係を理解するにあたって、陸上帝国と海外帝国の区別を導入すればさらにわかりやすくなる。なおこの区別は分析概念であると同時に、部分的にはそれが現れた時代の違いも表している。先に見たように、真の意味での海外帝国は、一六世紀、一七世紀のヨーロッパの諸帝国をもって嚆矢とする。それ以前の帝国は、ローマ帝国のように海外領土(北アフリカとブリタニア)を含む場合があったとしても、基本的には陸上帝国であった。それに対し、ヨーロッパの諸帝国の新しさは、しばしば本国から何千マイルも離れた地点に広がる海外領土を有していたことにある。

分析概念として考えると、陸上帝国と海外帝国は、宗主国と植民地、中核と周縁の間で、それぞれ異なった関係を築き上げたようである[1]。陸上帝国では、宗主国と植民地はたいてい地理的に(またさらには文化的にも)近い関係にあった。オスマン朝、ハプスブルク朝(オーストリア)、ロマノフ朝(ロシア)の陸上帝国では、植民地の領土はその多くが本国にそのまま付加されたのであり、あたかも中心から同心円状の輪が幾重にも放射されている、といった観がある。ほとんどの場合、宗主国と植民地の物理的な距離はそれほど大きくない。ロシア帝国は巨大だったが、モスクワとサンクトペテルブルクを起点に東西に広がる領域のなかで、個々の領土が数珠つなぎに結ばれていた。そしてロシア人は、その帝国の全土に広がっていった(それは一九世紀アメリカの西部開拓を思わせる)。ロシア帝国には、イギリスとフランスの

帝国で宗主国と植民地を分け隔てた大洋のごときものは存在しなかった。(2)

もちろん、帝国のなかに文化的な差異は存在していた。イスラーム教徒のオスマン帝国には多くのキリスト教徒の臣下が、正教徒のロシア帝国にはこれまた多くのイスラーム教徒とカトリックの臣下が、そしてカトリックのハプスブルク帝国にもプロテスタントとイスラーム教徒の臣下がいた。さらに、この三つの帝国は多数のユダヤ人も抱えていた。しかし、宗主国の内部にこうした多様な差異が見受けられただけではない。それに加えて、これらの少数派の宗教はそれぞれ、各帝国の支配的な宗教と、「庇護民」(アラビア語で言うところのズィンミー)としての性格を共有している。すなわち、これらの宗教はすべて「アブラハムの子供たち」であり、ことごとく密接な関係をもっているのである。ときにきわめて暴力的で流血沙汰の衝突が起こるのも、まさにその近さゆえであった。それは家族内での衝突、フロイトの言う「小さな差異のナルシシズム」の一事例とも言える。ロシア帝国はバルト海から太平洋に広がる広大な領土を有していたが、それでも、その文化的な差異の幅は、イギリス帝国におけるインドのヒンドゥー教徒とイギリスのプロテスタントの差異、フランス帝国におけるインドシナの仏教徒とフランスのカトリックの差異にはおよばなかった。言うまでもなく、スペインの新世界征服者たちの宗教とアステカやインカの宗教との差異はさらに大きかった。(3)

したがって、陸上帝国には海外帝国にはないような高い近接性、いや隣接性があった。陸上帝国は、領域を次々に重ね合わせながら中核に付け加えていく「内国」植民地化のプロセスによって形成された。時代を経るにつれて、中核の住民と周縁の住民は移動して互いに混ざり合い、その結果、両者の境界が、そして実に「中核」と「周縁」という観念そのものの境界があやふやになった。モスクワのロシア人とカザフのイスラーム教徒は同じではないかもしれないが、両者の間には常に移動があり、多くの重層的な空間があったのである。サンクトペテルブルク、ウィーン、イスタンブールといったコスモポリタンな帝都には、帝国全土から人々がやってきて、肩を寄せ合って生活したり、働いたりしていた。こうした状況下では、中核と周縁は互いに入り混じることも、どちらかを容易に区分できなくなることもあっただろう。ハプスブルク帝国の中核は、オーストリアだったのだろうか、ハンガリーだったのだろうか、はたまたボヘミアだったのだろうか。オスマン帝国の場合はどうだろう。その中核はトルコ的なアジア部分のアナトリアだったのだろうか、それともヨーロッパ部分のルメリア(バルカン南部)だったのだろうか。

ただし、海外帝国における中核と周縁の差異を誇張しすぎるのも間違いのもととなる。例えば、イギリス帝国とフランス帝国の両方で、帝国連邦制度、協同政策と同化政策、後期の市民権の拡大など、多くの統合の試みがなされていた。海外帝国も、陸上帝国と同様、帝国の全住民を帝国連続体とでもいうべきものに組み込むために帰属意識の醸成に努めてきた。その機会となったのが、万国博覧会である。例えば一九二四年のウェンブリー、一九三一年のパリで、万国博覧会は帝国の多様な文化を惜しみなく陳列しながら、「差異のなかの一体性」を懸命に喧伝しようとしていた。

しかし、ヨーロッパ人、アフリカ人、アジア人が互いに異なっているという感覚、宗主国と植民地を分かつ長距離コミュニケーションの困難さ、西洋文明と非西洋文明の文化的な差異、これらすべてが、海外帝国における宗主国と植民地の隔たりを、陸上帝国の場合よりも一層激しいものにした。それは間違いのないところだ。こうした感情は、植民地の先住民が歴史的な文明の継承者であった場合に強化された。イギリス帝国におけるインド、フランス帝国におけるインドシナなどがそれにあたる。こうした状況のなかで、ほとんどの陸上帝国には広く欠けていた「文明の衝突」のようなものが発生したのである。ただし、ここでも差異の過度の誇張は禁物である。オスマン帝国は、ビザンツ、さらにはその背後に広がるローマの大文明の遺産がキリスト教徒の臣民に引き継がれていることについて完全に意識的であった。同じことはロシア帝国にも言えた。ロシア人もオスマン人と同様、臣民の多くが帰依しているイスラーム文明がいかに洗練されているかを知っていた。

こうした陸上帝国の場合と比して海外帝国の場合には、宗主国の支配民族と植民地の従属民族の差異をさらに浮き彫りにする特徴もあった。それは、植民地住民が歴史的な文明の継承者ではなく、その逆に「歴史なき民」、文明の要素をことごとく欠いた未開人、または野蛮人とみなされたときである。イギリス人は、アメリカで出会った「インディアン」の部族、アフリカで征服した多くのアフリカの部族をまさにほぼこのように眺めていた。スペイン人は、それ以上にアステカとインカの偉業を認識していたが、それでも、大きくは彼らのことを残酷で野蛮な異教徒で、その文化は消滅すべきであると見なしていた。もちろん陸上帝国もときにこうした態度を見せることがあった。ある種のシベリアの部族に対するロシア人の眼差しなどがまさにそうである。しかし、一般的には、彼らが吸収した諸民族は明らかに固有の歴史的伝統を有していた。帝国が従属民族の歴史的伝統を無視したとしたら(最終的には征服した中央ユーラシアの遊牧民社会に対して中国人がそうしたように)、それは支配民族が自らの独自性と重要性を過度に信じていたからである。だが、そのようななかにあっても、とくに清朝がそうだったが、支配下の異民族社会の特殊な伝統に敬意を払うことは政治的に不可欠だと考えられた(Di Cosmo, 1998)。

中核/周縁の関係の差異は、この二つのタイプの帝国に多くの重大な結末をもたらした。陸上帝国においては、支配民族と従属民族は、人種とエスニシティーという点では非常に近いところにいた。オーストリア・ハプスブルク帝国を構成する人々は、そのすべてが基本的にはヨーロッパ人であり、ほとんどがキリスト教徒であり、そしてギリシア・ローマの古典古代文明の継承者であった。中華帝国では漢民族が圧倒的に優勢だったが、少数民族も存在し、次第にそこに多くの中央ユーラシアのイスラーム教徒、チベット仏教徒が含まれるようになった。オスマン帝国は、キリスト教徒とイスラーム教徒だけでなく、少数派のユダヤ人を抱えていた。支配エリート層はテュルク系であった。しかし、オスマン帝国はその歴史の大部分を通じて、歴史的ローマとビザンツの領土を占領しており、支配者も被支配者も共通の文化遺産を引き合いに出すことができた。それによって、ほぼ常に、両者の対話がある程度容易になった。

海外帝国においては、諸集団間の差異、とくに支配民族と従属民族の差異はさらに激しかった。スペイン帝国では、支配者であるスペイン人が、インディオ、カリブ諸族、フィリピン人からなる帝国を管理していた。ポルトガル帝国には、アフリカ人、アジア人、インディオが含まれていた。こうした状況は、オランダ帝国、イギリス帝国、フランス帝国においても同じである。これらすべての帝国において、支配民族と従属民族の宗教、伝統、歴史の差異はきわめて大きかった。そしてこの差異は、ますます人種の観念に依拠しつつ表現されるようになった。人種イデオロギーは、一九世紀後半にはすでに宗主国の全支配者層の思考において大きな位置を占めるまでになっていた。海外帝国にとっては、それは白人と黒人の、もしくは少なくともヨーロッパ人と非ヨーロッパ人の殺伐とした対立に至ることもありえた[4]（イギリスについては、Rich 1990: 12–26; Lorimer 2005; Schwarz 2013）。

だからと言って、帝国が共通の帝国構成員意識の醸成、つまり包括性への努力を惜しんだというわけではない。はっきりしているのは、そうした目標の達成のために克服すべき著しい障害があったということである。例えば、人種にまつわるステレオタイプ（例えば未開なアフリカ人、行動力に欠けたヒンドゥー教徒、残酷なマレー人など)によって、彼我を隔てる根源的な差異の感覚が生じることが挙げられる。この種の感覚は、もしすべての集団が共通の帰属意識をもつべきであると言うなら、うまく処理するか、克服するかしなければならない。問題の解決は、住民構成がより均質的な陸上帝国に比べ、海外帝国においての方がはるかに困難をともなう。その意味において、ラドヤード・キプリングの「ああ、東は東、西は西、この二つは決して出会うことがない」という人口に膾炙した一節は、一般的な見解を表したものである。しかし興味深いことに、彼は実際の経験によってそれが裏切られたことを懸命に明らかにしようとしている。この一節は「東と西のバラード」(一八八九年)という作品に出てくるのだが、そこで著者が描いているのは、イギリス人兵士とインド人の反抗的な闘士の間の敬意と承認という感動的なエピソードである。実際、先ほどの一節は、次のように終わっている。「東も、西も、国境も、人種も、生まれもない/二人の強い男が面と向かって立つときには、たとえ地球の両端からやってきたとしても」。とはいえ、キプリングが、さらなる統合に邁進する海外帝国に共通の不安を指摘したことは間違いない。偉大な帝国史家ジョン・シーリーのように、インドとヨーロッパの文明の差異はあまりに大きく、未来のインドがイギリス帝国の一部をなすことなど想像できないと考えた者たちもいたのである(Seeley [1883] 1971: 143–230)。

この帝国の二類型における宗主国/植民地関係の差異は、さらなる帰結をもたらす。それは帝国の終焉のときに起こった。ヨーロッパの多くの国家では、それは一九五〇年代と一九六〇年代である。海外帝国では宗主国と植民地に巨大な地理的、文化的な差異があったため、陸上帝国よりも、両者はある意味より容易に袂(たもと)を分かつことができた。というのも、海外帝国の植民地が宗主国と明確に区別された新たな国家を形成するときに、植民地側は、ヨーロッパとは異なるルーツと伝統を強調する歴史的アイデンティティー、もしくは新たに構築されたアイデンティティーを動員しえたからである。確かにインドは当分の間、共通語として英語を使用し続けるかもしれないし、新国家におけるイギリスの制度の影響は疑うべくもなかった。しかし、インドが、イギリス支配のはるか以前に遡る古い文化と文明を有していたことも同じように明らかであった。また別の形式ではあるが、ガーナやジンバブエのように、イギリス海外帝国から生まれた新しい国家は、自らの個々のアイデンティティーをそれなりに説得的に主張することができた(ただし、顕著な亀裂を、ときに無視したり隠蔽したりしながら)。

とはいえ、それはフランスにおけるアルジェリアやインドシナ、もしくはポルトガル領アフリカ、オランダ領東インド(インドネシア)のように、独立をめぐる苦渋に満ちた戦いがなかったということを意味しない。それが意味しているのは、いったん植民地が独立すると、宗主国の支配者たちは旧植民地をたやすく切り捨てることができたということである。確かに、旧帝国は、英連邦や「フランス語圏共同体」のように独立後もそのつながりを維持しようとするかもしれないし、その後ももちろん、重要な経済的、軍事的、文化的関係は維持された。しかし、例えば一九七四年にイギリスが英連邦諸国に何ら相談することなく、そのつながりの多くを破棄し、EC(ヨーロッパ共同体)に加盟したことは、旧植民地との絆も簡単に無視されえたことをはっきりと示している。同じようなことは、ECの発展形であるEU(ヨーロッパ連合)が統合拡大を目指したさいに、フランス、オランダ、ポルトガルの旧植民地でも感じられた。その重大性は、二〇一六年に投票の結果、EU脱退(ブレグジット)が決まったときに再度あらわになった。ヨーロッパ市場の喪失を埋め合わせるために、イギリスが旧植民地との結束を再び固めようとしたところ、オーストラリア、ニュージーランド、カナダなどから、旧植民地はすでに世界の多くの地域との結びつきを強めており、イギリスとの関係を復活させてもほとんど利益はないと、丁重に、しかしきっぱりと言いわたされたのである(Murphy 2018)。

しかし、陸上帝国では、海外帝国においては可能であった比較的容易な分離ができなかった。宗主国と植民地、中核と周縁が文化的、地理的に接近しているということは、両者を結ぶ絆を解きほぐすのは煩雑で、驚くほど困難であることを意味している。その明らかな例証となっているのが、ロシア帝国とソビエト帝国である。一九一七年にロシア帝国が崩壊したとき、ロシアとそのかつての属領の関係をめぐる問題は、それらを再びソビエト連邦、すなわち新たなロシア帝国の傘の下に置くことによって解決した。一九九一年に、今度はソビエト連邦が解体すると中核と周縁の問題が再発したが、今のところ、それについてはまったく決着がついていない。ロシアは真の意味で自らをウクライナ人(「小ロシア人」)、ベラルーシ人(「白ロシア人」)と区別することができないでいる。さらに、何十万というロシア民族が、エストニア、ラトビア、リトアニアのバルト三国、カザフスタン、キルギスタン、ウズベキスタン、タジキスタンなどの中央アジアの共和国といった「近隣の外国」に残留している。こうしたなか、ロシアはときに武力に訴えて以前の植民地と再びつながろうとしてきた。そうした傾向が最も顕著に現れたのが、二〇一四年にロシアがウクライナのクリミアを併合したときである。明らかなのは、ロシアが、何世紀も支配してきた領土や住民とは別個の独自のアイデンティティーをもつ「通常の」ネーション、または通常の国民国家であると自らをみなすのに、非常な困難がともなうということである。

ロシアだけがそうだというわけではない。それは、オスマン帝国のトルコ人しかり、オーストリア帝国のドイツ人しかり、他のあらゆる旧陸上帝国の支配者が不可避的に直面した問題なのである。こうした人々にとって、かつての植民地や属領からの分離は困難な任務であり、それがどれほど成功するのかは一概にはいえない。ユーラシアのもう一つの端では、一九一一年の帝国崩壊で中国も同じ任務を負うことになった。その解決策は、一九一七―二一年にロシアが用意したものと似ていたが、ただ中国の場合、その歩みはさらに長く、苦難に満ちていた。中国は、最初は国民党政府の下で、次いで一九四九年以降は共産党の下で、分解したかつての帝国の再縫合に努め、その結果、中国の現在の国境は、最後の中華帝国である清朝の国境とほぼ同じくらいにまで拡大した。ソビエト連邦と異なり、そして確実にその経験から学びながら、中国は作戦を遂行していったのであり、それはこれまでのところ成功だったと言える。帝国は復興し、その世界レベルの使命は、近年グローバルな「一帯一路」政策として改めて主張され始めた。

この問題については、脱植民地化と帝国の終焉について検討するさいに、より詳細に述べることにしよう。ここでは、陸上帝国と海外帝国の差異をめぐる一般的考察の締めくくりとして、いくつか但し書きのようなものをつけておきたい。だが究極的には、それはこの帝国の二類型間にあまりに厳密で性急な線引きをしないよう気をつける、ということに尽きる(cf. Osterhammel 2014: 429–430)。

最初に注意すべきは、陸上帝国であると同時に海外帝国でもある帝国が存在することである。この種の帝国は、陸上と海外の両方の性質を備えているが、その割合は帝国の様々な部分の規模と重要性によって決定され、一定しない。そのような帝国の一つとして、一六世紀のハプスブルク朝スペイン帝国がある。この帝国は、征服したアメリカとフィリピンだけでなく、ネーデルラント、ドイツ、イタリアに広がる西ヨーロッパの広大な地域を含んでいた。しかし、次第に、親戚筋のオーストリア・ハプスブルク家がスペイン・ハプスブルク家のヨーロッパの所領の多くを獲得し、イギリスとオランダがその海外領土を奪っていった。なかでも深刻だったのは、一九世紀初めに南アメリカの植民地が反乱を起こし、最終的に独立してしまったことである。しかしながら、スペイン帝国(一七〇〇年以降はブルボン朝)は、一九世紀の末まで、陸上帝国と海外帝国の混淆であり続けた。その時期まで、海外帝国はずっとそのアイデンティティーの核心にあった。スペイン帝国が中核たるスペイン本国に立ち戻り、世界のなかで信じられないほど低下した地位と折り合いをつけざるをえなくなったのは、一八九八年の米西戦争で残りのキューバ、プエルトリコ、フィリピンなどの海外植民地の大部分を失ってからのことに過ぎない。

イギリス帝国は、単にイギリス人が建設した海外帝国であるにとどまらず、「イングランド帝国」でもあった。この帝国はイングランド人が作った陸上帝国で、中世に始まり、イギリス連合王国のすべての民族、つまり支配者であるイングランド人だけでなく、アイルランド人、ウェールズ人、スコットランド人を包摂するようになった。この場合、宗主国、すなわち「グレートブリテンおよびアイルランド連合王国」そのものが一個の陸上帝国であり、それ自身が、慣用的に「イギリス帝国」として理解されているはるかに巨大な海外帝国建設の出発点となった。のちに確認することになるが、これは驚くほどありふれたプロセスである。一般的に帝国の宗主国たる中核と見なされるいわゆる国民国家は、ときにそれ自体が内国植民地化のプロセスを経てできあがった「帝国のミニチュア」である。「帝国のミニチュア」は、その後、帝国形成のプロセスのなかでその起源を偽り、自らを昔から存在していた国民国家だと宣言するのである。

同様に、陸上帝国と海外帝国は帝国の終焉にさいして似たような問題群にも直面した。宗主国と植民地の分離は、海外帝国の方がおそらく達成しやすい。しかし、陸上帝国と同じように海外帝国の支配層も、巨大な帝国をもはや支配できないと感じたときには、アイデンティティーの危機に陥るのである。一度世界的な帝国の中心にいたら、それが国民国家の次元にまで縮小することに非常に居心地の悪い思いをするのも当然である。世界を股にかけた誇り高き海外帝国の支配者であったポルトガル人、スペイン人、オランダ人、イギリス人、フランス人は、瞬く間にただ本国のみの支配者になった。そのショックはトラウマになりかねない。しかし、それは陸上帝国の支配層を苦しめたのとは違ったかたちをとるかもしれないし、その解決方法も異なったものとなるだろう。例えば、かつての海外帝国が、現在のロシアのように喪失した領土を再び併合するようなことは考えにくいのである。

この件についても、のちに詳細に検討したい。しかしひとまず指摘すべきは、ポスト植民地主義的、またはポスト帝国主義的な状況に関しては、陸上帝国と海外帝国には多くの共通の特徴があるということである。過去と現在、偉大な帝国と「単なる」国民国家の対比は、両方の旧帝国の不安を掻き立てる。帝国後の生きざまは、その両方にとって困難に満ちている。過去を忘れる努力をしたり、不快な側面を抑圧したりすることはできるかもしれない。しかし、それは幾重もの形態をとって立ち戻り、再び取り憑いて離れない。別言すれば、帝国の遺産の問題は、その双方にとって避けることができないのである。

最後に一点だけ。確かに、陸上帝国と海外帝国の区別は有益なことも多々あるが、最終的には、両者を分かつものより共通項の方が多いと感じられるかもしれない。先にも見たように、西洋には、普遍性、帝国の使命、市民権付与の約束、多様性への対処の必要性を強調する共通の帝国の伝統がある。あらゆる西洋の帝国は、その種類はどうあれ、この伝統の内部で帝国の運営を行なってきた。他方、ムガール帝国や中華帝国などの東洋の帝国も西洋の帝国とその特徴の多くを共有していたうえに、帝国ごとの固有の主題(例えば中華帝国の最優先の課題は統一にあった)をもっていた。すべての帝国は同じ問題に直面し、多様な住民を支配する、自らの巨大で強力な存在を正当化する必要性を感じていた。ある政治体を帝国と呼ぶということは、そこに共通する根本的な事柄があるということなのである。

支配者・入植者・先住民

すべての帝国は、本国からの「入植」現象に対応しなければならなかった。陸上帝国の例でいえば、アレクサンドロス大王の帝国が残したバクトリア（おおよそ近代のアフガニスタン）にはギリシア人がいた。ヒスパニア、ガリア、ブリタニアにはローマ人が、バルト諸国、黒海沿岸、中央アジア、極東にはロシア人が、ボヘミア、ガリツィアにはドイツ人が、バルカンにはトルコ人がいた。入植者は言語と文化を携えて移動した。帝国の支配民族の代表たる入植者は、入植先の地域において、不釣り合いなほどの影響力を行使する傾向があった。彼らはどちらかといえば少数派ということになるが、「上位の」帝国文化の担い手である。そして彼らは、ローマ化したガリア人やブリトン人、ロシア化したウズベク人やカザフ人が行なったような模倣の対象であった。同様に、中国人は台湾、外蒙古、チベット、新疆に進出するさいにその文化とともに移動した。

そのさい、先住民エリート層との衝突、ローカルな文化に依拠した抵抗は不可避だった。ローマと戦ったガリアのウェルキンゲトリクスやブリタニアのボアディケアはその著名な例である。ロシアの支配に対するカフカース諸民族の長期の抵抗も同じように考えることができる。しかし、陸上帝国では、多くの場合、こうした衝突は二つの要因により緩和された。第一は、ローカルな文化と支配層の文化が比較的に近いことで、帝国がキリスト教徒、イスラーム教徒、ユダヤ教徒などの混成住民を支配しているときがそうである。第二は、秩序と安定性を確保するために、可能なところではどこでも、帝国がローカルな習慣と文化を存続させるべく配慮したことである。攻撃的な同化政策は、犠牲の大きい敵意と、その鎮圧の必要性を生じさせる。程度の差はあるが、ローマからロシアに至る陸上帝国はローカルなエリート層とローカルな文化に妥協的だった。あらゆる陸上帝国のなかで自らの文化的優位性に最も意識的であった中国人でさえ、チベットのローカルな仏教文化や、新疆ウイグルのイスラーム文化を敬わざるをえなかった。

こうしたことは、海外帝国についても言える。しかし、海外帝国の場合は、より複雑な諸要因が付け加わる。なかでも特筆すべきは、ヨーロッパ人が大量に植民地に移住したことである。最初の流れはささやかなものだった。一六世紀から一七世紀初頭にかけて比較的少数のポルトガル人、スペイン人、オランダ人、フランス人、イギリス人が大西洋を渡り、新世界にコミュニティーを作って定着したのである。一七世紀後半から一八世紀になるとその数も増えた。そこにアジアも行先として加わった。しかし、ヨーロッパからの移民はいまだその数も少なく、増加のペースも緩やかだった。一八〇〇年になると、北アメリカには五〇〇万人弱のヨーロッパ人が、スペイン領南アメリカには二〇〇万人弱(ほとんどがスペイン系)のヨーロッパ人がいた(ポルトガル領ブラジルには、総人口二八〇万人のうちヨーロッパ人は一〇〇万人弱)。オーストラリアのヨーロッパ人は一万人だけで、ニュージーランドはまだ一〇〇%近くがマオリ族によって構成されていた。

一九世紀になると、定住を目指すヨーロッパ移民の流れは大きな奔流となり、一八二〇年から一九三〇年の間に、五〇〇〇万人以上のヨーロッパ人(一九世紀初頭のヨーロッパ総人口の五分の一に相当)が他の地域に移動した。その多くが、独立して間もないアメリカ合衆国に行ったが、同じように多くの人々がヨーロッパ諸国の海外帝国に向かった。南北アメリカ、さらに進出を進めるアジア地域、そしてアフリカや中東などである。

入植の動きをリードしたのは、急激な人口増加を見せたイギリスで、一九世紀から二〇世紀初頭にかけて計二〇〇〇万人以上を送り出した。一八一五年から一九二四年の間に、イギリスから四〇〇万人以上がカナダに、二〇〇万人以上がオーストラリアとニュージーランドに、そして一〇〇万人程度が南アフリカに移住した(他方、アメリカ合衆国に向かったのは一三〇〇万人である)。イギリス人に比べると、フランス本国に住むフランス人は、それほど植民地に移住しようとはしなかったが、一九〇〇年までに、フランス人、イタリア人、スペイン人などのヨーロッパ人が一〇〇万人以上フランス領アルジェリアに入植し、現地住民の十分の一を占めるまでになった。

人類の集団のなかで、ヨーロッパ人ほど多く地球上の土地を占有した者はいない。その結果、世界のあちこちに大量の「新ヨーロッパ人」が生まれた。ヨーロッパそのものを除外すると、ヨーロッパ系住民はオーストラリアとニュージーランドの人口の九〇%以上、北アメリカの人口の八〇%以上、南アメリカの人口の七五%以上を占めた。さらに、アフリカ北部とアフリカ南部には多くのヨーロッパ人コミュニティーが今も昔も存在している。それより規模は小さいが、それはアジアにもある。アフリカ人にせよ、アジア人にせよ、またアルメニア人やポリネシア人その他にせよ、これほど多くの場所にこれほど多くの数の集団がいたためしはない。一九五三年の国連の報告書によれば、「ヨーロッパの巨大な人口流出は、近代史において最も重要な移住現象であり、規模の上ではおそらく人類史上最大である」(5)(Cipolla 1974: 115)。

世界大に広がったヨーロッパ人の大規模な移動は、入植先に元から住んでいた現地の人々に深刻な影響を及ばさざるを得なかった。移民が平和裡に行なわれることはまずなかったからである。南北アメリカ、カリブ、オーストラリア、また規模は劣るがニュージーランドなどでも、多くの場合、先住民は実質的に消滅させられた(Wolfe 2006)。物理的に排除されなかったとしても、征服とヨーロッパ人による病気の伝播により、先住民人口は決定的に減少し、その文化は周縁化されたり抑圧されたりした。生き残った先住民が、国内の遠く離れた生産性の低い地域に追い立てられることも頻繁に起こった。北アメリカのインディアンの場合のように、それが保留地のかたちをとることもあった。

従って、縮小した先住民コミュニティーは、大量のヨーロッパ人が入植した植民地帝国の一部ということになる。社会の第二層は、新たに労働力の必要性から生じた。ヨーロッパの諸帝国が砂糖、煙草、綿花、コーヒーの生産のために大規模なプランテーションを始めたのである。南北アメリカでは、それがアフリカ人奴隷の導入につながった。こうして、一四五〇年から一八五〇年の間に一二〇〇万人以上の奴隷が大西洋を渡ってきた(Stearns et al. 2015: 538)。一八三〇年代から一八八〇年代にかけて奴隷たちが解放されたあとも、彼らは他の社会の構成員とは明確に区別され、差別の対象となった。それに、新しく数多くの年季奉公人が加わった。その大部分がインド人と中国人で、彼らはプランテーションでの仕事を嫌った解放奴隷の代わりにそこで働くようになったのである。年季奉公人も解放奴隷とともに社会の第二層を形成した。

こうして、ヨーロッパ人入植者に奴隷(解放奴隷と年季奉公人も含む)と先住民も加わり、南北アメリカ植民地に特徴的な三層構造が形成された。ポルトガル、スペイン、オランダ、イギリス、フランスは、支配下の多様な住民にそれぞれ異なった対応をしたが、ある種の本質的な類似性があった。その一つが、本国政府と、その多くが独自の議会と大幅な自治を有していた白人入植者のコミュニティーとの間の緊張である。入植者は、概して所有地の拡大と先住民支配の強化を期待した。他方、地理的な距離とコミュニケーションの困難さによって身動きがとれなかった本国政府は、たいていは先住民を保護し、入植者による先住民支配を制限しようとした。(6)

こうした対立は、入植地が帝国から分離する、もしくは分離を試みる主要な原因の一つである。それは、一七七六年から一七八三年にかけて、イギリスから独立したイギリス領北アメリカ植民地の入植者の行動にはっきりと現れている。旧宗主国の権力に拘束されなくなった白人入植者は、しばしば大きな犠牲を払い、死者も出しながら、西に向かって少しずつインディアンの土地に進出し、彼らを追い出して土地を奪い、強制的に他の場所に移住させた。南アメリカでは、一八一〇年代から一八二〇年代にスペインとポルトガルの支配を脱して次々に独立した新しい共和国の国々が、奴隷と先住民インディオに対してさらに強圧的に、容赦なく接してもよいと考えていた。ここに、ある種の法則を見出すことができる。白人入植者のコミュニティーが自由で民主的になればなるほど、非ヨーロッパ人の臣民に対する態度が荒々しくなる。これはまさに「民主主義の暗黒面」である(Mann 2005: 70–110)。

植民地帝国に共通するさらなる特徴がある。それは、宗主国国民と植民地臣民の身分状況の平等化を試みた革命の挫折(一七八〇―一八三〇年)ののち、「差異の原則」、つまり宗主国と植民地に異なる法や規則を適用する原則に依拠することで、この問題に憲法上の決着をつけたことである(Fradera 2018)。ナポレオン・ボナパルトは、一七九九年のフランスの憲法で「特別」原則を打ち立て、「植民地政府の形態は特別の法によって決定する」と明言した(Fradera 2018: 86)。すなわち、宗主国と植民地で異なる政体が打ち立てられることがありうるということである。これは、一七九五年の革命憲法で奴隷制を廃棄しながら、一八〇二年にフランス植民地で奴隷制が再導入されたことの予兆とも言える。宗主国と植民地の政治的条件の差異をこれほどあらわに象徴する事例もないのではないか。

他の帝国も、一九世紀になるとフランスの例に倣って、宗主国と異なった政体を植民地に創設するようになった。宗主国の内部では、一九世紀から二〇世紀初頭にかけて民主化への着実な歩みが進行した。

他方、植民地では市民権をめぐる規則は厳格化され、非ヨーロッパ人が正式な市民になることはいっそう難しくなった。制定された法は、ますます人種を根拠にして、白人と非白人を区別し、解放奴隷、年季奉公人、先住民の権利を制限し始めた(南北戦争後に人種隔離政策とインディアン保留地政策を推し進めたアメリカ合衆国は、この点で、明白に「帝国的」な性格を有していた)。本国における自由の拡大と植民地における権威主義。これこそ、ジョゼプ・フラデーラが一九世紀型「帝国的ネーション」(つまり「ネーション＋特別な法で支配された帝国」)と呼んだものに他ならない(Fradera 2018: 237)。

こうした議論にはかなりの程度真実が含まれている。しかし、それをあまりに厳密に、もしくはあまりに広範囲に適用しないよう気をつけなければならない。というのも、まずイギリス帝国がこれに当てはまらないからである(そのことはフラデーラ自身が認めている)。アメリカ植民地を喪失したイギリスは、その教訓から、植民地に対して徐々にその自治を拡大していった。このイギリスの新しい態度から真っ先に恩恵を受けたのは、一八三九年のダラム報告を受けて高度の自治が与えられたカナダである。オーストラリアとニュージーランドがそれに続いた。南アフリカも同様である。二〇世紀の初頭までに、いわゆる「自治領」は、内政に関しては相当な自由裁量が認められていた。こうした地位は一九三一年のウェストミンスター憲章で確定された。

もちろん、これらはすべて「白人自治領」であり、付与された権利や特権は各自治領で多数派を形成した白人入植者(その点で南アフリカは例外である)に特別に利益をもたらしていた。しかし白人入植者は、おおよそ自分たちを「イギリス文化圏 British world」に住むイギリス人だとみなしていた。(7) 彼らの自治要求は揺るぎないものだったが、自らイギリス人であることを誇りにし、本国の動向を注意深く追っていた。彼の地における民主化の動きと、市民権概念の変化はイギリスの植民地にも徐々に浸透していった。そのため、自治領は率先して、ますます多くの住民に参政権を拡大するようになった。ただし「差異」は残り続け、人種の観念はヨーロッパ同様に根強かった。南アフリカでは(ボーア人に比べてイギリス人が消極的だったのと、本国政府が怠慢だったことが原因で)、悪名高いアパルトヘイト政策へと至った。しかし、あらゆる場所で、先住民の状況に対する自由主義的な配慮と、社会統合だけでなく保護への試みもますます増えてきた。

宗主国と植民地の市民権の平等を目指した革命は頓挫したが、一七七六年と一七八九年の革命で解き放たれたイデオロギー的な力は、後戻りしなかった。帝国は、ある種の二元論や「特別」原則を再導入することができたかもしれないが、結局、人権の理論と「自由・平等・友愛」という革命的スローガンが一九世紀の世界を席巻したのである(Bayly 2004: 86-87)。それは、新聞、蒸気船、電報・電信、ヨーロッパから植民地への大量の人口移動、これらすべてが相まった結果である。そして、この人権の理論と「自由・平等・友愛」の観念によって、宗主国と植民地の両方のエリート層は、ゆっくりと、しかし確実に、これまで排除されていた集団に公的な場を開かざるをえなくなった。

カナダ、オーストラリア、ニュージーランドと違って、南アフリカのヨーロッパ人はもちろん多数派ではなかった。そのことからも、宗主国と植民地のいわゆる二元論は注意して取り扱わなければならないことがわかる。それは、とくに社会生活のうえで奴隷が非常に大きな役割を果たし、奴隷、解放奴隷とヨーロッパ人の主人との関係が特別な意味を持った植民地の方に適用しうるように思える。イギリス、フランス、スペインのカリブ植民地、オランダ領東インド、ポルトガル、スペインの南アメリカ植民地などがそうである。ただし一九世紀末に「アフリカ争奪戦」でアフリカが完全に植民地化される頃には、奴隷制はほぼ全土で廃止されていたため、二元論は、アフリカにおける植民者と被植民者の関係にはあてはまらない(だからといってそこで強制と搾取がなくなったというわけではない)。

　ヨーロッパ人が少数派の植民地(時代が変わると多数派になることもある)では、宗主国の国民、入植者、先住民の関係は、ヨーロッパ人が多数派の植民地とは異なったものとならざるを得ない。例えば、フランスのアルジェリアとインドシナの植民地、イギリスのインドその他のアジアの植民地、オランダの東インド植民地、ヨーロッパ諸国のアフリカ植民地がそうである。これらの植民地では、入植植民地の例の三層構造は存在しない。その代わりに、先住民が圧倒的な大多数をなし、奴隷制は主要な特徴となっていない。またヨーロッパ人は先住民の上に乗っている薄い層を成すに過ぎず、従ってそこでは主にヨーロッパ人と先住民からなる二層構造になっている。

　しかし、そうした植民地の間にもきわめて多様な違いがある。アジアと北アフリカでは、ヨーロッパ人は、先住民が古代文明の一部をなし、二〇〇〇年以上の歴史を有していることを意識していた。インドのイギリス人は、洗練されたヒンドゥー文化とイスラーム文化を受け継ぎ、旧文化が生み出した素晴らしい建物(ヒンドゥー寺院や、タージ・マハルをはじめとするイスラーム建築)は至るところに見出すことができた。同様に、北アフリカのフランス人は、先行するローマ文化の上に築かれた豊かなアラブ文化を目の当たりにした。インドシナには、仏教と儒教の要素を合わせもった由緒ある文明と同時に、繁栄著しい商業文化と活気ある都市生活があった。

　ときには、ヨーロッパ人が先住民の文化に対して無関心、または軽蔑さえ見せることがあった。これらの文化に「退行的」、蒙昧、歴史の流れに取り残されたなどと言った烙印を押すのである。こうしたことは、ジョン・シーリーのような教養ある人物にも起こることがあった。シーリーはインド文明が多くの偉大な事業を成しとげたことは知っていたが、同時に次のようにも考えていたのである。「インドではすべてが過去である。従って、こうも言いたくなる。そこに未来はない、と」。シーリーの考えでは、この国は「迷信、宿命論、多婚、最も原始的な僧侶支配、最も原始的な専制主義」に陥っていたのだった(Seeley [1883] 1971: 147)。歴史家で政治家でもあったトーマス・バビントン・マコーレーによると、「人種、肌の色、言語、礼儀作法、道徳、宗教の点で」インド人はヨーロッパ人と非常に異なっている。ただし、彼はインド人をヨーロッパ人と「同程度の自由と文明に」至らせることが、そしてまさに、完全な独立を与えることが、教育によってできるという希望も抱いていた(Hall 2005: 34)。

しかし、インド副王になったカーゾン卿のように、古代インド文明の偉大な文化を非常に深く尊敬し、その研究の奨励に尽力し、歴史的建造物の保存に努めた人も多かった。実際、カーゾン卿は、大国たる帝国はこうした仕事を果たす義務があり、とくにその義務を果たすにふさわしい位置にあると考えていた。「敵対した人種の子孫や競合する信条の持ち主かもしれない人々よりも、熱中しても冷静さと公平さを失わない外国人である我々のような人種の方が、異なった時代の、ときに我々とは異なった信仰を表現する歴史的建造物を保全するのにふさわしい」。それらは、「神の摂理により支配的権力の管理に委ねられた遺産の一部」なのである(Sengupta 2013: 180)。同じような感想は、モロッコ統監を務めたルイ・ユベール・リオテ元帥が、北アフリカのイスラーム文化と彼の地におけるフランスの使命に関しても述べていた(Quinn 2002: 178–179)。一六世紀、ポルトガルとスペインは、この種の歴史的建造物の保存や復元に同じような態度はとっていなかった。彼らは、アステカやインカの文化の遺産を情け容赦なく破壊していたのである(ただし、バルトロメ・デ・ラス・カサスのような熱心な運動家による先住民の権利の擁護があったことは忘れてはならない)。一九世紀になると、ヨーロッパの諸帝国はこれまでとは異なった態度を取り始め、帝国支配と両立する限り、先住民の文化をとくに物理的に保存する政策を打ち出した

（なかにはエジプトの宝物や、パンテオン神殿を飾るエルギン・マーブルのように、保存の名目で現地から宗主国に送られることもあった）(Swenson 2013)。

アジアと北アフリカの植民地におけるヨーロッパ人と先住民の関係は、ある程度、植民地のヨーロッパ人の数そのものに左右される。インドのイギリス人のようにその数が比較的少なく、ある程度社会的に孤立していても、インド人との商業、法律、行政上の交流は絶えず行なうことができた。一八世紀のインドでは人種は混淆する傾向を見せていたが、それがとくに一八五七年のインド大反乱を契機にして、次第に分離へと向かった。しかし、高い教育を受けたインドの中産階級は、イギリス人とかなりの程度の社会的交流、または政治的な協力関係さえ作り出すことができた(Washbrook 2014)。その点で注目すべきは、一八八五年のインド国民会議を創設したのが、かつてインド高等文官を務めたイギリス人のアラン・オクタヴィアン・ヒュームだったことであろう（もう一人の重要人物ウィリアム・ウェダーバーンもインド高等文官であった）。その後、インドに同情的な多数のイギリス人（そのうち最も有名なのがアニー・ベサントである）が、ガンディーとネルーの率いる独立運動に参加した。E・M・フォスターの『インドへの道』（一九二四年）などの小説が、イギリス人とインド人の間の友情と融合の困難さを強調する一方、ポール・スコットの『インド統治時代（ラージ）四部作』（一九六五―七五年）は、人種間の親密な関係の可能性、多くのイギリス人がインドとインド人に見せた（その逆もある）深い愛情を描いた。

気候その他の理由から、イギリス人がインドに大挙して入植するのは困難であった。[8] しかし、インドに長年住んだ役人、貿易商、宣教師、兵士、警察官、医者、技師、教育者にとって、インドはあまりに魅力的で、本国に戻ったあとも完全に捨て去ることはできなかった。インド統治時代への郷愁は、連続テレビドラマ「ファー・パビリオンズ」の成功（一九八四年）からもうかがえるように、イギリスのポスト植民地文化における主要なテーマになった。なおこのドラマは、インド大反乱時代のイギリス人兵士とインドの王女の恋愛をテーマにしたM・M・ケイの同名の小説が元になっている。

アルジェリアのフランス人、または他のヨーロッパ人の場合は異なっていた。第一に、一九〇〇年、北アフリカには一〇〇万人以上のヨーロッパ人がいた。彼らは少数派ではあったが、巨大な少数派である。多くの植民者(コロン)にとって、アルジェリアはフランス本国ではないが彼らの祖国であり、アルジェリアはフランスで、アルジェリア人はフランス国民に他ならなかった。インドのイギリス人と異なり、彼らは自分たちがアルジェリアの一時的な滞在者だとは思っていなかった。多くがそこで生まれ、死ぬことになっていた。彼らは植民地を多数派のイスラーム教徒と分かち合うことに納得していたし、フランスの規範を受け入れたイスラーム教徒にはフランス市民権を付与する可能性を開いていた。また、アラブ人が北アフリカで強大な文明を築いたことも知っていたし、アラブ人が生み出した都市にも敬服していた。しかし、植民者にとってアルジェリアの独立はありえないことであり、それはまさに裏切りそのものであった。

このことは、フランス系アルジェリアの作家アルベール・カミュのうちに見てとることができる。カミュは、イスラーム教徒の要求には同情を感じつつも、フランスのアルジェリア・コミュニティーにとってアルジェリアとは何であるのかを知悉していた人物である。彼の自伝的小説で死後に出版された『最後の人間』(一九九四年)には、入植者コミュニティーの生活、土地への強い愛着が鮮やかに再現されている。カミュは、一九五〇年代のフランス人とイスラーム教徒の対立の激化に強く苛まれた。しかしそれでもまだ、フランスは多数派のイスラーム教徒の手にアルジェリアを委ねることはできないし、委ねるべきではないと考えていた。「フランスにはそれができない。なぜなら、フランスは一二〇万人のフランス人同胞を海に捨てるなど決して承知しないからである」(Kumar 2017: 448)。

　インドのイギリス人、アルジェリアのフランス人、またある程度まではインドシナのフランス人は(もちろんアルジェリアに比べてフランス人の数ははるかに少なかったが)、古く尊敬すべき文化や文明をもつ多数派のなかで、少数派のヨーロッパ人がいかに生きたのか、その生き方の様々な可能性をうかがわせる。しかし、まだ少数派のヨーロッパ人が、多数派の文化を根本的に未発達で、野蛮でさえあると見なしているような地域の植民地的状況下においては、それとはまた異なった型、異なった一連の態度を見てとることができる。典型的には、サブサハラ(サハラ以南のアフリカ)のイギリス、フランス、ドイツ、ポルトガル、ベルギーの各植民地のヨーロッパ人入植者の場合がそうである。彼らにとって、アフリカはいまだ知られていない、そしておそらくは知ることのできない「暗黒大陸」であった。アフリカとは、原初の人間の住む場所なのである。ジョゼフ・コンラッドの『闇の奥』で、主人公のマーロウも川を遡ってアフリカのジャングルの奥地に入ったとき、「川を遡るのは、世界の太古の始原に旅するようなものだ」と思いを巡らしている(Conrad［1902］1995: 59)。人々、気候、植生、そのすべてが、文明化以前の野生で未開な状態の人類を示唆していた。

　パルタ・チャタジーが「植民地的差異の原理」と呼ぶもの、つまり支配者と被支配者の根源的な隔たりの感覚が最も明瞭に現れるのが、とりわけアフリカにおいてである(Chatterjee 1993: 10)。ただし、この「原理」がどこにでも適用できると考えるのは間違いである。それが最もよく当てはまりそうなのは海外帝国だが、とくにアジア的環境においてその適用は難しいものがあった。そこでは、インドで共有されていた「アーリア人主義」のようなある種の共通性によって支配者と被支配者が結ばれていると考えられていたからである(Kumar 2017: 330–332)。またのちに検討するが、陸上帝国ではこの原理はなおさら適用が難しくなる。

しかし、ヨーロッパ人がアフリカで接した社会は、「原始文化」を研究する人類学者だけが研究対象にふさわしいと見なした社会であった。それは彼らにとって歴史なき社会であり、たとえ歴史があったとしても、人類の「前史」であり、その起源の物語である。キリスト教化の使命と文明化の使命というヨーロッパ的な観念は、アフリカでその頂点を迎えたと言っても過言ではない。マーロウはイギリス人の友人に、イギリスも「地上の暗黒世界の一つだった」こと、ローマ人に植民地化され文明化される必要があったことを思い出させようとしたが、だからと言ってヨーロッパ人に植民地化され、文明化されるのがアフリカの宿命でなかったとも言い切れない(『闇の奥』の帝国主義者クルツの企図にもかかわらず)。それ以外に考えられる未来はなかったのだ。

しかし、いずれかの時期に、アフリカの住民がヨーロッパ人と同じ条件で生活するだけの文明段階に達して実際に独立を志すまでになる、そうした可能性は残されていた。アフリカの白人入植者コミュニティーの者たち(ヨーロッパ人とアフリカ人の差異を最も主張したがる者たち)でさえ、少なくともそうした可能性を幾分かは認めていたのである(Lowry 2014: 143-144)。いずれにせよ、宗主国の政府は、アフリカ社会では少数派を構成する入植者に、決して植民地生活の諸条件を決定させようとはしなかった(Lonsdale 2014: 75-77)。ケニアでは、一九六三年、土地に定着した白人のコミュニティーはケニアの独立を認めざるを得なかった。南ローデシアでは、入植者の独自行動がイギリス政府により妨害され、それがアフリカにおける現在のジンバブエの独立へとつながった。この両方のケースで、一九七四年にイギリスがＥＣに加盟したときに白人自治領の人々と同様、「裏切り」の感覚が起こったのも無理からぬことである。白人のケニア人と白人のローデシア人は最後まで、自分たちがイギリス人であることを主張し続けた。例えば、一九六五年に南ローデシアが独立を宣言したとき、彼らはアメリカの独立宣言を模倣して、本質的にイギリスの権利、「生粋のイギリス人」としての権利に訴えることで、その行動を正当化しようとしたのである(Lowry 2014: 112-113)。

宗主国の支配層と白人入植者の関係がしばしば緊張感をはらんでいたとすれば、宗主国の支配層と、通常は海外帝国で多数派を形成する非白人、非ヨーロッパ人の臣民との間にも同様な対立があったとしても不思議ではない。もちろん、こうしたことは、帝国臣民に関する多くの研究、とくに「ポスト植民地主義」学派の歴史家や社会科学者の研究の前提となっている(Darwin 2013: 147-149)。残酷になることも多かった初期の征服、あらゆる反抗と抵抗に対する容赦ない鎮圧、先住民文化の否定、それらが相まって、公に表明されるにせよされないにせよ、帝国の支配者への敵意を先住民のあらゆる社会層にまき散らすことになった。キプリングの「グンガ・ディン」のように、白人の主人のために気高く自らの命を捧げる者も当然いたに違いない。しかし、それよりずっと一般的なのは、ジョージ・オーウェルが『ビルマの日々』(一九三四年)で描いたような、支配者側の暴力に彩られた横柄さと被支配者側の怒りに満ちた憎悪の方だっただろう。

しかし、では多くのインド人が、自分たちはイギリス人であり、イギリス本国や世界中に散らばった他のイギリス人コミュニティーのイギリス人と同様にイギリス帝国の一員であると繰り返し述べていたことをどう考えればいいのだろうか。インド人のインド国民会議議長は、一九一二年、国民会議の目的について次のように述べていた。「我々の偉大な目標は、イギリス政府をして、イギリス領インド国民の国民政府たらしめることである」。ベンガルの老練なナショナリストであったスレンドラナート・バネルジーは、国民会議が完全な独立を目指しているという見解に反駁し、むしろ「我々は、イングランド人であれ、スコットランド人であれ、アイルランド人であれ、インド人であれ、すべてイギリス人であり、共通の帝国に属する同胞市民である」という感情に訴えている(Darwin 2013: 163)。重要さでは勝るとも劣らないマハトマ・ガンディーも、第一次世界大戦でイギリス側に立って参戦するようにインド人に訴え、次のような主張を行なった。「我々は、何よりも偉大なイギリス帝国のイギリス市民である(略)。我々の義務は明白である。全力でイギリス人を支援し、命と財産を賭して戦うのだ」(Kumar 2017: 359)。この種の発言は、数え上げればキリがないし、インドだけではなく、イギリスのアフリカ植民地でも見ることができる。例えば、ローデシアのアフリカ人指導者であるエサウ・ネマパレは、アフリカの代表権をめぐって、一九四五年に「我々アフリカ人は、我々の血によって、帝国と国王に対する忠誠心を証した。帝国は我々の帰るべき家である」と述べている(Lowry 2014: 143; また Darwin 2013: 164)。

しかし、イギリス帝国でも他のヨーロッパの帝国でも、時代を経るに従って、このような意見は一般的でなくなっていった。ナショナリストたちは、宗主国の政府が非ヨーロッパ人の臣民に同じ権利をなかなか与えたがらないと感じ始めた。こうした感覚は第二次世界大戦によって加速化した。とはいえ、海外帝国における支配者と被支配者の関係を、ただその終わりの部分から、必然的なコースでもなんでもないその結末から判断すべきではない。ほとんど最後に至るまで、植民地がどのような形態をとることになるのか、独立だけが唯一の可能性だったのか、様々な種類の連合形態がより好ましい帰結であったのか、こうしたことははっきりわかっていなかったからである。先住民のエリート層はもちろん権力の共有を望んでいた。ただし、それは帝国の枠組みのなかでなされうるのか、それとも独立した国民国家においてのみ可能だったのかは、大いに議論された問題であった。

この問題については、のちにまた詳細に検討したい。ただ、一般的にいえば、帝国の支配者と被支配者という二項対立モデル、すなわち潜在的であれ、顕在的であれ、対立こそ両者の関係の一貫した、また最も支配的な糸であったという考え方には注意しなければならない。このモデルは広く受け入れられているが、社会内部の階級間の関係においては誤りであり、同様に帝国の内部の支配者と臣民との関係においても誤りである。協力と共謀、もしくは少なくともある種の実際的な妥協は、抵抗と反乱と同じくらい普通に見られた現象なのである。

だからこそ、帝国の支配者と臣民の双方で現れるようなアイデンティティーには、幾つもの複雑な様相が、またさらには矛盾さえ生じるのである。帝国の終焉時に現れたアイデンティティーは、予め形成されたものでも、予め存在していたものでもない。それは帝国によって作られたとさえ言えるかもしれない。帝国はすべてのプレイヤーを常に変化させた。それが次章の主題となる。

（1）　以下の著作では、陸上帝国と海外帝国の差異について考える上で役に立つ考察がなされている。Esherick et al. (2006: 9–13). また Doyle (1986: 123–138, 162–179)。

（2）　公平を期すために言っておくと、地中海から北インドに広がったアレクサンドロス大王の帝国は多様な文化を内包しており、その点で海外帝国と比べても遜色がない。とはいえ、アレクサンドロスがいとも簡単にユーラシア大陸を駆け回ることができ、すでにペルシア帝国が構築していた均質的な行政制度を利用できたことは、そこに他の大部分の海外帝国とは異なる統治様式があったことを示している。

（3）　ロシアに征服されたシベリアの部族には、その土地ならではの多神教的な宗教があったが、ロシア人はそれを無視するか、「ロシア化」によって廃絶するのがほとんどだった。

（4）　ジェニファー・ピッツ(Jennifer Pitts 2018)によれば、一八世紀と一九世紀の「万国法」、つまり国際法の発展は、「文明の階梯」におけるヨーロッパ優位の観念によって大きく歪曲されていた。それはアフリカ人、アメリカのインディアン、オーストラリアのアボリジニなどの部族社会にはうまく適用できたと考えられたものの、旧来の文明圏であるアジア人に対してはより困難がともなった。そこで、アジアに対するヨーロッパ優位を正当化するために援用されたのがモンテスキューの「東洋的専制」の概念である。それによれば、アジア社会は、ヨーロッパ社会の共有財産である人権、寛容、法の支配に関する啓蒙主義的理解を欠いている、ということになる。ハスキンズ(Haskins 2018)の考えでは、モンテスキューはヨーロッパ人が「専制」に陥る可能性を危惧し、警告を発するために、中国とインドの記述で使用した原史料の内容を意図的に歪めたということである。

(5) ここに挙げた数値は、Cipolla (1974: 115-116); Crosby (1986: 2-5); Livi-Bacci (1992: 123-124); Dalziel (2006: 68-69); Belich (2009: 25-39); Bickers (2014: 2-3); Osterhammel (2014: 117-130)。ただこの種の数値は、時期によって違いが出てくる。ヨーロッパ人入植者コミュニティー(プランテーション)はきわめて独特で、帝国支配の他の形態(例えば、少数のヨーロッパ人が数百万人のインディアンを支配する場合)と完全に分けて考えなければならないとする研究者もいる。そのためモーゼス・フィンリー(Moses Finley 1976)などは、「植民地主義」という言葉をヨーロッパ人入植者コミュニティーに限定して使用し、「帝国」はそれ以外の、ある民族の他の民族に対する支配の諸形態の意味で使うことを提唱している。これは少々行き過ぎの観もあるが、一六—一七世紀に始まったヨーロッパの植民地化の歴史的な新しさに注意を促すという点では有益である。さらなる議論については、Kumar (2021)。

(6) パトリック・ウォルフは、入植者の非常に興味深い特質について述べている。「確かに入植者は、自分の土地所有権を完全に確立するために実質的に先住民を排除しようとする。ただ象徴的な次元では、本国との差異、そしてとどのつまり本国からの独立を表現するために、土着性を回復しようとする」(Wolfe 2006: 389)。ラテンアメリカでは、スペインとポルトガルからの独立後、白人入植者は自分たちが取って代わった土着文化を復元し、記念碑化し始めた(例えば、ヌエバ・エスパーニャは、新たにアステカ文明に由来する「メシカの国」からメキシコと命名された)、二〇世紀を代表する偉大な壁画家ディエゴ・リベーラ、ダビド・シケイロス、ホセ・オロスコなどは、インディオを残酷なスペイン人の犠牲者として描き、その生と闘争を褒め称えようとした(Rochfort 1998)。オーストラリアでは、「公共の建物と公式のシンボルが、国営の航空会社、映画産業、スポーツチームもそうだが、アボリジニのモチーフを明らかにそれとわかるように借用して差異化を図っている。ナショナリスト的な目的からすると、本質的に否認されたアボリジニ性の、この矛盾だらけの再専有の代用品を見つけるのは難しい」。それこそ「抑圧された先住民の回帰であるが、それは依然として入植者植民地(セトラー・コロニアル)社会を構造化し続けている」(Wolfe 2006: 389-390)。

(7) 「イギリス文化圏」については、Bridge and Fedorowich (2003); Buckner and Francis (2005); Darwin (2009:

144-179); Fedorowich and Thompson (2013)。

(8)　一九一一年になっても、インド在住の「ヨーロッパ人」(そのほとんどがイギリス人である)は、一六万四〇〇〇人に過ぎなかった。この数は一九二〇年代から三〇年代になっても変わらない。他方、一九一一年の段階で、インドの先住民人口は三億人を数えた(Washbrook 2014: 192, 194)。インドのイギリス人に関するさらなる情報は、Gilmour (2018)。

第4章 帝国、ネーション、国民国家

これまでに見てきたように、帝国は数千年にわたって人類とともにあった。では、ネーションについても同じことは言えるだろうか。

ネーション、国民国家、ナショナリズム

ここで直ちに、「ネーション」と「国民国家(ネーション・ステート)」という二つの概念のよく見られる混同(それも無理からぬところはあるが)は正しておかねばならない。こうした混同は単なる日常的な発言においてだけでなく、多少とも公的な場面でも見受けられる。例えば、よくUNと省略されるユナイテッド・ネーションズ(国際連合)は、一九四五年の創設以来ユナイテッド・ネーションズと呼ばれているので、そのように呼んでもらっても何ら問題はない。しかし、国際連合は先行するリーグ・オブ・ネーションズ(国際連盟)と同様、それは厳密に言えばネーションではなく、国民国家(ネーション・ステート)が集まった機関である。スコットランド人(五〇〇万人以上)、カタルーニャ人(七〇〇万人以上)、ケベック人(八〇〇万人以上)、クルド人(一五〇〇万人)などの大規模集団がネーションとして広く認知されているにもかかわらず、国連の正式なメンバーでないのもそのためである。他方、サンマリノ(三万人)、

モナコ(三万五〇〇〇人)、リヒテンシュタイン(三万五〇〇〇人)は正式のメンバーとして認められている。スコットランド人やカタルーニャ人はネーションではあるが、また、そのすべてが国民国家を目指してきたが(その時期に違いはあるが)、国民国家ではない。したがって、国民国家になるまでは、もしくは国民国家にならない限り、国連のメンバーにはなり得ないのだ。だが他方、サンマリノ人やモナコ人は国際社会から主権をもつ独立国家として認められているので、いかに小さくとも、現在国連を構成する他の一九三の国民国家と並んで、正式なメンバーとしての資格をもつのである。

正確さの観点から、国連の名称を変更すべきだと思う人もいるかもしれない。しかし、ユナイテッド・ネーション・ステーツというのも奇妙だし、ユニオン・オブ・ネーション・ステーツというと、特権的なクラブに入会するような排他的な響きがある。国連の創設者たちは、ネーションと国民国家の混同という、とくに英語圏における長年の慣習に従ったに過ぎない。これまで意識的に言明されたことはなかったが、おそらく、ユナイテッド・ネーションズと名乗ることで、目下ネーションを構成する集団が最終的には国民国家になる、つまりメンバーになるという希望を表したかったのではないだろうか。言うなれば、おそらくこの名称の背後に寛大で「民主的な」動機が隠されていたとも考えられる。しかしだからといって、定義と意味における正確さを追求する向きからすれば、世界で最も重要な機関の一つがネーションと国民国家を混同し続けていることに変わりはない。

ネーション、もしくはネーションと認識されているものは古く、国民国家は新しい。国民国家は、一九世紀ヨーロッパで最初に発展した新たなイデオロギーたるナショナリズム(ネーション主義)の産物だからである。実際にその目標を達成したのはほんの少数だったが、ネーションを国民国家へと転換させたのは、もしくは、少なくとも数多(あまた)のネーションを国民国家へと駆り立てた理論を形作ったのはナショナリズムである。ネーションを成り立たせるのが言語だとするならば、現在地球上には約八〇〇〇の実質的または潜在的なネーションがあることになる。しかし、正規に国連に加盟できるかどうかを基準にすると、そのうち国民国家と呼べるのは二〇〇弱しかない(Gellner 2006: 43)。

では、ネーションと国民国家の違いはどこにあるのだろうか。ネーション(元をたどればラテン語のnascor,すなわち「生まれる」)は、共通の祖先をもつと信じる人々によって形成される。ローマ人にとってのロムルスとレムスのように始祖の名前を挙げることができる場合もあるが、ほとんどの人々はそれが神話であることをわかっている。これに、歴史や慣習の共有の感覚、共通の宗教が加わる。言語は、ほぼ常にネーションを構成する主成分である。生まれ育った故郷という意味での場所も、同様に重要なことが多い。だが自らをあるネーションの一つと認識する遊牧民や離散民も数多く存在する(モンゴル人や北米インディアンなど)。ときに、これは通常は宗教に由来する考え方だが、自分たちのネーションが世界における特別な、神に命じられた使命を帯びていると信じ、自らを「選ばれた民」と考える人々もいる。ユダヤ人、フランス人、イギリス人、アメリカ人など、互いにこれほど異なる集団が、様々な時代に、すべて自分たちをそのように見なしてきた。(1)

こうした意味でのネーションは、何百年、いや何千年と存在してきた。その数は数千にのぼる(Armstrong 1982)。ネーションは帝国と同じくらい古く、その一部、もしくはその外縁として帝国とともに歩んできた。しかし、ネーションの概念に決定的に欠けていたのは、とくにその政治的次元、すなわち国家(ステート)の観念である。それこそ、ネーションと国民国家のおもな違い(国民国家という名称から推測できただろうが)であろう。国家を成さないネーションは今でも多い。国家をめざすネーションもあるが、当然すべてのネーションが国家を目指しているわけではない。多くのネーション(おそらくほとんどのネーション)は、独自のネーション性を表明する自由を与えてくれる適度な自治に満足している。それはスイスやカナダのように連邦のなかに組み込まれることもあれば、ネーションの多数性を前提とする帝国の一部になることもある。ハプスブルク、オスマン、ロシアの諸帝国はかなりの程度そうした性格をもっていた。

一般的にネーションが独立を目指すのは、ネーションの資格を獲得する希望や、ネーションの形式に従って自らを表現する権利が、上位の権力に妨げられたと感じるときである。最も有名で一般に知られている例で言えば、それこそが、今日のスコットランド人、カタルーニャ人、ケベック人が置かれた状況である。彼らは目標を達成できないかもしれない。それは多くの場合、彼らを取り巻く政治的環境、他の国家の態度、他の大量の諸状況のめぐり合わせ次第である。しかし、重要なのは、政治的な独立の獲得を目指して努力することである。独立した国民国家になることを望むのは歴史的に新しい現象であり、これこそ、ナショナリズムという新しい主張の宿命的な帰結なのである。ナショナリスト(ネーション主義者)たちは、自分たちだけの、自分たちで支配する真の意味でのネーションとなるには、固有の国家が不可欠だと考えている。彼らは、自分自身の国家がなければ、ナショナル・アイデンティティーが危険に侵されるのではないかと恐れているのだ。

ほとんどの説明によれば、ナショナリズムは一九世紀ヨーロッパ、とくにフランス革命の影響のもと誕生した。[2] この時期に、アーネスト・ゲルナーが定式化したところの「政治的な単位とネーションの単位は合致すべきである」という驚くほど新奇な主張(Gellner 2006: 1)が宣言されたのである。言い換えれば、「一つのネーションに一つの国家」が新たな原理となるべきだというのである。最も重要なのは、たとえ国家なきネーションが存在しうるとしても、正統な近代国家はことごとくネーションを、しかも理想を言えば一つのネーションを基礎にすべきだということである。近代世界では、国家は国民国家でなければならなかった。しかも実際にそれを獲得するのがどれほどまれだとしても、国家はナショナルな均質性を原理としなければならないのである（それでも、しばしば殺人的な「民族浄化」によってこの種の均質性を手に入れようとした者たちもいた）。

ベネディクト・アンダーソンと並んで最も影響力のあるナショナリズムの理論家であるゲルナーによれば、このような原理はただ新しかっただけでなく、歴史上存在した帝国の原理と実践とに根本的に衝突するものだった。ほとんどの前近代国家と同様、一般的に帝国の支配者は、被支配民族の大多数とは異なるネーションに属していたからである。ヨーロッパの諸国家は、多くの場合結婚を通じて親戚関係にあった一握りの王家集団のなかから支配者を選んでいた。ドイツは、一八世紀と一九世紀に支配者となる王家を最も多く生み出した地域の一つである。ドイツ人はハプスブルク帝国、イギリス帝国、ギリシア、ブルガリア、ベルギーの君主であったし、ドイツ人との婚姻関係にあったロシアのロマノフ朝はほぼドイツ系だった。そのことを奇妙に思う者などいなかった。というよりも、むしろ自国民より外国人の支配者の方が好まれる傾向があった。まず外国人の君主は、その土地の生来の君主よりも当該地域の活動に干渉することが少なかった。また外国人の君主は国内の党派争いにも超然としていた。彼らは君主が集まる国際的なクラブのメンバーであり、ビアリッツ、バーデン・バーデン、カールスバート、マリーエンバートなどのお気に入りの保養地で他の君主と社交生活を楽しんでいたのである。君主と取り巻きの貴族たちは、臣民の大多数が生きる多様なローカル文化とは異なる、コスモポリタンな「上流文化」を共有していた。彼らは平和を維持し、裁判を執行したが、支配者の権力をひどく脅かさない限り、諸々の「部族」や「ネーション」（王侯貴族からすれば両者にほとんど違いはなかった）はある種の決定権を有していた。ゲルナーによれば、ナショナリズムが脅かし、ついには廃棄するのが、こうした伝統的な秩序である。ナショナリストにとって、「ある政治体の支配者が被支配者の大多数とは異なるネーションに属しているなら、それは政治的妥当性を著しく侵していることになる」(Gellner 2006: 1)。つまり、フランスはフランス人に、ドイツはドイツ人に、イタリアはイタリア人によって支配されるべきだというのである。こうした信念は一九世紀ヨーロッパを席巻し、その一部がヨーロッパの支配を通じて海外に渡り、非ヨーロッパ世界にも支配的となっていった。ナショナリズムは、マルクス主義をはじめとする他のいかなる近代のイデオロギーよりもはるかに強力な近代世界の支配的な政治原理として正典(カノン)の位置に登りつめた。一九一八年、アメリカ合衆国のウィルソン大統領は第一次世界大戦後の世界秩序を確立するために「一四カ条の平和原則」を打ち出したが、正典としてのナショナリズムは、一般的な合意のもと、そこで表明されたネーションの自己決定権の原則として立ち現れることになる。(3) 反植民地運動が批判を先鋭化させ、その後帝国に対する政治的エネルギーを高めていったのも、この自己決定権という旗印のもとであった(Manela 2009)。ナショナリストにとって、この世界には帝国の居場所もその正当性もなかった。

帝国としての国民国家

社会学的な実体としての帝国とネーションの違いのほか、ゲルナーはさらに論争的な調子で、近代工業社会がうまく機能するには、いかなる場合においてもナショナリズムが不可欠であると主張した。ナショナリズムは共通の文化、つまりナショナルな文化を作りだす。この文化によって、支配者と被支配者が、社会のあらゆる階級が結びつけられるのである。工業社会は、こうした共通の文化がなければ効果的に機能しない。というのも、共通の文化を通じて個々人は地理的、社会的に動員されるからであり、工業化がもたらす技術的、職業的な不断の変化に対処するためには、この種の動員が不可欠だからである。他方、帝国では支配者たるエリート層と、支配されている多様な諸集団の間に文化的な断絶があり、それが工業化と近代化の根本的な障害になっている。

ゲルナーの考えでは、ある意味、帝国は退場したのである。帝国は近代社会、とくに近代経済の要求とは共存しえない。それは近代という時代にとってアナクロニズムそのものである。たとえ存続したとしても、それは古い遺物のようなものに過ぎない。二〇世紀に入ると、清朝、オスマン朝、ハプスブルク朝、ホーエンツォレルン朝、ロマノフ朝といった陸上帝国の一団が第一次世界大戦の前後に次々に崩壊した。第二次世界大戦が終わると、今度はオランダ、イギリス、フランス、ベルギー、少し遅れてポルトガルなどの海外帝国がことごとく解体した。そしてソ連(ロシア帝国の新しい形)でさえ、近代経済の技術的、社会的要求を満たすことができずに退却した。

ゲルナーは、帝国が普通に考えられるよりも長くその地位にしがみついていたことを認めている。しかし、工業化の容態はその発展のペース同様、帝国ごとに異なり、それが一九世紀における工業化の起点と、二〇世紀における帝国の滅亡との間に「タイムラグ」を生じさせたと理解された。ただし、その滅亡は不可避である。ゲルナーにとって、ナショナリズムと国民国家が近代世界の中心的な政治的要素であり続けるだろうということに変わりはなかった。[4]

ゲルナーの議論は非常に大きな影響力をもった。[5] 概して言えば、国民国家が現代の世界秩序における規範的な尺度となったという点において彼は明らかに正しかった。帝国が存在したとしても、それは帝国と名指されることはないし、もしくはその存在そのものが否定された。例えば、多くの人がアメリカ(とくに一九四五年以降のアメリカ)を帝国とみなしている。ソ連もかつて一般的にそのように表現された。今日では中国が、その「一帯一路」構想によって帝国の伝統を取り戻そうとしていると考える人もいる。しかし、この三国とも、帝国というレッテルを激しく拒否してきた。それはインドのように、ときに帝国とみなされる他の国家も同様である。つまり帝国は、今日では徹底的に信用を失っているのである。どの国も帝国と呼ばれることを望んでいない。または少なくとも帝国であることを認めようとしない。したがって、もし帝国が存在するとしても、あえてその名で呼ぶことはないのである。

しかし、ナショナリズムのイデオロギー的な勝利によって、「国民国家」の名の下で生じている多くの出来事が見えなくなっているのも確かである。帝国の存続もその一つに他ならない。この点については最終章でまた取り上げよう。しかし、ここで近年推定されている「帝国からネーションへ、あるいは国民国家へ」という動きについて、いくつか検討しておきたい。「帝国からネーションへ、あるいは国民国家へ」とはもちろんゲルナーの主張だが、多くの研究書が共通して使用している表現でもある(例えば、Emerson 1962; Esherick et al. 2006)。こうした見解には二つの前提がある。一つは帝国と国民国家の根源的な区別という構造的な問題である。すなわち、正反対の利害関心をもつ帝国と国民国家の間には和解不可能な差異があり、両者の間には多少とも避けられない敵意が存在するというものである(Spruyt 2001)。もう一つは時間上の前提、つまり一世紀ほどの間に、帝国が確実に国民国家に取って代わられるプロセスが存在したというもので、その場合たいてい二〇世紀初めは、そのプロセスの終焉とまでは言えなくとも、終焉の始まりとして特徴づけられる(Maier 2007: 134, 154; Manela 2009: 11, 225)。この二つの前提は完全に間違いとは言えないが、少なくとも厳しく吟味する必要がある。(6)

第一に、帝国と国民国家はそれほど完全に異なっているのだろうか、互いにそれほど根深い敵意を抱いているのだろうか[7]、通常考えられているよりも多くの共通点をもつことはないのだろうか、といった一連の問題がある。前章で、イギリス(または連合王国)がある種の「帝国のミニチュア」、「内国帝国」であり、それが、その拡大版たる海外帝国、つまりいわゆる「イギリス帝国」建設の基礎になっていると論じた。一〇六六年にノルマン人に征服されたイングランド人は、ノルマン人と融合してアングロ・ノルマン人となり、近隣のウェールズ人やアイルランド人の征服へと向かった。イングランド人は同時にスコットランド人もほぼ征服しており、完全な征服には至らなかったものの、スコットランドの文化と制度を「イングランド化」することに成功し、そのことが一七〇七年の多少とも強制的な統合によってスコットランド人を吸収するのに大いに役立った。イギリス、すなわち「グレートブリテンおよびアイルランド連合王国」(一八〇一年の合同時代の名称、一九二七年にはグレートブリテンおよび北アイルランド連合王国に改称)は国民国家とみなされることが多いが、イングランド人の作った帝国という意味では、それは「イングランド帝国」のあらゆる特徴をおびている。その後、彼らは巨大なイギリス海外帝国を建設するにあたり、ケルト人の臣民(ウェールズ人、スコットランド人、アイルランド人)を帝国経営のパートナーとしたのである(Kumar 2003: 60–88)。

他の多くのいわゆる国民国家も、似たような「国内植民地化」のプロセスによって形成された。国民国家のなかでも最も古く、よく知られていて、古典的な事例とみなされているフランスやスペインもそうである。例えば、フランス国民（ネーション）という意味での「フランス」は、カペー家の王とその後継者によって作られ、イール・ド・フランスを起点にブルターニュ、ブルゴーニュ、フランドル、ラングドック、ノルマンディー、ガスコーニュ、アキテーヌ、プロヴァンスその他の近隣の諸領邦や諸王国を征服することで拡大した。こうして彼らは無理やり「六角形」のフランス国民国家を作っていったのである。しかし、一七八九年のフランス革命の時代になっても、フランスは根強い地方語と雑多な諸伝統によって分裂しており、統一されたネーションをなしていなかった。ユージン・ウェーバーの有名な説明によれば、「農民がフランス人に」になったのは、やっと一九世紀になって、おもに学校教育と軍隊を通じてからのことに過ぎない。ウェーバーによれば「かのフランスの六角形そのものは、何世紀にもわたって形成された植民地帝国とみなすことができる。それは、征服され、併合され、政治的・行政的統一体に統合された領域の複合体である。その多くはナショナルな、または地域的な個性を強力に発揮しており、なかには明白に非フランス的、もしくは反フランス的な伝統を有している領域もあった」(Weber 1976: 485)。

スペインも征服を通じた統一という、似たような経路をたどった。一四六九年のアラゴンとカスティーリャの両王国の合同、一四九二年のイスラーム勢力の放逐〔ナスル朝グラナダ王国の陥落〕を経て、歴代のスペインの王はイベリア半島の残りの諸地域を統一国家に編成し、単一のスペイン国民（ネーション）を形成する使命に乗り出した。ただし、こうした努力も不完全にしか結実せず、「スペイン国民（ネーション）」の明らかに多彩な性格は拭い去ることはできなかった。そのことは、バスクやカタルーニャなどの多様な諸地域がスペインと袂（たもと）を分かち、独立した自分自身の国民国家を作る試みを何度も起こしたことからもわかる。一九三〇年代のスペイン内戦によって多くの歴史的な敵意が明るみになったが、フランコによるその厳しい抑圧は、差異と独自性の感覚を再び表明できる幸せな日が来るまで、そうした敵対関係を地下に追いやったに過ぎなかったようだ。「国内的な」スペイン帝国という感覚は、海外帝国をもたらした一六世紀の偉大な征服事業と歩みを共にしていたと同時に、多くの点でその起動力ともなった。それはイギリスの場合と同様、明白に表れていたように思える。[8]

他にも、より近年のケース、すなわちイタリアとドイツを取り上げたい。その理由は、この二国はナショナリズムを通じた国民国家形成の代表的な事例とみなされているからである。イタリア統一(一八六〇―七〇年)とドイツ統一(一八七一年)は、長きにわたって、一九世紀ナショナリズムの古典的な事例だと考えられてきた。しかし、最近の研究によれば、両国ともイングランド／イギリス、フランスと同じような征服国家であることが明らかになっている。イタリアの統一は、しばしば人民の意志や他のイタリア諸国家の希望に反して、カミッロ・カヴール主導のピエモンテのサルデーニャ王国によって上から行なわれた。そしてカヴール自身は、イタリア・ナショナリストではなかった(それがガリバルディーとその赤シャツ隊との違いである)。ドイツも同様に、そしてより身近なかたちで、ドイツ諸国家に対するプロイセンの征服を通じて統一された。その多くは、プロイセン支配下のドイツに加わることに激しく抵抗した。その後一八七一年に統一されたドイツ国家(結局「第二帝国」と呼ばれるようになったが、しばしば歴史家によって国民国家とみなされた)は、無理やり統合されたドイツ人のメンバーだけでなく、非ドイツ系アルザス人、デーン人、そして数百万のポーランド人を抱えることになった。[9] プロイセンの首相で、新たなドイツ帝国の宰相も務めたオットー・フォン・ビスマルクはドイツ・ナショナリズムに非常に懐疑的だったため、ドイツ語圏に属するオーストリアを新生ドイツから排除することで、ナショナリズムの力を削減しようとした。プロイセンの伝統的な領主貴族であったビスマルクにとって、ハプスブルク帝国がそうであるように、ドイツもそれがホーエンツォレルン家の領国であるという意味で、王朝国家にほかならなかったのである。彼が帝国の象徴を誇示し、「ドイツ国民の神聖ローマ帝国」の栄光を頻繁に想起したのもそのためである(Berger 2004: 82–83)。

さらに、ヨーロッパ以外から、ネーション(もしくは国民国家)と帝国の重層的関係を明るみに出してくれそうな事例を取り上げてみたい。一九一一年に中華帝国が崩壊したとき、それを引き継いだ中華民国は国民国家とみなされた。確かに、この共和国は、一九世紀後半に西洋モデルに倣って発展した中国ナショナリズムのイデオロギーを反映しており、漢「民族」の優越性の観念を基礎としていた[10](Dikötter 2015)。しかし、中華民国も、また一九四九年にそれを引き継いだ中華人民共和国も、一九一一年に旧清帝国が支配していた領土と諸民族をそのまま継承していたのである(それは一九一七年にロシア帝政国家を引き継いだソヴィエト国家がロシア帝国を再建したことと同じである)[11](Esherick 2006: 229)。

今日の中華人民共和国の自己規定によれば、それは認定された五六のネーションからなる「マルチナショナルな国民国家」(中国語で言うところの「多民族国家」)である。その内訳は「大ネーション」たる漢民族が人口の九二%を占め、五五の「小ネーション」が残りの部分を占めるとされている(Perdue 2007: 165)。「マルチナショナルな国民国家」という腰のひけた表現の背後には、まさに「帝国」という言葉が今日陥った悪評がある。どの国家も、帝国と呼ばれることを望んでいない。いかに実際そうであっても、である。ウイグル人やチベット人のような「小ネーション」のなかには数百万人規模の人口を抱える集団もある。多数派を形成する漢民族という観念でさえ一九世紀の理論家の構築によるものだとして、多くの研究者が疑問を投げかけている(Dikötter 2015: 61–78)。確かに、今日の中国は国民国家であると同時に帝国としての相貌も備えている。そのことはウイグル人やチベット人なら誰もが証言してくれるだろう。

新しいネーションも古いネーションも、帝国と国民国家の密接な関係(重層的関係とは言わないまでも)をはっきりと示している。このことは、二〇世紀の脱植民地化以降に形成されたアフリカとアジアの多くの新しい国家についても言える。ジンバブエ、ザンビア、マラウイ、ケニアをはじめとする他のほとんどの国々(とくにアフリカ)は、帝国の産物であり、「アフリカ争奪」をめぐるヨーロッパの大国同士の地政学的争いの結果として形成された。こうした国々では、その多くの部分で特定の部族が支配的になることはあったが、ほとんど歴史的、もしくはエスニックな基盤を欠いていた。これらのケースにおいては、ネーションは帝国を介して外部から作られたが、それ以前のヨーロッパの例では、ネーションはむしろ「内国植民地化」という内的なプロセスによって作られている。いずれにせよ、新旧両方において、理論や原理がいかようであっても、少なくとも実質的には、ネーションと帝国の二項対立が成り立たないことは明らかである。多くの国民国家は帝国のミニチュアである。国民国家は、通常の帝国と同様、民族と領土の拡大によって形成されてきたのだ。そしてひとたび国民国家として形成されると、国民国家はその帝国的な起源を否定する。エルネスト・ルナンも言うように、「忘却、そしてさらに、あえて言えば歴史的誤謬が、ネーションの創設の本質的な要素となるのである」(Renan [1882] 2001: 166)。国民国家にとって、自らを歴史的なネーションとしてアピールし、独立国家としての地位こそが「自然な」到達地点であると主張することが必要だった。

国民国家としての帝国

もし国民国家がしばしば帝国として建設され、その初期においてはまさに帝国と呼ばれることもあったとしたら(Kumar 2010: 124-125)、その逆も言えるのだろうか。もし国民国家が帝国のミニチュアだとしたら、帝国は「大きな」国民国家なのだろうか。ナショナリズムと帝国主義は重なるのだろうか。

アンソニー・スミス(Smith 1986)によれば、国民国家は一般に中核エトニー、すなわち支配的なエスニック集団が、付随的または従属的な能力を駆使して行動する他のエスニック集団に取り囲まれるようにして成立する。例えば、イングランド単体を見ても、イングランドが創り上げたイギリス国民(ネーション)全体を見ても、明白なのはイングランド人が少なくとも一六世紀以降は支配的なエトニーをなし、ウェールズ人、スコットランド人、アイルランド人、のちにユダヤ人、インド人、アフリカ系カリブ人がイングランドの支配を下支えしてきたということである。つまり、イギリスというネーションに「ナショナルな性格」を付与したのはエトニーとしてのイングランドだと言えるだろう。確かに、イギリスに支配者の言語、文化、制度を供給したのはイングランドであった(他の支配的なエトニーの事例に関しては、Kaufmann 2004)。

同じようなことは帝国についても、完全に同じくらい明確にとまではいかないが、言うことができる。ほとんどの帝国には、ローマ人、スペイン人、イングランド人、フランス人、ロシア人などの支配民族が存在する。帝国にその名称を与え、主要な特徴を帯びさせるのはこうした支配民族である。[12] 彼らは帝国において「国家を担う」集団であった。彼らは帝国の創設者であり、たとえ数の上では圧倒的でなかったとしても(オーストリア・ハプスブルク帝国におけるドイツ人のように)、帝国の「ハイカルチャー」を構成する言語と文化を供給した。この種の「ハイカルチャー」は、帝国の内部で地位を確立したければどうしても獲得すべきものであった(国民国家において栄達を望むならナショナルな文化を獲得しなければならないのと同じである)。

国民国家においてネーションが自ら作り出した国民国家と自己を同一視するように、帝国の支配民族に自意識をもたらすのは、ネーションというよりも帝国である。彼らは単にナショナルな民族であるだけでなく、帝国的民族であった。彼らは自分たちが広範囲に打ち立てた支配を誇らしく思っているのだ。しかし、ナショナリストがよく自分たちのネーションには何かしら独自で特別なものがあると感じるのと同じように、そして「選ばれた民」として神の摂理による使命や宿命を負っていると思う人がいるのと同じように(Smith 2003)、帝国の支配民族も、あるいはナショナリスト以上に、ある大義や使命と自分たちを関連づけ、それらを担う義務を感じるのである。そうした感情を「帝国的」ナショナリズム、もしくは「使命的」ナショナリズムと呼べるかもしれない。ただし、第一にそれらは多少とも詩的な表現であること、そして第二にナショナリズムのイデオロギーは一九世紀になって初めて出現したので、そうしたイデオロギーが発生するはるか以前の帝国に対して帝国的ナショナリズムについて語るのは時代錯誤であることは意識しておかなければならない(Kumar 2000: 30-35)。いずれにせよ、ネーションと帝国が世界における地位と目的を見出すやり方には(そこには優越感も含まれている)、強い共通性が見受けられるのである。

帝国の大義は、支配民族の自己同一化の対象であり、アイデンティティーの供給源であった。それは偉大な世界宗教の大義である場合が多かった。例えば、マウリヤ朝のインドは仏教、中華帝国は儒教である。そしてアラブ人とオスマン人はイスラーム教をもって彼らの大義としていた。ローマ人は、最初のうちは世界の文明化(ローマ化)という世俗的な使命を抱いていたが、その後キリスト教を採用し、その伝播を自らの使命とみなすようになった。西洋の帝国は他の多くの点と同様、ここでもローマの範に倣い、とくにキリスト教の宣教に尽力した。しかし、キリスト教世界に貫かれた分断によって、各々の帝国は各々のキリスト教を奉じるに至った。ハプスブルク帝国(スペインとオーストリア)、ポルトガル帝国、第一次フランス帝国すなわちその北米帝国はカトリック、ビザンツ帝国とロシア帝国は東方正教会、オランダ帝国とイギリス帝国はプロテスタントである。

一九—二〇世紀に宗教が衰退したことで、初期ローマの文明化の使命が復活した。アフリカとアジアに展開した第二次フランス帝国は、明白に「文明化の使命」を謳っていたし、イギリス帝国は法の支配と議会主義を強調した。共産主義の勃興は世俗的な大義に新たな装いをまとわせたが、それは、復活したロシア帝国と中華帝国によって採用されることになった。

グローバルで普遍主義的な帝国の使命は、一見より内向きなナショナリズムのイデオロギーと極めて異なっているようにも思える。しかし、忘れてならないのは、ジュゼッペ・マッツィーニのような初期のナショナリストにとって、ナショナリズムはグローバルな存在であろうとしていたということである。マッツィーニの考えでは、ナショナリズムはインターナショナリズム(相互の独立を尊重する国民国家群からなる平和な世界)に至る最初の、だが不可欠な一歩であった。ヨーロッパの一八四八年革命はこうした希望の多くを打ち砕き、引き続く一九世紀後半のナショナリズムはより陰鬱で排他的な色彩を帯びるようになった。その頃になると、ネーションはさらに広大で高貴な目的ではなく、ますます自分自身を、その独自の文化を、そのナショナルな特質を寿(ことほ)ぐようになった。ナショナルな利己主義が常態化し、それがファシズムとナチズムの残忍なナショナリズムに至った(Kumar 2012: 160-161)。

とはいえ、帝国的でナショナルな大義と、こうした大義を推進する民族との並行関係は、依然として示唆的ではある。その両方で、民族とその政治的産物の間に融合、いやほとんど共生さえもたらそうとする試みがあった。帝国的ナショナリズムは、自己礼賛的で自己中心的な「単なる」ネーションのメンバーであることを軽視するが、しかしそれは、ネーションをより高い大義に結びつけ、ネーションを超えるようなナショナリズムのより高い形態を強調するためである。

一九世紀末から二〇世紀初頭にかけて、帝国主義とナショナリズムが実際に一瞬融合したことがあった。しかし、そのときは帝国主義がナショナリズムに引きずられたのであり、その逆ではなかった。自由主義者J・A・ホブソンが書いているように、それはナショナリズムが自由のマントを投げ捨て、あくまでもネーションのために、世界的なヘゲモニー闘争のなかで他のネーションを破滅させようとした時代である。マッツィーニのように、ホブソンも「真のナショナリズム」は「インターナショナリズムに一直線につながる」として高く評価していた。しかし同時に、ホブソンの考えでは、当時ナショナリズムは帝国主義の一形態に堕していた。そして彼の見るところ帝国主義自体も、世界の文明化を目指したかつての国際主義を忘れ、ナショナリズムに乗っ取られて、ただのぶくぶくと肥大化したナショナリズムに成り下がっていた[13](Hobson［1902］1938: 11)。

彼のような考え方からすれば、ナショナリズムも帝国主義も、その発生時のより高潔な目的からかけ離れてしまったということになる。しかし、それでもまだ帝国と国民国家、帝国主義とナショナリズムが収斂する多くの道も示唆されている。国民国家を帝国と見なしうるならば、同様に帝国も国民国家の拡大版に過ぎないと言うことができるからである。こうした意味においては、イギリス帝国(「グレーター・ブリテン」と呼ぶ人もいるが)とは、イングランド国民（ネーション）、もしくはイギリス国民（ネーション）の拡大版、つまりイギリス・ナショナリズムの表現に過ぎなくなる(Seeley［1883］1971)。同様に、フランス帝国は一八七一年の普仏戦争の敗北で傷を負ったフランス・ナショナリズムの表現であり、埋め合わせであったに過ぎない(Schivelbusch 2004: 103-187)。一九二〇年代から一九三〇年代にかけて、ナショナリストが帝国主義的な領土獲得によってその力を強化しようとしたイタリア、ドイツ、日本のファシズム政権が登場して初めて、多くの人々が、ナショナリズムと帝国主義の結合が致命的な結果をもたらすことを痛感したのだった(Arendt 1958: 123–302)。

帝国から国民国家へ——自然な過程か?

もし、ネーションが帝国のミニチュアで、帝国が栄光に満ちた国民国家であるなら、近代になると「帝国から国民国家へ」と自然に経過していく、という観念自体が全面的に疑問視されるはずである。これまでに見たように、まさに「帝国から国民国家へ」という考え方は、今日非常に一般的に受け入れられている。ゲルナーをはじめとする人々によって強力に推し進められたこうした考え方によれば、帝国は旧態依然たる前近代の遺物である[14]。そうすると、それが存在する理由は単にタイムラグゆえというしかない。つまり、帝国は過去の残存物であり、いずれ現代の事情に合致した近代的な国民国家によって取って代わられるべく定められている、ということになるのである。

しかし、フレデリック・クーパーに倣って(Cooper 2005: 153–203)、帝国と国民国家の関係は一方から他方への必然的な変化というより、別の可能性にも開かれた、近年における「政治的想像力の可変的な諸形態」だと考えたらどうだろう[15]。つまり、一方が他方に取って代わる運命にあるのではなく、双方ともが、世界秩序の構想や組織化の選択肢となっていると考えたらどうだろう。このようにすれば、実際に近代において帝国が長々と存続した問題を解く手がかりが与えられるかもしれない。帝国から国民国家への移行を自然で必然的な過程だと考えてしまうと、この現象がどうしても説明できなくなるからである[16]。

確かに、一九世紀にナショナリズムによって、帝国と帝国の原理は疑問に付された。より小規模な国家やネーション、もしくは強力な隣人(たいていは帝国)に蹂躙されてきた過去をもつ人々にとって、国民国家の追求は、自らの大義を推し進め、自由を保護したり回復したりするのに最適な方法のように思われた。例えば、それがアイルランド、ノルウェー、ポーランド、イタリア、ハプスブルク帝国支配下のスラブ諸民族の立場である。またナショナリズムは、大帝国の支配民族を惹きつけたこともあった。イギリス帝国の「小イギリス主義者」、ロシア帝国のスラブ主義者、オスマン帝国のトルコ人などである。フランスにおいても、一九世紀にナショナリストと帝国主義者の激しい対立があった。反帝国主義者は、帝国とは無駄で危険な障害に過ぎず、ネーションの「魂」を弱体化させると考えた(Kumar 2010: 134-135)。

しかし、同時にナショナリズムの脅威に対する帝国の抵抗力の強さ、そして近代においても存続する驚くほどのしぶとさにも注目しないわけにはいかない。一九世紀はよく「ナショナリズムの時代」と言われるが、公式の帝国が二〇世紀の只中にまだ存在していたこと、国民国家が真の意味で形成されたのは一九五〇年代から一九六〇年代、ヨーロッパの海外帝国が崩壊する時代になってからだったこと、すなわちフランス革命がナショナリズムの原理を表明してから一八〇年以上のちだったことは忘れてはならないのである(Cooper 2005: 190; Osterhammel 2014: 405, 421-422)。クリストファー・ベイリーも言うように「一八九〇年から一九四〇年がナショナリズムが超活性化した時代」だったとすれば(Bayly 2004: 462)、それは同時に力強い帝国主義の時代でもあった(17)。

一九世紀の世界の舞台で誰が主要なプレイヤーであったか、考えてみるとよい。イギリス、フランス、オスマン、ロシア、オーストリア＝ハンガリー、中国。すべてが帝国である。一九世紀末になると、この帝国のグループにドイツ、日本、アメリカが加わる(アメリカは否定するだろうが)。第一次世界大戦は帝国によって引き起こされた帝国間の戦争である(Burbank and Cooper 2010: 370)。このとき、清朝、ハプスブルク朝、オスマン朝、ロマノフ朝、ホーエンツォレルン朝といった多くの陸上帝国が崩壊した。しかし、イギリスやフランスなどの海外帝国は、とくに国際連盟からいくつかの「信託統治」を任されたこともあり、戦後さらに強力になった。それだけではない。ロシア帝国はソ連に変貌し、ドイツは短いワイマール期を挟んでナチスの第三帝国として再スタートを果たした。イタリアのファシストは新たな「ローマ帝国」の建設に乗り出し、日本の帝国主義は、一九三〇年代に中国の大部分を征服することでさらに強化された。まさに「帝国の時代は一九一九年に終わったわけではない」のである(Osterhammel 2014: 466)。

第二次世界大戦も、おもに連合国(イギリス、アメリカ、ソ連、フランス、中国)と枢軸国(ドイツ、イタリア、日本)という帝国同士の争いであった。この戦争も、帝国を焼き尽くす大火となった。それは敗北した大国だけでなく、勝利した大国にとっても同じであった。今度は海外帝国の番だった。詳細は次章で述べるが、瞬く間に、オランダ、イギリス、フランス、ベルギーの諸帝国が解体した(ポルトガル帝国はもう少し生き長らえる)のだった。しかし、帝国の時代が終焉したわけではない。その後、アメリカとソ連が、支配的な帝国的権力として立ち現れるのである(またもや、両国とも帝国とみなされることを嫌ったが)。中国は共産党の下で復活し、かつての中華帝国の領土を回復した。

一九九一年のソ連帝国の崩壊を、多くの評論家が「帝国の終わり」(ときにそれは「歴史の終わり」とも見なされた)と呼んだ。つまりソ連こそ「最後の帝国」だというのである。しかし、他の人々は、ソ連の崩壊によって空白地帯が生じ、生き残った超大国であるアメリカが帝国のバトンを引き継いだことを指摘している(Mann 2008: 37)。他方、一九八〇年代以降、脅威的な経済成長によって経済大国となった中国が世界の舞台でさらなる役割を果たすことを望み始めたために、それを新たな中華帝国の出現だと考える人々もいる。またソ連を継承したロシアは普通の国民国家として振る舞う気はないようであり、明らかに帝国的な傾向を見せつけている。

これらの国々の最近の動向については、最終章でより詳しく論じるつもりである。ただ現段階でしかと確認しておきたいのは、世界各地で帝国から国民国家への移行が起こったという見解は、歴史的な記録に反するということである。そのような明確な移行は存在しない。帝国はこの二〇〇年の間、国民国家と並んで存続してきたし、国民国家よりも強力で影響力の大きい行為主体であり続けた。それは時代遅れでも異常でもなく、それどころか、世界の発展の行く末を実質的に決定してきた。実際、チャールズ・メイヤー(Maier 2002)によれば、大きな争いを終結させた一九一八年、一九四五年、一九八九年の合意のあと、世界秩序の安定のために、アメリカだけでなく、ソ連およびイギリス帝国やフランス帝国も参加したかたちで帝国的な監視と協力を進めることが極めて重要になっていた。一八世紀のアメリカとフランスの革命によって幕を開けた近代世界は、国民国家の世界であるとともに帝国の世界でもあったのだ。

帝国とナショナリズム

こうした議論はもっと先に進めていくことができる。例えば、この二〇〇年の間、帝国はただ国民国家と共存してきただけではなく、実際にネーションとナショナリズムを育んできたと主張しうる。別言すれば、帝国は一般に想定されているように必ずしも国民国家と対立するだけではない。それは多くの点で、国民国家の生みの親でもあった。

これは二つの側面で起こった。一つは、ネーション同士を競わせて帝国内部を安定化し、秩序づけるという帝国戦略に起因する。そもそも、ナショナリズムは、マルチナショナルで多文化的な帝国の脅威であった。一九世紀におけるナショナリズムの成長は(臣民のナショナリズムであれ支配民族のナショナリズムであれ)、帝国の統治者すべてを警戒させるものだった。オーストリアの政治家クレメンス・フォン・メッテルニヒのように、ハプスブルク帝国の内外におけるナショナリズムとの対決を政策の中心に置いた者もいた。しかし、ヨーロッパの一八四八年の諸革命を経て、ナショナリズムにやみくもに反対したり、抑圧したりしても失敗するだけだということが明らかになった。つまり、その力を制御し、帝国の強化に利用する方が賢明だと思うに至ったのである。

帝国がナショナリズムを利用することでどのように強化されたか、そのことをうかがわせるのが、一八四八年、チェコのナショナリストであるフランティシェク・パラツキーが、独立したドイツ国民国家の創設のために招集されたフランクフルト国民議会への参加を断った有名な事件である。パラツキーは、チェコの参加を当然視していたドイツ人に対し、あくまでもチェコ人として、ドイツ国民(ネーション)への統合をまったく望んでいないと明言した。しかし、より重要なのは、パラツキーがオーストリア＝ハンガリー帝国の解体に異議を唱えていたことである。彼の考えでは、帝国はチェコのような小さなネーションにとって、東方の強大なスラブの隣人、つまりロシア帝国の企図を挫くための不可欠の安全装置であった。有名な声明で彼は次のように述べている。「もし、オーストリア国家が古くから存在していなかったら、ヨーロッパのために、そしてさらには人類のために、早急にそれを作り出す努力をしていただろう」(Kumar 2017: 193)。

その後、トマーシュ・マサリクをはじめとするスラブ人の思想家たちは、ロシアに対する恐怖に加え、次第に新たな強大な西方の隣人、つまり統一ドイツを同じくらい脅威だと感じるようになった。こうした考え方に従って、ハプスブルク帝国のスラブ人の間に力強い「オーストリア＝スラブ」運動が誕生した。この運動の推進者にとって、帝国とはいわゆる「民族の牢獄」ではなく、個々のエスニックな文化の発展が許されさえするなら、東方と西方の脅威から身を守る盾であった(Kumar 2017: 193–195; また Comisso 2006)。

ハプスブルク家の支配者たちはこの「オーストリア＝スラブ」運動に統治のヒントを見出した。彼らは、支配民族(ドイツ人とハンガリー人)のナショナリズムは帝国の他の民族の憎悪を掻き立てる恐れがあることから、抑制されるべきだと考えたのである。それに対し、適切に管理されたスラブ・ナショナリズムは、帝国が最も恐れるドイツ人とハンガリー人のナショナリズムに対する重しとして育むことができる。こうした考えは、ハプスブルク帝国の最上層部、例えばハプスブルクの帝位を引き継ぐ皇太子ルドルフ、フランツ・ヨーゼフ一世の弟ヨーゼフ大公、従兄弟のルドルフの自殺後に帝位を継承したフランツ・フェルディナント大公などによって主張された(Wheatcroft 1996: 165–167, 279–281; Judson 2016: 327–328)。社会民主主義の立場からは、オーストリア・マルクス主義者のカール・レンナーやオットー・バウワーといった人々もそれに共感し、支持を与えた(Kumar 2017: 199–200)。一八六七年の「アウスグライヒ(妥協)」によってオーストリア＝ハンガリー二重帝国ができたことで、将来的には帝国の三つ目の柱を加えて「オーストリア＝ハンガリー＝スラブ」にしようという提案もなされたが、それが実現することはなかった。

ナショナリズムの間で均衡をとるために互いを競わせるという手法は、オーストリア領ガリツィアでとくに効果的であった。この地では、最も豊かで強力な集団であるポーランド人が、同じ場所に住むルテニア人(ウクライナ人)に対して優位に立っていた。他の地方でもそうであったが、ポーランド人は強いネーション意識をもっていた。一八四六年、彼らは支配者のオーストリアに対して立ち上がった。反乱は情け容赦なく鎮圧されたが、その後オーストリア政府は、ポーランド人のナショナリズムとバランスを取るために、ウクライナのナショナリズムを促進すべきだと考えた。多くのウクライナ人は、ウクライナ・ナショナリズムの勃興をこの時点に求めている。その結果、ガリツィアの都市レンベルク(のちのウクライナの都市リヴィウ)は、ウクライナ・ナショナリズムの中心地となり、それは今でも続いている。

次はロシア帝国が、ハプスブルクのやり方を真似る番だった。ポーランド問題は、さらに大掛かりなかたちでロシアにものしかかっていたからである。しかも、一八三〇年にポーランドがロシアに対して蜂起し、一八六三年にも再び蜂起が起こった。二度目の蜂起は、ロシアにとってより脅威的であった。それに対して、ロシアはただ抑圧しただけではなかった。ポーランドが優勢な地域において、他のナショナリズムを刺激したのである。こうして、リトアニアの地で、ポーランドの影響力の削減を狙ってリトアニアの言語と文化が奨励された。リトアニアのカトリック信仰さえ容認された。ポーランドもカトリックであるにもかかわらずにである。ここでもまた、新しいナショナリズム、ここではリトアニアのナショナリズムが、帝国の積極的な介入によって生まれたのだった(Weeks 2001)。こうした戦略は危険な賭けだったが、他の多くのケースと同様、ここでも成功を収めることができた。のちに検討するが、ロシア帝国を崩壊せしめたのはナショナリズムではなかったのである(実際、他のどの国でもそうではなかった)。

他の帝国も、「分割して統治せよ」という実績ある帝国の秘策に倣い、一方のナショナリズムを掻き立てて他方のナショナリズムを相殺する戦略を採用した。イギリスは、帝国の多数派をなすヒンドゥー教徒のインド・ナショナリズムがますます力を増していくのを見て、それを削減するためにムスリム・ナショナリズムを鼓舞した。結果は、大きな成功に終わった。ジンナーをはじめとするイスラーム教徒の指導者たちは、第二次世界大戦までイギリス領インドから分離したイスラーム国家を作る意図も欲求ももたなかった。しかし、彼らは確かに、自らの文化的アイデンティティーを育成し、独立インドの内部に少なくともイスラーム教徒の特別州を作るべく要求をするようイギリスに駆り立てられ、それに応えたのである。この動きは第二次世界大戦の展開によって加速化し、一九四八年の「分離」をめぐる血生臭い衝突を経て、最終的にインドとは別個のほぼ完全なイスラーム国家、すなわちパキスタンの誕生へと至った(Brendon 2007: 396-420; Clarke 2008: 425-453, 493-496)。

第二次世界大戦は、同様に、イギリス、フランス、オランダ、アメリカに敵対する日本帝国に、ナショナリズムの力を利用する機会を与えた(Burbank and Cooper 2010: 404-411; Kennedy 2016: 32-33)。日本は、インドネシア、ビルマ、マレーシアのナショナリズムを創出したわけではない。しかし「アジア人のためのアジア」と「大東亜共栄圏」の旗印の下、他のアジアの諸ネーションとの親縁関係を利用して、西洋の植民地支配からのこれらのネーションの解放者として自らを喧伝した。仏領インドシナを日本の保護領として併合し、香港、シンガポール、マレーシア、ビルマでイギリスに圧勝し、フィリピンでアメリカに勝ったことで、日本はインドネシアのスカルノ、ビルマのアウン・サン、さらにはインドのチャンドラ・ボースなどのナショナリストの指導者たちを支援する機会を得た(日本がインドシナのヴィシー政権を支持したため、ベトナムのホー・チ・ミンは他のアジアの指導者ほど日本の主張に納得したわけではなかった。

だが日本がフランスの影響力を排除したことは利用できると考えた)。かつて難攻不落にも思えた西洋がアジアの大国に打ちのめされたのを見て、アジアのあらゆるナショナリストが奮起した。確かに日本は敗北したが、日本が鼓舞し、強化したナショナリズムは結果として極めて大きな効果をもたらした(Albertini 1969: 29-31)。第二次世界大戦も終わり、弱体化したヨーロッパの諸帝国のほとんどは、ナショナリストの要求を押さえつける力も、それに対抗する意志もなくなってしまうのである。

帝国とネーションを敵ではなくパートナーにするもう一つの方法がある。ジョン・ダーウィンによれば、「帝国は、単に現地人を「飼い慣らし」て鼓舞することによってではなく、ローカルな起源を持つ意味を新しい超ローカルなアイデンティティーに包含することによって、独自のエスニシティーを創設してきた」。彼はこの新しいアイデンティティーを「帝国的エスニシティー」と呼び、それを「帝国が提供しうる資源と機会への特権的アクセスを約束する(もしくは約束するように見せる)エスニックなアイデンティティーの主張や受容」と定義している(Darwin 2013: 150, 165)。彼の考えでは、それ以前の現地の自生的な諸集団のアイデンティティーは、物質的、イデオロギー的な資源を欠くことも多く、近代的な国民国家に必要とされるネーションとしての一体性を形成することができなかった。海外帝国における現地のエリート層は、帝国の統治にあってヨーロッパ人の帝国支配者と率先して協力してきた。ギャラハーとロビンソンが明らかにしたように、この種の協力は広大で多様な帝国の経営にとって不可欠であった(Gallagher and Robinson 1953)。またダーウィンは、両者の協力には、現地エリート層にヨーロッパ・ナショナリズムの言語と技術の多くを採用させるという意味で、教育的な効果があったことも指摘している。それは必ずしも、これまでのアイデンティティーを捨てることではなく、多くの場合、そこに新しい観念、新しい可能性を付け加えて融合させることを意味した。こうした相互作用を通じて、新しいナショナルなアイデンティティーと、インド・ナショナリズム、インドネシア・ナショナリズム、ベトナム・ナショナリズムといった非常に近代的な潮流が生まれるのである。[18]

最後に、ソ連、つまりソ連帝国で形成された「帝国的エスニシティー」を挙げておきたい。これこそ、「帝国的エスニシティー」における最も壮観な事例の一つと言っても過言ではない。ここでも、それはソヴィエトとローカル・エリートの協力の結果であった。レーニン、そしてとくにスターリンのようなボリシェヴィキの指導者たちは、ソ連の多くの先住民が、ソ連を構成する完全なソヴィエト共和国(将来における単一の社会主義的「ソヴィエト人民」という、より高次の生成物の前形態として)になるのに必要な「文明」段階に到達していないと考えていた。民族人民委員であり、のちにソ連の指導者となるスターリンは、広範囲な「土着化政策(コレニザーツィヤ)」に乗り出した。その目的は、ローカル文化を刺激し、野心的な教育プログラムによって先住民を近代的なネーションに引き上げることにあった。多くの集団が「基幹民族」(ウクライナ人、ベラルーシ人、グルジア人(ジョージア人)、アルメニア人、アゼルバイジャン人、ウズベク人、カザフ人など)として認可され、ネーション祭、民俗博物館、メディア、政治機関、教育機関などを通して先住民の言語と文化が公式に宣伝、奨励された。しかし、書かれた文書や常に使用してきたネーションの指標が存在しないこともあった。そのようなときは、ソ連の知識人や官僚によってそれらが発明されなければならず、実際そのようにして作られたこともあった。その結果、これまで存在していなかったようなネーション(とくに中央アジアの諸共和国)の「アップグレード」もしくは、ときには実質的な創造が行なわれた(Kumar 2017: 291-300)。

この土着化政策からおもに恩恵を受けたのが、ローカル・エリートである。彼らは、地元のソ連政府機関に登用され、共和国を広く支配した。ソ連の歴史を紐解けば、こうしたローカル・エリートは、与えられた役割を担うことで長らく満足していたようである。しかし、ナショナリズムの芽がソヴィエト国家によってすでに植え付けられていたことは忘れてはならない。一九八〇年代から一九九〇年代にソ連が解体すると、ローカル・エリートは、ネーションのスポークスマンとして直ちに表に出てきた。そして彼らは、陰鬱なソ連時代のスーツを投げ捨て、より鮮やかな民族衣装をまとった。しかし、結局ベラルーシ、ウズベク、カザフ、トルクメン、その他多くのナショナリズムが、ソヴィエト国家のなかで、そしてその扇動によって生まれていたのである。それはかなりの程度、ロシアのナショナリズムについても同様である。というのも、ロシア人は支配的なエスニック集団であったが、自らをソヴィエト国家の犠牲者であり、他のネーションがネーションとしての内実を醸成している間に自分たちが無視されてきたと感じていたからである。いずれにせよ、ソ連は自分の後継者となるべきネーションの諸集団を営々と養い続けてきたのだと言えよう。ただ、ここでも確認しておくが、ソ連を崩壊させたのはナショナリズムではない。それは他の近代の帝国においても同じである。

ジョン・ダーウィンによると、「私たちは、ほとんど帝国が作った世界に、そして帝国との協力や、帝国への対抗上組んだ同盟などを通して形成されたエスニック・アイデンティティーの只中に住んでいる」(Darwin 2013: 168)。ネーションと帝国を対立させるありふれた習慣によって、こうした理解がしばしば失われ、歪曲されてきた。帝国はときにネーションに対立するとされることがあったが、それと同程度に、ネーションを作り上げてもいたのである。

国民国家に対立する帝国——原理的な差異

　これまで帝国と国民国家の類似性や重層的関係について詳しく論じてきたが、それはこの両者を競争相手であり宿敵であるとみなす傾向が根強くあるからである。常にはっきり言明されるわけではないが、おそらく人々が最も強く感じているのは、帝国は旧弊で、旧態依然としており、人類の過去の一部であって現在や未来とは関係ない、ということではないだろうか。帝国と近代は相容れないと思われている。近代世界には帝国の余地はないのである。マイケル・マンも言っている。「いまは帝国の時代ではなく、ナショナリズムと国民国家の時代である。帝国はもはや規範的な尺度ではない」(Mann 2008: 41, 43)。

　本章の目的は、こうした幻想を払拭することにある。帝国は国民国家と同じくらい、いや、おそらくそれ以上に、近代の構成要素なのである。ネーションはしばしば帝国によって作られたが、それだけでなく、その歴史の大部分において帝国に監督されてきた。二〇世紀になっても、帝国は一九世紀と同様に国際連盟や国際連合などの組織で指導的な役割を果たすことで、国民国家の出現や運命を監視していたのだ(Mazower 2009a)。国民国家は、長きにわたって帝国の影に生きてきた。私たちが国民国家の世界に生きていると言えるようになったのは、おそらく一九六〇年代以降のことに過ぎない。しかし、先にも確認したように、そうした発言でさえ大幅な修正が必要となる。

　議論をさらに進めて行くこともできる。国民国家は現代の規範であるかに見える。しかし、多くの人が確認しているように、国民国家間の競合は不断の紛争をもたらす。核の時代において、それは平和だけではなく、人類という種の存続そのものに対する脅威となる。「最後の帝国」とも言えるソ連崩壊の直後、チャールズ・メイヤーは次のように述べていた。「私は戦後に帝国らしきものに依存してきたこと、それが平和と繁栄の基盤だったことを強く信じています。一九八九年以降の時代を問題なく生き延びるために、それに相当する地域秩序が必要ではないでしょうか」(Maier 2002: 62)。

そうした展望と可能性については最終章で論じるつもりである。しかし、ここでは単に、国民国家があとになってできた、最近発展したものであり、帝国に比べると国民国家が優勢になった時期は著しく短いことを確認しておきたいと思う。国民国家の未来は不確かなままなのである。一〇〇年ほど前、ネーションの偉大な理論家であったエルネスト・ルナンは、ナショナリズムこそ「我々が住む時代の法」だと述べた。しかし、同時に続けてこうも言っていた。「ネーションとは何かしら永遠的なものではない。それは始まりがある。だから終わりもある」(Renan [1882] 2001: 175)。人類のためを考えると、この「終わり」(少なくとも多数の国民国家の集合体としての世界の「終わり」)は、早く来るに越したことはないと考える人々もいる。例えばアーネスト・ゲルナーであるが、先に触れたように、彼は近代社会の順調な機能に対する国民国家の必要性を強く主張してきた。しかし彼のような人物でさえ、その晩年には、将来の世界秩序のモデルとして何か別の形態、自分が生まれ育った地域を覆っていたハプスブルク帝国のようなものに期待を寄せるようになった(Kumar 2015)。

このように、帝国と国民国家には多くの類似性があるにもかかわらず、いずれにせよ最終的には、その差異を強調しておかなければならない。政治組織の原理からすれば、両者は非常に異なった方向に向かっている。国民国家の原理は、一つのネーションと一つの国家である。その方向は均一性と均質性の形成である。そこには一つのナショナルな民族、一つのナショナルな文化しか存在してはならない。各々の民族が、自らのユニークで唯一の文化をもつことを想定されているのである。ベネディクト・アンダーソンは、この点に対して、「人類そのものと自己を同一視するようなネーションは存在しない」(Anderson 2006: 7)と述べている。もし多様性があるとしたら、それはインターナショナルなレベルでしかありえない。世界は国民国家の集合であり、その各々が自らの文化を発展させるのである。差異と特異性も認識されているが、それはあくまでもネーション同士の間の話であり、一つのネーションの内部にそれがあってはいけないのだ。

他方、帝国はほぼすべての点でその正反対である。何度も確認したように、帝国は普遍主義的で、一元的で、かつマルチエスニック／マルチナショナルである。その目的はある特定の文明を世界大に広げることであり、彼らは自分たちがこうした事業の唯一の担い手であると認識している。原理的に言えば、一つの世界に一つの帝国、一つの帝国的使命しか存在してはならない。そして国民国家と異なり、帝国は「人類そのものと自己を同一視する」のである。それは根源的に複数的である。ただ国民国家と異なり、その複数性は帝国の外部ではなくその内部の性質である。帝国は、多くの土地と民族を支配している。だとすると、その原理的な難問は、これほどの多様性をいかに調整するかということになる。帝国が何らかの大きなネーションを目指して「ネーション化」の必要性を感じたとき、帝国は自らの死亡宣告書に署名するのである。それが一九世紀末に実際にいくつかの帝国で起こったことであった。

帝国の繁栄と持続性という点からすると、最も危険なナショナリズムは、支配民族のナショナリズムである。普通、下からのナショナリズムには対処できる。しかし、それ自身のエトニーのナショナリズム、帝国を監督している民族のナショナリズムは(一般には他の集団との協力を伴うが)、まさに帝国の存在の原理そのものを危険に晒してしまうのだ。帝国の特徴ともいうべき多様性を可能にするには、そこから超然としていなければならないのである。支配民族はもちろん、帝国をある一定の方向に導こうとする。つまり帝国の使命をどこまでも実現しようとする。したがって、被支配民族とのある程度の同化、とくにローカル・エリートとの同化は、帝国の秩序だった支配にとって不可欠であった。しかし、支配民族にとって、自らのネーションの文化と優位性を強調し、それを広めることを帝国の目標とすることは、帝国内部の他の民族集団の恨みを掻き立てる危険性がある。一九世紀末に、オスマン帝国のトルコ人、ロシア帝国のロシア人が、それぞれトルコとロシアのナショナリズムに突き動かされて反乱を起こしたとき、彼らは帝国の企図の実行可能性そのものを危険に晒したのだった。帝国の支配者や顧問は、この危険な展開を阻止しようと力を尽くした。彼らはそれにには大きな成功を収めたが、その後、第一次世界大戦の混乱に巻き込まれてしまった。

ボーア戦争を横目に執筆していたホブソンは、ナショナリズムと帝国主義の融合の進展に警鐘を鳴らしていた。その偉大な『帝国主義論』の冒頭では、こうした融合の進展が、ナショナリズムと帝国主義の両方の原理にとっての異常事態であるとはっきり述べられている。彼はこの点を力を込めて強調している。というのも、その『帝国主義論』はレーニンのような反帝国主義者に利用されたものの、ホブソンは本質的に帝国主義の賛同者であり、イギリス帝国が将来重要な役割を果たすと考えていたからである。

ホブソンによれば、帝国においてとくに重要だったのは、そして過去において本質的な原理であり続けたのは、その普遍主義と一元性である。力に飢え、競争心の強いナショナリズムとの結託で損なわれたのは帝国のこうした性質だった。そのことが、競合的な帝国からなる世界という新しい現象を生み出した。

多くの競合的な帝国という概念は、本質的に近代的である。他方、古代と中世の根源的な帝国観念は、一般的な言葉で人々に知られ、認識された世界全体を包含する覇権下での諸国家連合である(例えば、いわゆる「パックス・ロマーナ」でローマ人が保持していたような世界の下での)。ローマ人がす

> でに足を踏み入れた世界(ガリアやブリタニアだけでなく、アフリカとアジアも)のすべてに、完全な市民権を備えたローマ市民を見いだせるとしたら、それはローマ的な帝国主義が、真の意味でのインターナショナリズムの要素を含んでいたということである。ローマが滅んでも、文明世界の全域に及ぶ政治権力を行使する単一の帝国という観念は、消えなかった。それどころか、この観念は神聖ローマ帝国を通じて、その変化や動揺をものともせず生きながらえたのである。四世紀の終わり頃にローマ帝国が行政上の理由から決定的に東西に分かれたあとも、単一国家の理論は消えることはなかった。亀裂や対立の背後で、また数多の王国や地方が独立したにもかかわらず、理想的な単一の帝国という観念は命脈を保った。それが、カール大帝が公然と認め、意識していた理想を形成した(略)。ハプスブルク家のルドルフはこの理想を復活させただけでなく、それを中欧で実現しようとした。子孫であるカール五世は、オーストリア、ドイツ、スペイン、ネーデルラント、シチリア、ナポリの領域を帝国支配の統一下に置くことで、帝国という言葉に実質的な意味を付与することができた。その後、このヨーロッパ帝国の夢は、ピョートル大帝、エカテリーナ二世、ナポレオンの政策に命を吹き込んだのだった(Hobson［1902］1938: 8–9)。

本書のこれまでの議論全体を思い起こせば、ホブソンのこのすぐれた帝国観念の描写が、少なくとも西洋の帝国に関しては、著しく正確無比であることがわかるのではないだろうか。このことは、より近年の帝国観念の研究によっても確認することができる(Folz 1969; Muldoon 1999; Münkler 2007)。ホブソンは、啓蒙主義とフランス革命の「人間的コスモポリタニズム」に支えられた帝国が、一九世紀に生き延びるさまを目の当たりにしていた。ナショナリズムさえ、その初期の段階においては、この理念を脅かさなかった。ナショナリズムの最終目的が、独立した国民国家群が作る秩序だった世界社会にあったからである。しかし、ナショナリズムが退化して攻撃的で競合的になったこと、そして帝国主義がそうしたナショナリズムの態度を採用したことの二つが相まって、帝国の普遍主義的な次元が掘り崩されてしまったのだ。

ホブソンは、普遍主義的な帝国の復活の望みや可能性はほとんどないと考えていた。しかし、一九三〇年代の残忍なナショナリズムに直面し、『帝国主義論』の第三版(一九三八年)で自らの思うところを次のように述べるに至った。「世界の秩序と文明を維持するには、合理的な安全保障が不可欠である。そのためには、国際政治において連邦主義の原理[つまり帝国の原理]の適用がますます重要になってくる」。彼は、一九世紀後半にシーリーらを魅了した考え方、すなわち、イギリス帝国を「帝国的な連邦」に、「共通の安全と繁栄のために平和的に活動する自由なイギリス諸国の自発的な連邦」に、「将来的に文明諸国のより広い連邦に向けた第一歩となりうる」ものに変えるという考え方を強く支持していた(Hobson [1902] 1938: 332)。

もちろん、ホブソンだけが、近代世界の組織原理として国民国家を超えたところを見据えていたわけではない。国際連盟はすでに、国民国家を解体するとは言わないまでも、少なくともそれをある種の規制と監視の下に置こうと試みていた。確かに、国際連盟は脆弱であり、最終的には失敗したが、それは第二次世界大戦後の国際連合による新たな努力へとつながった。ただし、新たな国際連合は安全保障理事会を通してさらなる実質的な力と効果的な中央統制が与えられた。他にも、国民国家を超える組織がある。なかでも最も重要なのはEU(ヨーロッパ連合)だろう。それを肯定的な意味で帝国と比較する人々も存在している(Münkler 2007: 167)。

こうした国際機関と帝国との並行関係や類似性、そして帝国がどこまで(何らかのかたちで)可能性を残しているのかという点に関しては、またのちほど論じたい。しかし、まずは帝国という広大で永続的な政治体が、少なくとも正式には、いかに終焉を迎えたのかについて検討しておく必要がある。なぜ帝国は終焉を迎えたのか？　多くの人々が、いまや帝国は過去の存在で、現在の状況と無関係だと思うに至ったのはなぜか？　人々はどのように帝国に別れを告げたのか？といった問いの数々である。

(1)　ネーションの基盤となるネーション以前の集団をエトニーと名付け、ネーション、エスニック・グループ、エトニーの区別を試みる研究者もいる。こうした研究をリードしてきたのがアンソニー・スミスである。Anthony Smith (1986). ネーションの定義にまつわる多くの問題については、Connor (1994)。さらに、Delanty and Kumar (2006)所収の諸論文も参照のこと。ただ本章の議論にとってより重要なのはネーションと国民国家の区別の方である。

(2)　ナショナリズムの起源と発展に関する良質の解説としては、Hobsbawm (1992)。ナショナリズムは新世界において、南北アメリカのヨーロッパ系クレオールの間で誕生したというベネディクト・アンダーソンの主張は、大部分の研究者によって批判されている。

(3)　エレズ・マネラも指摘しているように「当時も、またその後も一般に信じられていたこととは異なり、「自決」という言葉そのものは、一九一八年一月八日にウィルソンがアメリカ議会で行なった演説(その後「一四カ条の平和原則」として知られることになる)の原稿のなかには見当たらない」。しかし彼は、この演説のいくつかのポイントのなかに自決の一般原理が含まれていること、またこの演説から数週間後にウィルソンが議会で行なったいわゆる「四カ条」という別の演説のなかには「自決」という言葉が明確に登場していることを認めている(Manela 2009: 40-41)。

(4)　ゲルナーはソ連においてナショナリズムが破壊的な力をもたらしたと考えていた。それを問題だと感じたのか、死後に出版された『言語と孤独』(Gellner 1998)ではゲルナーはこれまでの見解をいくぶん修正し、未来の世界秩序にとっては「グローバルなハプスブルク帝国」のようなものが最良の枠組みとなるのではないかとしている。Kumar (2015)参照。

(5) ゲルナーのナショナリズム論の評価についてはHall (1998), Malešević and Haugaard (2007)。

(6) Kumar (2010, 2017: 20-36)には、裏づけとなる文献も含めて、この後の議論のより完全で詳細な説明がある。また、中欧とバルカン半島における帝国とナショナリズムにとくに言及したものとして、Comisso (2006)。

(7) Osterhammel (2014: 422-428)には、おもにゲルナーとアンダーソンを参考に作られた、明確で詳細な国民国家と帝国の「類型的な」差異が列挙されている。オスターハンメル自身が強調しているように、これらの差異は「理念型」であり、経験的な現象としては相互に重複することもありうる。

(8) カタルーニャ自治州政府の首相を務めたジョルディ・プジョルは、一九八八年のカタルーニャ成立千年祭の演説において、カタルーニャがスペインの植民地だという感覚を表明している。「カタルーニャはカロリング国家の一部である。その事実は、何百年にもわたって、カタルーニャを政治的、文化的、心理的に特徴づけており、そのことはある意味今でも変わらない」(Balfour 2004: 157)。カタルーニャ、つまり旧バルセローナ伯領は、もともとカロリング帝国の辺境に存在した。

(9) 「陸上帝国」としてのドイツが中欧、東欧の他の陸上帝国とある意味似た性格をもっていたことについては、Ther (2004)。ゼアは、ドイツの歴史家が、短命に終わったドイツの海外帝国(一八八〇年代から第一次世界大戦まで)のみをドイツの帝国経験とみなす傾向に反論している。同様にConrad (2012: 153-159, 177-185)も参照。ナチスの帝国は常に、さらに特別なケースだと考えられてきた。もしくは少なくとも、帝国主義というよりも、過激なナショナリズムの事例として扱われてきた。ナチスの帝国的な性格、ドイツ史におけるそれ以前の帝国的伝統との連続性については、Mazower (2009b); Baranowski (2011); Conrad (2012: 159-168)。ゼアは、ドイツの歴史家がナチスに先行するドイツ海外帝国を帝国と扱いたがらないのは、まさにナチス的帝国主義の経験によるものではないかと示唆している(Ther 2004: 52)。

(10) 次章で見るように、この均質的な国民国家としての中国という概念は、その設立当初から、共和国の指導者たちによって大きく修正を余儀なくされていた。

(11) 例外はチベットとモンゴルである。チベットは一九五〇年に中国に再征服されるまで離反していた。モンゴルは、ロシアの保護国時代に独立を目指していたが、ボルシェビキ革命ののち共産党国家として独立した外モンゴルと、中国に組み込まれた内モンゴルに分離した。

(12) 帝国における支配民族を見分けるのが難しい場合も存在する。例えば、オスマン帝国の場合、ときにオスマン・トルコなどと呼ばれたりもするが、実際「トルコ人」は帝国の歴史のほとんどを通じて支配民族ではなかった。

オスマン家が帝国を支配するにあたっては、トルコ系の諸民族だけでなく、ギリシア人、アルバニア人などの多くのエスニック集団に依拠していたのである。トルコ・ナショナリズムが帝国とトルコのナショナルな欲求とを結び合わせることができたのは、一九世紀末になってからのことに過ぎない。同様に、スペイン・ハプスブルク帝国ではスペイン人が、オーストリア・ハプスブルク帝国ではドイツ人が明らかに支配的なエスニック集団であったとは言い難い。時間を経るに従って、一般的にはスペイン文化とドイツ文化がそれぞれ優越的な地位を占めるようになったとしてもである。この点に関する著者のさらなる見解は Kumar (2010: 129; 2017: chs. 3 and 4)。

(13)　このことは同時に、ヨーロッパの諸帝国におけるナショナリズムの乗っ取りだと考えることもできる。こうした見解に関するすぐれた研究としては、Berger and Miller (2015)。ただし、彼らの「帝国的ナショナリズム」は本書の用法と異なっている。またナショナリズムはときに帝国主義を利用してきたとも言える。新しく誕生した国民国家セルビアとブルガリアにおける帝国の希求と、帝国イデオロギーの利用(帝国的伝統を取り戻す試み)については、Malešević (2019: 90–110)。

(14)　似たような見解は、ヨーゼフ・シュンペーターによっても提起された。Joseph Schumpeter ([1919] 1974). ただし、彼の場合、帝国の旧態依然とした性格は、「封建的な」兵士や貴族の支配が持続していることに起因し、それもより平和的なブルジョワ階級とその国民国家に取って代わられると考えていた。

(15)　ジェーン・バーバンクとフレデリック・クーパーは、この問題に関して以下の本でより詳細に検討している。Burbank and Cooper (2010: esp. 2–3, 219–221, 413–415).

(16)　エドワード・ウォーカーは次のように言っている。「今日、帝国を自称している国家は存在しない」。しかし「今では時代遅れとなった巨大で多様な「帝国」から、小さく民族的に均質で、ネーションとして統一された近代的な「国民国家」への必然的な移行過程という目的論的な思考は避けるべきである」(Edward Walker 2006: 302)。ソ連崩壊後のロシア、中国、インドは巨大なマルチエスニック国家であり、旧式の帝国の特徴を多く備えている。こうした例はほかにいくらでも挙げることができる。

(17)　一九世紀とそれ以降の「帝国の時代」については、Hobsbawm (1987: 56–57); Ferguson (2005: xi–xiii); Cooper (2005: 171); Burbank and Cooper (2010: 219–250); Osterhammel (2014: 419–422)。

(18)　ダーウィンも指摘しているように、このような融合は非西洋の先住民エリート層との間だけで起こったわけではない。それは自国内、つまり本国の内部でなされることがあった。例えば、イギリス帝国がイングランド人、スコットランド人、ウェールズ人、アイルランド人といったローカル・アイデンティティーを動員して新たなイギリス人アイデンティティーを作り上げたことなどがそうである。Darwin (2013: 156–160). この問題に関しては、Colley (1994), Kumar (2003: 121–174)を参照。同様に「帝国的エスニシティー」も、非ヨーロッパ人の先住民に適用されるだけではない。イギリスの「白人植民地」であるカナダ、オーストラリア、ニュージーランド、南アフリカにおける「帝国的エスニシティー」(新イギリス人)の形成については、Darwin (2013: 160–162)。またダーウィンは、清朝の支配民族である満州人が帝国の要請に従って漢民族との違いを際立たせようと、いかに自らのエスニックなアイデンティティーを強化し、より精巧に練り上げることになったのかに言及している。さらに、ロシア帝国の「ドイツ系バルト貴族」や、ハプスブルク帝国の多くの非ドイツ系集団(ポーランド人、スロヴェニア人、リトアニア人、ユダヤ人)などにおいても同様に帝国的アイデンティティーが構築されたことが述べられている(Darwin 2013: 166–167)。これらすべてのケースにおいて、帝国は生成したアイデンティティーを決定的に屈折させる役割を果たした。オスターハンメルも言うように、「帝国は将来自らに反旗を翻すことになる諸力を知らず知らずのうちに育ててしまった」のである。Osterhammel (2014: 465).

第5章 衰退と滅亡

修辞的な装置か？

太古の昔から、帝国は自らの運命を嘆いてきた。帝国の教養層はほぼ例外なく、帝国が遅かれ早かれ衰退し、滅亡することを予期していた。チャールズ・メイヤーは「帝国の憂鬱、すべての勝利にただよう死の影」について語っている(Maier 2007: 286; また Ferguson 2010)。神はローマに、時空を超えた「終わりなき帝国」を与えたもうた。ウェルギリウスがいかにこのように記したとしても、マルクス・アウレリウスのように、ローマが直面する問題を意識し、その未来を危ぶんだ皇帝もいたのである。タキトゥスをはじめとするローマの著述家は、帝国を激しく批判し、帝国転覆を企む「蛮族」を賞賛した。そして四世紀から五世紀のキリスト教徒の思想家たちは、ローマの終焉はキリストの再来とその千年王国支配の兆しであると考え、その到来を待ち望んだ。

ユーラシア大陸の反対側では、中国の文人たちが繰り返し、古来より続く彼らの帝国の行く末を案じていた。とくに宋から元、明から清のような重要な王朝交替期には常に、帝国の試練や苦難について、そして今回は体勢の立て直しは無理だろう、「蛮族」に屈してしまうだろうといった予測(実際、「蛮族」

に屈するという予測は当たってしまった。ただ同時に、「蛮族」の下で帝国の体勢を立て直すことはできた)について、長々と検討された。そして一九世紀になり、清朝は西洋の諸ネーションの力を前にして、圧倒的な軍事力で武装した新たな蛮族の脅威を感じることになった。帝国を存続させたければ喫緊の改革が必要であったが、当時の為政者も学者もことごとくそれは不可能だと考えていた。アヘン戦争でヨーロッパ人に敗北したことで、二〇〇〇年以上の歴史をもつ帝国が終焉を迎えようとしていた。白蓮教徒の乱や太平天国の乱といった当時の大規模な反乱は、その兆しであった。「一八六〇年の末には、大清帝国は滅亡寸前である」と思われていた(Rowe 2012: 201)。

同じような陰鬱な予言は、近代の西欧の帝国にも容易に見出すことができる。ルイス・デ・カモンイスの一六世紀の叙事詩『ウズ・ルジアダス』(Camões 1572)は、ヴァスコ・ダ・ガマを筆頭とするポルトガルの歴史的航海を褒めそやしているが、現代の編纂者が指摘するように、それは「衰退しつつある帝国の匂いを」放つ「挽歌」の響きも帯びている。長きにわたる東洋旅行を終え、リスボンに戻ったカモンイスは、ポルトガルが「貪欲、俗物根性、冷酷、下劣な厭世主義に支配されている」ことに気づいた。かつてポルトガルを鼓舞し、その偉大な業績を可能ならしめた「誇りや生きる熱意が失われた」のである(Camões [1572] 1997: x, 226)。ポルトガルの帝国は過去の遺物となったようだった。実際、『ウズ・ルジアダス』が出版されてほどなく、ポルトガルはモロッコのアルカセル・キビールの戦いに大敗し(一五七八年)、セバスティアン王は戦死して、二万人以上の兵士の命が失われた。そしてその二年後には、スペインに吸収されることになった。カモンイスにはまさに先見の明があったようだ。

一七世紀のスペインも、偉大なスペイン帝国に破滅を宣告する作家や芸術家にこと欠かなかった(Elliott 1989: part IV)。スペインの思想家たちは、あらゆる国家は円環を巡るのであるから、衰退の時期は必ずやってくるという伝統的な考えを受け入れていた。すでに一六〇〇年、突出した著述家のゴンサレス・デ・セリョリーゴは、「我らがスペインがいかに、他の国々と同様、衰退の道を歩むべく定められているか」について仔細に検討している(Elliott 1989: 219)。急激なインフレ、一六四〇年のポルトガルの離反、カタルーニャの反乱などを目の当たりにした当時の多くの人々が、スペインが衰退の段階に入ったのだと感じていた。そしてポルトガルと同じように、スペインにも幻滅と方向感覚の喪失の雰囲気を漂わせた長編小説『ドン・キホーテ』(一六〇五・一五年)が登場した。それは『ドン・キホーテ』の主人公たる当惑した騎士が感じたような、「転変する世界で自らの立ち位置がわからなくなった」スペインの感覚だった(Elliott 1989: 265)。

イスラーム世界に関して言えば、偉大な政治家で学者であったイブン・ハルドゥーン(一三三二—一四〇六年)が、すでに衰退の法則を作り上げていた。定住者の帝国を引き継いだ勇敢な遊牧民(アラブ人、モンゴル人、オスマン人)が、今度は逆に都市生活の豊かさ、快適さに触れて堕落するのを見たからである。帝国の衰退と滅亡は、人間の身体が衰弱し、死んでいくのと同様に避けることができないのである(Shawcross 2016)。スレイマン大帝が偉大な勝利を飾った一六世紀も終わり、一七世紀に入ると、オスマンの思想家たちも帝国の将来を憂慮し、自分たちの周りで退廃と衰退の兆しを探し始めた(Lewis 1962)。そのとき不満の種となったのは、伝統的な慣習や制度の衰退と軽視(慣習法たるカーヌーンの適用の放棄、厳格な宗教的規則であるシャリーアの過度の適用)、デヴシルメ(スルタンの最良の大臣を輩出してきたキリスト教徒の若者の強制徴用)の衰退、シパーヒー(オスマン帝国最大の勝利をもたらしてきた屈強な騎士)を支えてきた土地所有システムであるティマール制の廃止(Kumar 2017: 116-117)などであった。挽歌詩人たちは、こうした衰退の兆しに対比させながら、かつてのスレイマンの黄金時代、より一般的には「一〇人の最初の優秀なスルタン」の時代を振り返っていた。詩人たちによればこの時代以降、帝国は弱体化し、終わりは間近に迫っていたのである。

ロシア人も、この時期、陰鬱な未来に思いを致し、終末論的な調べを響かせていた(Hosking 2012: 131-174)。一五九八年、フョードル一世の死によって、開闢以来ロシアを支配していたリューリク朝が終焉を迎えた。そのあとを継いだボリス・ゴドゥノフの治世は暴力と混乱のさなかに終わり、その後、かの「動乱時代」に見舞われた(一六〇四―一三年)。一六〇三年のミハイル・ロマノフの新たなツァーリ選出は、のちに時代の転換点だと考えられたが、当時そのような見方をした者はほとんどいなかった。「動乱時代」は、暴力と不安を特徴として、一七世紀末まで続いたと考えることができる。一六一〇年には、ポーランドがモスクワを攻撃して占領し、スウェーデンもノヴゴロドを占領した。当時のロシアはこうした強大な敵を前に今や崩壊寸前にも思われた。帝位をねらう者たちも次々に現れ、ほぼ間断なき内戦状態となった。大規模な農民反乱も起こった。コサックのステンカ・ラージンの乱は四年以上も続き、帝国全土から叛徒が結集したロシア史上最大の農民反乱の一つとなった。ロシア正教会の内部でも、改革派と守旧派との間で「教会大分裂」が起こった。したがって、ロシアの作曲家モデスト・ムソルグスキーが「ボリス・ゴドゥノフ」(一八七二年)と「ホヴァーンスキー」(未完)という自身の力強い二つのオペラで、ロシアにおける平和と調和の実現の困難さを描いたさい、彼がこの時代に題材をとったのはなんら驚くべきことではない。

実のところ、一七世紀は一般的にユーラシア全体で「動乱時代」だと見なされてきた。「衰退意識」もこうした背景のなかで理解すべきだろう。かつて歴史家によって「一七世紀の全般的危機」が語られたことがある。一七世紀が経済不況、宗教戦争、慢性的な反乱、革命の時期だからである。ユーラシアのこちら側では、イングランドの内戦、フランスのフロンドの乱、ドイツの三十年戦争、スペイン帝国全土における蜂起(とくにオランダとカタルーニャ)が、ユーラシアの反対側では、明朝の終焉と清朝の勃興にともなう凄惨な戦闘があった。こうしたことからすると、この時代を終末論的に描くのも当然にも思える。実際、当時の人々もそのように考えたようだった。それを「小氷河期」と結びつけて、一七世紀の動乱の原因を大規模な気候変動に求めた論者も多かった(Brook 2013; Parker 2013; Goldstone［1991］2016)。

しかし、暗く陰鬱な一七世紀のあとには、眩しく高揚するヨーロッパの啓蒙の一八世紀が訪れた。オスマン帝国も含め、ヨーロッパの諸帝国は(もし実際に衰退していたとしたなら)回復し、世界をさらに征服して、その後二〇〇年以上も生き延びることができた。この時期に、イギリスとフランスは史上最大の二大帝国を作り上げた。中国では清朝が中華帝国の領域を二倍に増やし、中国史上稀に見る繁栄を謳歌した(Rowe 2012: 1-2)。もしこれを「衰退」と呼ぶなら、「衰退」していない国家など存在しない。

実際、「衰退」とは明らかに、帝国の歴史における修辞学的な比喩に過ぎない。それは困難に陥ったときに知識人や政治家が用いる詩的な表現で、「なんたる時代か、なんたる風習か」という、しばしば繰り返された同じくらい修辞的な絶望の嘆声となんら変わることがない。通常、その先行形態は各社会に存在する衰退論の伝統に求めることができる。例えば、初期の中国史における「戦国時代」がそうであるし、ヨーロッパの社会の場合は、ローマ帝国末期に数多の問題が累積したときの後期ラテン知識人の嘆きなどがそれにあたる。そしてキリスト教がその初期に「歴史の終わり」と世俗の社会の崩壊を強調したことが、ヨーロッパにおける「衰退意識」の有力な起源となったことはほぼ疑いない(1)。

この種の衰退関連の文書には多くの役割があったが、なかでも重要だったのは、警告を発し、改革

(もしくは回復)を求めることであった。ただ、それを額面通りに受け取ってはならない。帝国の終焉が間近だと言っても、そうした予言は実際の生存可能性を計った上のことというよりも、倫理的な憤慨や、しばしば単に自らの集団や階級が権力闘争に負けつつあるという感覚によるものだった。ローマの元老院階級も、帝国の官僚機構と軍隊のなかで非ローマ人や非イタリア人が頭角をあらわしたことに恐れを抱いたし、それを受けて、その文学上の代弁者たちが帝国の迫り来る終焉をしかるべく宣告していた。

したがって、帝国がいかに、そしてなぜ衰退し、滅亡するのかを理解したければ、その折々に警告として発せられた「衰退」という表現のかなたを見据えなければならない。すなわち、通常は国際的なシステムのなかで作用する、帝国を瓦解させ、消滅させる実際の政治的、社会的諸力を検討する必要があるのである。戦争と革命は、ナショナリズムや、社会主義などの他の近代的なイデオロギーの勃興と並んで、その重要な要素である。なお、自然によって衰退がもたらされることもある。例えば、中国の明朝の崩壊の原因として、壊滅的な不作や天候不順による災害が続いたことを挙げる論者もいる(Brook 2013: 238-261)。

帝国は多種多様であり、したがってその滅亡の原因と様式も同じように複雑で、一筋縄ではいかない。西洋では長きにわたって古典の研究が支配的だったため、「ローマの滅亡」はこれまで過剰なほどの注目を浴びてきた。そのようななかに生まれた最も基本的な作品がエドワード・ギボンの『ローマ帝国衰滅史』(Gibbon 1776-88)である。この本が書かれたのは、ヨーロッパにおける啓蒙主義の絶頂期である。それは産業革命に支えられたヨーロッパが、経済的な独立、技術的な発展、世界の征服に向けて羽ばたこうとしていた時期のことだった。ギボンは当時のヨーロッパとローマを比較することで、ある種の警告を発するつもりだったのだろう。しかし、この本は、のちにそう誤解されたように、実はローマの滅亡を描いたものではない。もしくは少なくとも、それは多くの人々が抱いているようなローマではない。というのも、ギボンが示したように、ローマが五世紀に滅亡したと言っても、それは西側の部分の話に過ぎないからである。実際のところ、ローマは、その後一〇〇〇年もの間、自らをローマ帝国そのものとみなしていたビザンツ帝国として生き残った。ギボンが自著の多くの頁をさいて語った「滅亡」は、西ローマ帝国というより、その東側、つまりビザンツ帝国が一四五三年にオスマン・トルコ人に滅亡させられたことを指しているのである。したがって、ギボンが滅亡の主要な原因と見なしたかの有名な「野蛮と宗教の勝利」とは、通常考えられているようなゲルマン人とキリスト教ではなく、アラブ人、トルコ人、イスラーム教のことである。

ギボンは、西ローマ帝国衰退の原因に関する自分の説明に非常に自信を持っていた。それは「過度の偉大さから来る自然で避けられない結果であった。繁栄は衰退の原理を熟成させ、征服の範囲が広がるにつれて破壊の原因も増えていった。そして、時間や偶然によって人為的な支柱が取り除かれると、その並外れた構造体はそれ自身の重みによる圧力に屈したのだ」。実際、ギボンにとって「ローマの破滅の物語は単純かつ明白である。したがって、なぜローマ帝国が滅んだのかを問うより、それがこれほど長く存続しえたことにこそ驚くべきである」(Gibbon ([1776–88] 1995, II: 509)。ローマの失墜に関するこの「単純な」説明はギボン以降の多くの著述家によって繰り返され、さらに、「大国の興亡」(これはポール・ケネディの有名な著作のタイトルで、明らかにギボンの著作を思わせる)をめぐるいくつかの一般的な理論の基礎にもなった。ギボンと同様、ケネディにとっても、国家や帝国は「帝国的な拡張」、つまり最初の勃興を支えた物質的な基盤の手に余るほど、征服と膨張を推し進めることによって滅亡する(Kennedy 1989: xxiv–xxvii, 566–576, 693–698)。

ギボンの著作は、一九世紀のヨーロッパで非常に大きな影響力をもった。イギリスをはじめとするヨーロッパ諸帝国は常にローマと比較されたが、いずれ衰退するであろうヨーロッパの諸帝国をめぐる当時の数多の憂鬱な考察にとって、ギボンは大きなヒントになったのである(Kumar 2017: 340-347)。だが私たちは、ローマというその圧倒的な存在から、ある程度距離を取るべきではないだろうか。ローマは、歴史家や社会学者から広範囲に扱われてきた一般的現象、つまり帝国のほんの一例でしかない(2)。確かに、西洋の「帝国の伝統」におけるその並外れた重要性(ヨーロッパのいかなる帝国もローマの経験の再現に過ぎないと感じられた)からすると、ローマを無視することは不可能である。その「衰退と滅亡」の原因は常に探究する価値がある(3)。しかし、地球規模に視野を広げれば、いかに立派で有力な研究であっても、たった一つの事例から学べることに傾注するのでは、明らかに限界がある。

結局のところ、従来の常識的な通念とは異なり、帝国の滅亡が不可避であるとは言えないようである(4)。あるいは、もし不可避だとしても、なぜ不可避であるのかを明らかにするいかなる一般的な理論もない、と言うべきか。自然現象である四季や個人のライフサイクルになぞらえた循環論はかつてもてはやされたが、今では長らく顧みられなくなっている。「帝国の拡張」のような考え方は、示唆的ではあるが、曖昧すぎて役に立たず、いずれにせよすべての事例に当てはまるわけではない。それどころか、最も重要な事例にも当てはまらない(5)。確かなのは、いかなる人間も最後には死ぬのと同じく、いかなる国家も最終的には滅亡するということである。帝国もこの一般原則を免れることはできないのだ。その点では、一般的な国家であれ帝国であれ、特別な扱いを受けるべきではない。帝国は、あらゆる国家と同様の偶有性、同様の一般的なプロセスに従うのである。それぞれの帝国にはそれぞれの歴史がある。とはいえ、一群の帝国がすべて同じ力にさらされることもあった。ここでは、そのいくつかの一般的な特徴を見出すことができるかもしれない。

中国と帝国の終焉

紙幅の制約もあり、本書では帝国の滅亡に関するほんの一握りの事例しか扱うことができない。ただ、なかでも二〇世紀におけるヨーロッパ諸帝国の滅亡は、現代との関連性が明らかであるため、特別な関心が向けられてきた。とくに、一九四五年以降の海外帝国の終焉は「脱植民地化」と呼ばれ、それに関しては現在では膨大な文献が存在する。そしてその衝撃は、今もなお世界中に及んでいる。

しかし、まず帝国のなかで最も由緒があり、最も長く続いた中華帝国の終焉について簡単に見ておこう。一九一一年の清朝の滅亡によって、二〇〇〇年続いた中華帝国の歴史が終焉を迎えた。だがそれは中国人が帝国の民でなくなったことを意味しない。のちに詳しく見るが、彼らは三〇年ほどの休止期間を経て、「中華人民共和国」という新たな名前で帝国を再興するのである。しかし、形式的にも象徴的にも、一九一一年には何かが完全に終わった。

帝国の後継者である共和主義者と共産主義者の双方にとって、清帝国が停滞的で長期的な衰退過程にあると考えることは都合がよかった。清帝国が概して「封建的」だと言われたのもその意味においてである。一九一九年に始まる五・四運動は、それが西洋化と近代化をめざしていたこともあって、この種の見解を精力的に広めることになった。西洋の世論も、清帝国に対するこの評価をすぐに受け入れた。こうした考え方によれば、一九一一年の革命は必然的だっただけでなく、遅すぎたということになる。

だがこれは近年の研究によって完全に否定されている。[6] というのも、清朝の末期に、戊戌の変法（一八九八年)、次いで、より成果をあげた光緒新政(一九〇一―一〇年)という力強い改革の試みがあったからである。改革の内容としては、まず清朝政府は日本に倣い、地方における新たな代議制機関の設置を提案、実現した。一九一〇年には、一九一七年招集予定の国民議会の構想も打ち出した。その間に臨時国民議会を設置し、地区・地方議会からの代表者の選出を準備した。一九〇五年以降に急増した民間の立憲主義団体の圧力を受け、清朝の宮廷も日本の立憲君主制をモデルに、一九一七年を目途として憲法を発布するという意向を表明した。

さらに商業を活性化し、工業化を促進するために、政府は地方や主要都市に商工会議所を設立し、その調整に努めた。そして一九〇九年までには約一八〇〇の商工会議所が設立され、しばしば外国の企業とも提携しながら、経済活動の促進に積極的に取り組んだ。地方議会が、地方議会を支配している地方の郷紳層を強化し、堅固なものにしたように、商工会議所は商人に発言権を与え、彼らの間に連帯感を醸成するという意味でも重要であった。

中央官庁や教育分野でも抜本的な改革が行なわれた。「六部(りくぶ)」という古風で由緒ある名で呼ばれていた官庁も、日本式かつ西洋式の内閣制度に取って代わられた。一九〇五年には、宮廷は長年続いた官吏の選抜試験制度である科挙を廃止し、西洋の学制に倣った学校を設置した。一九〇四年に約四〇〇〇校を数えた西洋式の学校は、一九〇九年には五万二〇〇〇校に増え、四〇〇万人以上の学生がこの新しい学校で学んだ。「ほぼ一夜のうちに、科挙ではなく近代の学校の卒業証書が、政府の一員となり社会的地位を獲得するための基本的な資格になった」(Rowe 2012: 260; また Zhao 2006: 16–18)。

軍隊においても、一九〇三年の軍制改革によって重要な変化が生じた。旧来の八旗軍と緑営軍は廃止され、その代わりに袁世凱を指導者とする西洋式の北洋軍が創設された。北洋軍は、二〇世紀初頭の中国で最もよく組織され，最も効率的な戦闘力をもつ軍隊になった。新しい士官学校も設立された。そこでは日本人が教官になることもしばしばで，これら士官学校の卒業生で構成された「新軍(新建陸軍)」が地方に展開した。中国史上，教養エリートの間で軍人が威信を獲得したのは，おそらくこの時が初めてではなかっただろうか。

忘れてはならないのは，最終的に清帝国を転覆させることになる軍隊は，まさに帝国自身の直接の産物，とくに一九〇一年以降熱心に進められた改革の産物だということである。一九一一年の革命の成功は，孫文と彼の「革命同盟会」のおかげであるとするのが，これまでの通説である。しかし，孫文は二〇世紀の最初の一〇年間のほとんどを中国から離れ，おもに日本，ハワイ，アメリカで過ごしており，革命が勃発したときには，実際にはコロラド州のデンバーにいた(Schiffrin 1971)。レーニンやボリシェビキのように，孫文とその支持者たちは革命を引き継いだのであり，それを起こしたわけではない(さらに，結局のところそれほど長く指導できたわけでもない)(7)。

革命の原動力となったのは，一九〇八年にはほぼ衰退していた急進的な学生や職業革命家ではなく，一九〇〇年代初頭の「新政策」の産物である「改革派エリート」であった。すなわち地方議会の郷紳層，新しい商工会議所の商業エリート，新しい士官学校を卒業した軍人たちである。もちろん，これらの動きは完全に新しいものではなく，一世代もしくはそれ以上前から起こっていた帝国の社会的，経済的な変化を背景としていた。しかし，「新政策」が上からの主導だったため，それは変化の恩恵を最も受けていた集団をさらに刺激し，突き動かしたのである。「改革派エリート」は，この種の急進的な政策につきものである遅延や抵抗に焦りを覚えた。彼らは，帝国はもはやその目的を果たせず，必要な変化をもたらす最良の手段は，立憲的な共和主義ではないかと思い始めたのである。

一九一一年、彼らは兵士の蜂起(またおもに洪水と不作を原因とする局地的な騒擾も)を利用して、多少とも無血で革命を起こそうとした。その結果、帝国は終焉を迎えることになった(Esherick 2006: 233–234; Rowe 2012: 280–283; Spence 2013: 249–254)。当時アメリカから戻ったばかりで、革命のシンボルとして全国的に、また国際的に知られていた孫文は、北洋軍率いる袁世凱が招集した地方エリートの議員グループに迎え入れられ、新設された中華民国の臨時大総統に就任した。一九一二年一月にはその就任式が行なわれた。ただし、実際の権力の大部分は袁世凱とその軍隊にあり、そのことは孫文自身が袁世凱に当てた手紙で認めている通りである。孫文はそのなかで、袁世凱が孫文の後継者として早いうちに大総統になることを希望すると書いていた。孫文を忌み嫌った宮廷は、一九一二年二月一二日に七歳の「ラストエンペラー」溥儀の退位を宣言するさい、その条件として袁世凱が孫文から大総統職を引き継ぐことを要求した。一九一二年三月一〇日、袁世凱は孫文の同意のもと、すぐそれを実行した。世界の列強(とくにイギリス)が新しい共和国の大総統として袁世凱以外を受け入れないであろうことも明らかであった(Schiffrin 1971: 467–473; Young 1971: 434–435; Spence 2013: 254)。

以上、この全面的に修正主義的な説明は説得的ではある。だが、だからと言って帝国がその終焉の時期に受けた打撃を無視するのは間違いであろう。まず太平天国の乱(一八五〇—六四年)が残した、広くて長きにわたる傷があった。この反乱では、中部の広大な地域が占領され、二〇〇〇万人もの中国人が死んだと言われている。その最中に「第二次アヘン戦争」(一八五七—五八年)が起こった。そして一八六〇年にはイギリス軍とフランス軍が北京を占領し、一八世紀に乾隆帝が建てた、かくも優雅な頤和園を焼き払った。天津条約(一八五八年)により、中国側は莫大な賠償金と条約港の開港を含むきわめて厳しく懲罰的な条件を課された(中国はそれ以前の一八三九—四二年の「第一次アヘン戦争」で、すでに大きな屈辱を被っていた)。外国人(おもにイギリス人)は、実入りのよい帝国海関税を支配していた。

他の外国勢力も機会を見つけては中国を食い物にしていた。たとえば、一八八四年から一八八五年にかけて行なわれた清仏戦争の結果、フランスは長らく中華帝国の朝貢国と見なされてきたベトナムを併合した。この後、さらに悪いことが起こった。一八九五年の日清戦争で台湾が日本に奪われ、朝鮮が日本の非公式の(一九一〇年以降は正式の)植民地となり、日本は満州で無視しえない一大勢力となったのである。清の故地ともいうべき満州は、一九〇四―〇五年の日露戦争の主戦場でもあった。この戦争の結果、ロシアと日本の間で満州は実質的に分割された。一方、ロシアのインド進出を恐れるイギリスはチベットの占領を企て、一九〇三―〇四年にはヤングハズバンド率いる遠征隊をラサに派遣した。ドイツも負けじと一八九七年に山東半島南岸の膠州湾を占領し、九九年間の租借権を獲得した。またドイツ人入植者は、隣接する青島にモデル都市を建設した(そこで青島ビールも創業した)(Conrad 2012: 58-62; Rowe 2012: 235)。

中国は至るところで外国勢力に包囲されているかのようであった。そのため外国人排斥の気運が次第に高まり、それが広がって壊滅的な義和団の乱が起こった。西太后が支配する宮廷は、軽率にも蜂起を支持した。結局、義和団の乱は国際的に組織された八カ国連合軍によって無惨に鎮圧されたが、そこに最大規模の八〇〇〇人以上もの兵員を送ったのが日本である。八カ国連合軍と締結した北京議定書(一九〇一年)では、中国は莫大な賠償金の支払いと外国勢力に対するさらなる譲歩を承諾させられた。「北京議定書が締結されると、大清帝国の国家主権はもはや誰も信じていない神話のような存在になった」(Rowe 2012: 246)。

一九一一年に中華帝国を瓦解させたのは、よく言われているようにナショナリズムでもなければ、孫文のような職業革命家の活動でもない。「中国のナショナリズム」とは、実際「イギリスのナショナリズム」と同じくらい非常に奇妙な考え方ではないだろうか。[8] 確かに、漢民族の間には根強い反満州感情があり、一九世紀後半から二〇世紀初頭にかけて高まりを見せた。そしてこうした感情と対になって漢民族優越主義、漢民族のみが真の中国人であるという意識がみられた[9](Perdue 2007: 144-147, 158-164)。しかし、これはおもに、中国を支配する満州人が統治者としてふさわしくないという感覚から生じたようだ。外国勢力が与えた無数の屈辱が、清朝の責任とされたのである。そうなると、中国を餌食にする外国人と同じように、清を「外国人」と見なして中傷するようになるのも簡単なことであった。その結果、満州人がすべての男性臣民に強制した弁髪は(人気作家の魯迅の小説によく表れているように)、自分たちとは「無縁な」満州人支配の象徴として忌み嫌われ始めた。

地方のエリート層が新軍の部隊と協力して巧みな作戦を展開し、宮廷の抵抗を最小限に抑えつつ清を滅ぼすと、より冷静で現実的な見解が優勢になった。すなわち革命は「中国本部」(つまり中国本土)の創設のため、つまり漢民族のためであったという見解が後退し、中国は何世紀もの年月をかけて(しかしとくに清の時代に)、有力な学者であった康有為(こうゆうい)が言うところの「大中華」になったと考えられたのである。その場合、「中国」とは、漢民族だけでなく、満州人、モンゴル人、イスラーム教徒(新疆ウイグル族など)、チベット族を含んだ概念であった。実際、中国はマルチナショナルな国家であって、「中国人」は多数派の漢民族だけでなく、多くの民族から構成されていた。康有為の「大中華」の考えが、公然と断髪して反満州主義を鮮明にしていた代表的な漢民族ナショナリストの章炳麟(しょうへいりん)と、その苛烈な支持者である鄒栄(すうえい)の考えに対して優勢になったと言える(Perdue 2007: 159-164)。

一方に孫文と革命派、他方に宮廷があり、その両者が対立していたように、互いに対立する個人や集団が存在していたが、そうした対立を超え、皆がこぞって「大中華」を支持する力強い声明を発表した。満州人王朝を激しく批判し、漢民族のための中国を標榜していた孫文も、新たな共和国の大総統(臨時ではあったが)に就く頃には心変わりをして、中国とは「大中華」のことであると認めるようになっていた。一九一二年元日の大総統就任演説では、「人民は国家の基礎である。漢民族の領土、満州、モンゴル、イスラーム教徒の地域、チベットを統合するということは、漢民族、満州人、モンゴル人、回族(イスラーム教徒)、チベットの諸族を単一の民族(「一人」)として統合することを意味する。これこそネーション(「民族」)の統合と呼ばれるべきものだ」と宣言している(Esherick 2006: 245; また Perdue 2007: 145)。

宮廷においても、中国が「五族共和」を実現しているという考え方は力強く再確認された。それは一七五五年に乾隆帝が中国のマルチエスニックな性格を確認するために行なった同様の宣言の延長線上にあった。一九一二年二月一二日の退位詔書においては、以下のような宣言がなされている。「我々は、満州人、漢民族、モンゴル人、イスラーム教徒、チベット人という五つの民族が住むすべての領土を統合する偉大な中華民国の設立を歓迎する」(Zhao 2006: 16)。趙剛によれば、こうした考え方は、孫文とその支持者が初期に示していたような漢民族のナショナリズムに、清朝の帝国イデオロギーが勝利したことを表している。おそらく、その通りであろう。「「大中華ナショナリズム」の台頭と普及のおかげで、中国をマルチエスニック国家とみなす清国の公式見解は二〇世紀、二一世紀と生き延び、現代中国のナショナルなアイデンティティーの形成に直接与る(あずか)ことになった」(Zhao 2006: 23)。確かに、中国共産党は、チベットと新疆におけるその行動が繰り返し証明しているように、中国人とは誰か、中国とは何かに関する長年の見解を変える気はなさそうである。中国の統一は帝国生成期に遡る最優先の目標であり、そのすべての歴史的領土すなわち「中国本部」と、その後に獲得した領土からなる「大中華」を一つにすることを意味する(したがって、たとえば台湾に対する主張を放棄することなどありえないのである)。

したがって、戦争、別言すれば外国勢力の介入の脅威こそ、清帝国崩壊の主要な原因であった。「メロンのように切り刻まれる」恐怖とは、当時の人々の間で頻繁に繰り返された言葉であったが、それは同時に二〇世紀初頭の中国における改革派グループにとって根本的な関心事でもあった(Schiffrin 1971: 443)。清仏戦争における敗北、欧米列強のたび重なる侵攻、義和団の乱を鎮圧した占領軍による甚大な処罰、これらすべてが清朝政府をはなはだしく弱体化させ、国民の大多数の目にはその正統性が掘り崩されたように感じられた。もし王朝が人民を保護しえないなら、その存続はいかに正当化されるというのか。これらの災難を鑑みれば、王朝が「天命」を失ったのは明らかであった。

とくに傷ついたのは(実にトラウマ的と言ってよいほどだったが)、一八九五年の日清戦争での敗北であった[(10)]。この敗北は、「いかに現実の大清帝国が驚くほど弱かったかを初めて世界に知らしめた」だけでない。清国の臣民にとっては「日本人によって敗北させられるなど思いもよらぬこと」であった。そして「かくも小さく、軽蔑さえしていた隣人」に敗北したことは、「日本式の西洋化が絶対に必要であること」を多くの人に示した(Rowe 2012: 230)のである。敗戦からほどなくして、一八八九年の大日本帝国憲法と同様の憲法を求める「立憲運動」が起こり、最終的にはそれが一九一一年の帝国の終焉へとつながった。しかし、重要だったのは、一九一一年の時点においてもなお、孫文をはじめとするすべての視線が外国勢力に注がれていたことである。革命が成功するには、列強の中立と不干渉が決定的に不可欠であった。彼らが共和国の樹立を黙認してこそ、関係者すべてが革命の勝利を祝うことができたのである。孫文が抵抗することなく袁世凱に大総統職を譲ろうとしたのも、列強、とくにイギリスがそう主張したからであった。

ヨーロッパの陸上帝国の没落

これまでに見たように、ナショナリズムは中華帝国崩壊の数多の原因のうちのほんの一つ、それも副次的な一つに過ぎない。清の弱体化とその支配の正統性の喪失にとって、一連の戦争における敗北、そしてさらなる脅威が、中国ナショナリズムの成長よりもはるかに重要であった(たとえ、そのナショナリズムが敗北によって生じたとしても)。それでは、一九一八年、あるいはその直後に崩壊したハプスブルク朝、オスマン朝、ロマノフ朝、ホーエンツォレルン朝といったヨーロッパの巨大な陸上帝国の場合はそれとは違うのだろうか。これらの帝国を滅ぼしたのはナショナリズムだったのだろうか。

もちろん、それが帝国を継承した国民国家のナショナリスト政治家たちの主張であり、それも明白な理由があってのことだった。彼らにとって、帝国を「民族(ネーション)の牢獄」と見なし、専制的で王朝的な帝国を転覆した「民主的」な力を寿ぐことは都合がよかった。共産主義者としての立場上、ナショナリズムを「ブルジョワ的」で反革命的と見なしていたボリシェヴィキでさえ、ネーションの原則には敬意を払うべきだと考えていたし、新ソ連における諸ネーションを覚醒し、強化するために、野心的で広範囲にわたる「土着化政策」にも着手していた。多くの論者は、それがソ連末期における彼らの破滅につながったと考えている。

こうしたナショナリストたちの見解は、ヨーロッパの陸上帝国の没落を考察する多くの研究者の共感を得た。そして、ナショナリズムが帝国の主要な解体要因であり、原則であるということはほぼ自明視されるようになった。つまり、ナショナリズムと帝国は根本的に相容れないと思われていたため、ひとたびナショナリズムが大衆的な基盤を確立すれば、それが帝国の深刻な脅威となり、最終的にその死刑執行人となることは確実とされたのである。[11] 実際、ナショナリズムが一九一八年の陸上帝国の崩壊だけでなく、一九四五年以降の海外帝国の崩壊の主要な要因であることを解明しようとした二人の研究者の近年の業績を挙げておきたい(Hiers and Wimmer 2013)。その手法はきわめて緻密で、一部量的な分析が行なわれている。

しかし、実のところ、オスマン朝、ハプスブルク朝、ロマノフ朝のどの帝国も、ナショナリズムによって瓦解したわけではなかった。確かにナショナリズムは、従属民族のそれであれ支配民族のそれであれ、帝国支配への挑戦となったのであり、帝国支配者はその抑圧や統制を試みてきた。とはいえ、ナショナリズムはそれだけで帝国を破壊するほど強力だったことはない。バルカンであれ、中欧であれ、東欧であれ、一九世紀のナショナリズムはエリート層の関心事にとどまり、帝国の外部にあったディアスポラ集団から発生したものがほとんどである。それが人民大衆を惹きつけることはまずなかった。彼らは、直面する困難を軽減するために、ナショナリストではなく、オスマンのスルタン、ハプスブルクの皇帝、ロシアのツァーリのような伝統的な支配者に期待することの方が多かったのである。[12]

さらに言えば、第一次世界大戦までのほとんどのナショナリストは、ネーションの完全な独立ではなく、帝国内の自治を求めていた。ハプスブルク帝国のスラブ人、ロシア帝国のウクライナ人、バルト諸族のようなネーションの多くにとって、より脅威的だったのは、自分たちを支配する帝国ではなく諸外国のもくろみであった。一九世紀末から二〇世紀初頭にかけて、どの帝国においても、ナショナルな感情に対して適宜譲歩がなされた。帝国がナショナリズムの嵐を切り抜けられると考えたのも当然であった。[13]

帝国にそれができなかったのは、少なくとも部分的には、戦争、つまり帝国間に起こった第一次世界大戦のせいである。しかし、この戦争の勝者、とくにイギリスとフランスはその帝国を無傷に保ち、さらには強化することができた。ナショナリズムは陸上帝国と同じように、それらの帝国でも生じていた。しかし、イギリスとフランスの事例が示したのは、ナショナリズムは抑制しうること、さらにはそれを外敵の脅威に対する帝国防衛の要員として誘導しうることであった。イギリスとフランスの植民地各地から動員された兵士は、第一次世界大戦を通じて帝国に忠誠を尽くして戦い、その見返りとして支配者からは謝意と尊敬を、そして少なくとも戦後にある程度の譲歩を獲得したのである。

同じことは、最初のうちは陸上帝国についても言えた。第一次世界大戦では、帝国を構成するあらゆるネーションが、ハプスブルク帝国、オスマン帝国、ロシア帝国のために戦った。しかし、戦争が進み、敗色が濃厚になると、帝国内の各ネーションが一目散に戦線を離脱した。以前はネーション独立の要求などできなかったし、そもそもほとんどの場合望みもしなかったが、戦争による状況変化で、独立を希求する機会と動機の両方が与えられたのである。国民国家にならなければ、未来への希望はないように思われた。そして迫りくる帝国の壊滅を目の当たりにして、方向転換を行なった。今や彼らは、新たに出現するネーション群のなかで指導的な地位につこうと競争し始めた。ネーションこそ、戦争による帝国の弔火から生まれる唯一の所産のように思われた(Roshwald 2001)。

この点で、彼らは戦勝国、とくにアメリカ合衆国とその大統領ウッドロー・ウィルソンの強い支持を得ることができた。戦争が始まったばかりの頃、ウィルソンは帝国の解体には反対していた。彼は、帝国は地域を然るべく安定させる要因だと考えていたのである。しかし、戦争が進み、陸上帝国の敗色が濃厚になると、ウィルソンも方向転換を行ない、ネーションの独立を支持するようになった(Roshwald

2001: 159-160)。この新しい観念は、一九一八年の有名な「一四カ条の平和原則」と「民族自決」の原則(前章で論じた)に表されている。戦争によって帝国が弱体化したため、ナショナリストは自己主張の必要性と機会の両方を見出すに至ったのである。しかし、ウィルソンの強力な支援がなければ、そしてイギリスとフランスの援助がもっと利己的で自国中心主義的であれば、新たに独立したネーションが帝国の残骸からこれほど簡単に出現することはなかったかもしれない(ロシアを見ればわかるように、ソ連がロシア帝国に新しい服を着せて再建することができたのは、西洋の大国の力に限界があったからである)。

一九一八年に陸上帝国が瓦解するには、戦争と国際的な状況の二つが不可欠であった(Kennedy 2016: 16)。おそらくこれは、帝国の崩壊におけるこの二つの要因の重要性を示す最も明確な事例となっているのではないだろうか。それ以降、またはそれ以前の海外帝国にとっても、同じことが言える。それ以前の海外帝国の例としては、スペインとポルトガルの帝国の例を挙げることができる。一九世紀初頭、スペインとポルトガルは、ラテンアメリカにおける帝国の大部分を失った。ここでも、独立運動の成功は、シモン・ボリーバル、ホセ・デ・サン・マルティン、アグスティン・デ・イトゥルビデ、ミゲル・イダルゴといった「クリオーリョ・ナショナリスト」に帰せられることが多い(Anderson 2006: 47-65)。彼らはメキシコ、ベネズエラ、ボリビア、ペルー、ブラジル、アルゼンチン、その他多くの新たなネーションにおいて英雄的な建国者とみなされており、その銅像はラテンアメリカの至るところで見ることができる。

「ヨーロッパ系」のエリートであったクリオーリョの闘争(同時に起こっていた非クリオーリョのインディオの闘争とはしばしば切り離されていた)の意味を貶める気はさらさらないが、彼らの闘争だけではスペインやポルトガルの宗主国権力を打ち負かすことはできなかったはずである(Van Young 2006)。一七八〇年から一七八三年におけるペルーのトゥパク・アマルの大反乱をはじめ、ラテンアメリカでは過去に数多くの反乱が起こったが、それらはことごとく鎮圧された。一九世紀初頭がそれまでと異なるのは、宗主国である本国の権力が、ナポレオン率いる新たなフランス帝国に粉砕されたことである。「スペインとポルトガルの両帝国を壊滅させたのが、ナポレオンによるイベリア半島の軍事占領であったことは間違いない」(Uribe-Uran 2006: 83; また Kennedy 2016: 10-11)。スペイン王フェルナンド七世は退位させられ、スペインの自由主義者たちは、一八一二年、当時の水準からすれば抜きん出て自由主義的であったカディス憲法を発布した。この憲法が、海外帝国の革命運動を鼓舞することになった(Fradera 2018: 65-69)。ポルトガル王のジョアン六世は亡命先のブラジルで宮廷を開いたが、それもほんの数年しか続かなかった。そして一八二二年には、息子のペドロ一世のもとでブラジルそのものが独立してしまう。

一八二六年、イギリスの外務大臣ジョージ・カニングは、スペインとポルトガルの旧植民地に対する支援を弁明しつつ、次のような有名な発言を行なっている。「私は、旧世界の均衡を再調整するために、新世界を誕生させた」。そのためラテンアメリカの独立記念の祝典では、いつもカニングとイギリスの援助と支持を想起して称えることになっている。それも当然と言えば当然である。独立したラテンアメリカの諸共和国にとって、イギリスの支援は、独立後も生き残り、旧宗主国の帰還を防ぐのに重要な働きをしたからである。異なった状況においてではあるが、アメリカも支援を行なっている。ヨーロッパ人に南北アメリカ大陸の問題に介入しないよう忠告した一八二三年の「モンロー宣言」がそれである。このアメリカとイギリスの支援の存在は、帝国の終焉をもたらすのに国際的な状況が重要であったことを示している。

しかし、ラテンアメリカの人々はカニングとイギリスだけでなく、もしくはむしろ、ナポレオンとフランスを称えてもおかしくはないかもしれない。フランス人はイベリア半島における帝国本国の権力を取り除くことで、スペインとポルトガルの植民地臣民が独立運動をする空間と機会を作り出したからである。しかし、フランスの植民地臣民は同様の機会を手にできなかった。そのことを考えると、ハイチの独立闘争が最終的に思いもよらぬ成功を収めたことがいっそう注目される[14]。

ラテンアメリカ諸国が相次いで独立した一八一〇年から一八二一年の間に、スペインはその帝国の全土を失ったわけではない。スペインには、まだキューバ、プエルトリコ、フィリピンが残っており、とくに「帝冠を飾る宝石」とも呼ばれたキューバは一九世紀のほとんどを通じて豊かな富をもたらし続けた(Balfour 2004: 153)。しかし、もう一つ別の西洋の大国との、もう一つ別の戦争が帝国の希望を押し潰した。アメリカ合衆国との戦争である。そしてこの一八九八年の米西戦争の敗北によって、スペインはこれら最後の主要な植民地を失った(多くのスペイン人にとってこの敗北は「厄災」であり、その後スペインは、植民地喪失後の苦しい内省の時代に入った[15])。戦争の前に、これらの植民地においてスペイン支配を覆すべく実際にナショナリズムが高まったが、いかなるナショナリズムの運動もそれを達成することができなかった。なかでも有名なのが、一八九五年から一八九八年にかけてのキューバ人の反乱だが、これもスペインによって情け容赦なく鎮圧されてしまった。むしろそれが米西戦争を引き起こすおもな原因となった(Blackburn 2005: 74)。

ポルトガルがブラジルを失ってもスペインよりはるかに長く残りの植民地を維持できた(とくにアフリカ)理由もそこにある。ポルトガルは一九世紀初頭以来、いかなる大規模な戦争にも参画したことはない。確かに、ポルトガルは中立を放棄して第一次世界大戦で連合国側についたが、第二次世界大戦では中立を保っている。アンゴラ、モザンビーク、ギニアビサウでの独立をめぐる苦しい闘いは、一九七四年にポルトガル軍がポルトガルの独裁政権を倒し、アフリカ植民地の独立運動と急速に和解するまでは何の役にも立たなかった。植民地独立の鍵は、中央の敗北、つまり宗主国本国による権力と支配の除去にあったのである。

帝国の運命における戦争と国際状況の重要性を明らかにするために、オスマン帝国の歴史からもう一つ例を挙げたい。オスマン帝国の崩壊は一九一八年だが、それまでに領土の一部を喪失しており、そのせいで明らかに帝国は弱体化していた。ここでもその原因となったのは戦争だった。一八七七年から一八七八年にかけて起こった露土戦争である。この戦争はオスマン帝国にとって実に悲惨であった。確かに、一八七八年のベルリン会議で、イギリス、フランス、ドイツは、サン・ステファノ条約(一八七八年)でロシアがオスマン帝国から力ずくで奪った土地の一部を取り返してくれた[16]。しかし、国際的な圧力の下、オスマン帝国はバルカン半島の多くの領土(セルビア、モンテネグロ、ルーマニア、ブルガリア)を割譲し、他方ハプスブルク帝国は、ボスニア・ヘルツェゴビナの占領と統治の権利を獲得した(一九〇八年に最終的に併合)。つまり、それまでのパターンと同様、またこれは第一次世界大戦と第二次世界大戦でも繰り返されたことだが、ここでも、独立闘争では独立できなかったネーションも、国際社会の好意と戦争での帝国の敗北によってそれを成し遂げることができたのである[17]。

脱植民地化と海外帝国の終焉

第一次世界大戦後の陸上帝国の崩壊に続いて、第二次世界大戦後には、ヨーロッパの海外帝国が崩壊した。当時はあまりに唐突な引き際のようでもあったが、ヨーロッパの列強はおよそ一九四五年から一九六〇年代の間に帝国を放棄した(ポルトガルはアフリカにおける帝国を一九七四年まで、アジアに建設した帝国の残滓であるマカオを一九九九年まで保持した。またイギリスも一九九七年まで香港を中国に返還しなかった)。一九九一年に「ソ連帝国」が崩壊し、アメリカ合衆国は自らを帝国と呼びたがらないので、帝国の時代は実際に過ぎ去ったかのようである。日本にはまだ「皇帝(エンペラー)」がいるが、「大日本帝国」は一九四七年に公式の帝国としては消滅したし、「皇帝」も現在では儀礼的な元首に過ぎず、イギリスの君主ほどの力もない。

陸上帝国と同じく海外帝国の崩壊も、不可避でもなければ、歴史の法則に刻み込まれていたわけでもない。実のところ、多くの海外帝国は、第一次世界大戦を経て拡大、強化されたのである。陸上帝国を壊滅させたのは敗戦であった。それに対し、イギリス、フランス、イタリアといった戦勝国は、帝国崩壊後に残った片々を掻き集め、そのまま自分たちの領土に付け加えていった(Louis 1998: 94–95; Abernethy 2000: 105–116; Pedersen 2015: 17–44)。オスマン帝国の残骸から、イギリスはイラク、ヨルダン、パレスチナを拾い上げた。実際にはこれらは国際連盟による委任統治領だったが、実質的にはイギリスは完全にその支配下に置くことができた。フランスは同様にシリアとレバノンを獲得した。ドイツの海外帝国(ドイツ領南西アフリカ、ドイツ領東アフリカ、カメルーン、トーゴラント、中国と太平洋の諸地域)も解体し、第一次世界大戦の戦勝国の間で分配された。ここでもイギリスとフランスが最も大きな取り分を得たが、アメリカ合衆国と日本もその分け前に与った。これらの国々が領土を拡大したのに対して、ベルギー、オランダ、ポルトガルは、少なくとも自分たちの支配を堅固にすることができたことで納得した。ただし、その帝国支配の過酷な性質は、戦勝した協商諸国の懸念を呼び起こした。

かつて陸上帝国がそうであったように、すべての海外帝国においても、戦前、戦中にナショナリズムの運動があった。そして多くの人々が、こうした運動が帝国の差し迫る衰退と崩壊の原因だと考えてきた。だがこれこそまさに、いわゆる後知恵というものである。海外帝国は一九四五年以降に崩壊するわけだから、それは一九一八年以降、もしくはそれ以前から当然、静止状態や仮死状態にあったに違いないと想定してしまうのである[18](例えば Abernethy 2000: 117–126; Manela 2009: 11; Jansen and Osterhammel 2016: 38–42)。

しかし、それを立証するものはほとんどない。インドやアルジェリアで見られたようなナショナリズムの運動のほとんどは、独立ではなく、自治や先住民の政治的権利の拡大を目指していた。ウィルソンが提唱した民族自決が適用されたのはほぼヨーロッパであり、彼にとっても、またその西洋の同盟国にとっても、アジアやアフリカはそれほど重視されていないようだった。そのことを、中国人、エジプト人、インド人、朝鮮人などは身をもって知っていたはずである(Manela 2009: 177–225)。国際連盟は、帝国に終止符を打ったり、もしくはほとんどそれを規制したりすることさえもできず、むしろ「他の手段による帝国」、つまりさながら帝国の延命装置であった(Mazower 2009a: 29–103)。海外帝国は、まさにこの戦間期にその頂点を迎えたと言っても過言ではない。帝国が本国の住民にこれほど支持されたことはなく、本国政府が、帝国があるからこそ安全と経済的繁栄を享受しうるのだとこれほど強く感じたこともない。帝国行政をさらに秩序化し、植民地経済をさらに効率化するためにも多大な努力が払われた[19]。言うなれば、帝国を放棄するなど、まったく考えられないことだった。

しかし、まさにこの帝国の放棄こそ、一九四五年以降、それも凄まじい勢いでヨーロッパの諸帝国に起こったことだった[20]。すなわち脱植民地化である。ここでも、帝国のおもな解体要因は戦争だった(Albertini 1969; Kennedy 2016: 25–34)。しかし、今回は、敗戦国だけでなく戦勝国も帝国を維持できなかった。確かに、ドイツ、日本、イタリアといった枢軸国の帝国は敗戦とともに滅びた。そして戦争中に彼らが征服した土地は、イギリス、フランス、オランダ、アメリカなどの戦勝国に返還された。中・東欧では、戦前の国民国家が復活したが、その国境線は大きく変化していた。その最たる例がポーランドである。そしてそのほとんどが、「ソ連ブロック」の一角として、ソ連の非公式の支配を受けることになった。枢軸国における帝国の崩壊は、大規模な住民解体をともなった。何百万人ものドイツ人、日本人、イタリア人が強制的に祖国に「帰還」させられた。そのときのドイツ人の多くがそうであったように、何百年も前にその祖国を捨てていたにもかかわらずに、である。

ただし、奪われた領土が戻ったからといって、勝利した連合国の帝国の方も、結局その後に生き長らえたわけではない。彼らの決意が揺らいだのではない。また帝国を放棄しようなどと思ったわけでもない(Ward 2016: 247-248)。戦争直後から、戦前の政策である帝国行政の「合理化」(ナショナリストの要求に対する大幅な譲歩も含む)を継続するための新たな試みも存在した。すべての海外帝国において、市民権は、すでに市民権をもつヨーロッパ人と同様に、非ヨーロッパ人の帝国の全臣民にとって現実的な可能性となった。植民地では、戦前の政策を引き継ぎ、野心的で入念な経済開発計画が立てられた。植民地の生産性を高めることは、植民地住民のためでもあったが、本国の戦後復興努力を助けるためであった。トニー・スミスが言うように、その目的は脱植民地化ではなく、植民地を「維持するための改革」だったのである[21](Ward 2016: 248; また Shipway 2008: 114-138; Kennedy 2016: 37-38)。一九四二年にイギリスの首相ウィンストン・チャーチルが「私はイギリス帝国を清算するために首相になったわけではない」と述べたのは有名な話だが、ヨーロッパのすべての帝国は、そのときの彼の心情に大いに共感したに違いない[22]。

こうした決意を最終的に実現不可能にしたのは、世界大戦の決定的な影響であった。フランスは、西ヨーロッパの他の大部分と同じく占領の憂き目にあい、イギリスは大規模な爆撃を受け、その後、世界各地で長期にわたる戦いに巻き込まれた。すべてのヨーロッパの大国が、戦争によって経済的、軍事的、心理的に疲弊した。連合国は勝利したし、ヨーロッパ人は帝国を維持することを堅く決心していた。しかし、戦争によってヨーロッパの社会生活のあらゆる側面が損傷されたため、帝国を維持する能力も深刻なほど損なわれていたのである。したがって、戦後の喫緊の課題は、こうした社会生活の再建となった。植民地もその一翼を担うべきとされたが、もしその管理と秩序維持のコストがあまりに膨大になった場合、植民地は、より重要な本国の利益のために犠牲にせざるをえなくなるのである。

戦後に生まれた最強の国家であるアメリカ合衆国が、少なくともフランクリン・ルーズベルトが大統領であった間は、ヨーロッパの帝国支配に強く反対し、それをできるだけ早く終焉させる決心をしていたこともヨーロッパに不利に働いた。一九四一年にルーズベルトとチャーチルが連合国の戦争目的を共同声明として発表した「大西洋憲章」には、「すべての民族は自決の権利を有する」と書かれており、この文言はのちに国際連合でもそのまま採用されている。しかし、チャーチルがこの原則をドイツ占領下の諸国家のみに適用しようとしたのに対し、ルーズベルトはそれが普遍的な原則であり、とくにヨーロッパ支配下の植民地に適用すべきという考えを明確にしていた(Mazower 2013: 250)。

ルーズベルトを引き継いだハリー・トルーマンの時代には、そうした態度はやや緩和され、アメリカはヨーロッパの帝国支配を強化する政策を展開した。それはソ連とその第三世界の同盟国による共産主義の脅威に対する、「封じ込め」戦略の一環であった。しかし、フランスとイギリスは一九五六年にスエズ運河をめぐって無謀な冒険〔スエズ動乱〕を行ない、それが両国の「最後のお祭り騒ぎ」となって、ッパの同盟国に対する忍耐を失ったのである。そのとき以来、アメリカはヨーロッパの諸帝国という代理人を通してではなく、自ら帝国権力となってその外交政策を直接遂行する方がよいと考えるようになった。

当時は、第二次世界大戦の影響に加え、アメリカの支援の打ち切りと植民地におけるナショナリズムの高まりもあって、今からすると壊滅的な植民地の喪失の連鎖とでもいうべき事態が起こった。こうして、ヨーロッパの海外帝国はひとつ、またひとつと崩れ落ちていったのである。それは戦争の衝撃が最も強く感じられたアジアと中東から始まって、アフリカや他地域へと広まった。アジアにおいて、ヨーロッパの諸帝国に最も大きな損害を与えたのは日本だった。オランダはインドネシアから、イギリスは香港、シンガポール、マラヤ、ビルマ、ボルネオから駆逐された。日本は、最初のうちはフランス領インドシナのヴィシー体制を支配していたものの、ここでもその後に追い払った。日本が直接統治していた国々だけでなく、アジア全域で、ヨーロッパ優位の神話は永久に崩れ去った。アジア全域のナショナリストが鼓舞され、多くの場合、日本の支援を受けつつ独立闘争を開始した。この地域におけるヨーロッパ支配の完全な、まったくもって想定外の瓦解は、「千年王国への期待を目覚めさせた。当時の人々は瞬時に、それは外国人の追放のことであると考えた(略)。忠誠の絆は断ち切られ、既成の支配体制に対する受動的な忍耐も否定された。大衆の力も解放されて、夢にも思わなかった勢いが解放運動に与えられた」(Albertini 1969: 28–29)。

日本の敗戦後、帝国支配が戻ってもおかしくはなかったが、弱体化したヨーロッパでは戦争で掻き立てられた諸力を抑制することができなかった。最初は一九四七年のインドとパキスタン、その直後、一九四八年にセイロン（スリランカ）とビルマである。このたった二年の間に、イギリスのインド支配は崩壊した。一九四九年には、インドネシアとの激しい戦争を経たオランダがその独立を承認することを余儀なくされた。

中東では、シリアとレバノンがフランスから独立を勝ち取った。一九四六年にイギリスがヨルダンの独立を承認し、一九四八年にはユダヤ人とアラブ人の全面戦争が勃発して、イギリスはパレスチナの委任統治を放棄した。その結果、イスラエル国家と、本来のパレスチナの一部からなるパレスチナ国家の建設が行なわれた。エジプトの独立は、一九五六年の英仏のスエズにおける失敗で確定した。イラクは、一九三二年には名目的にイギリスから独立していたが、一九五八年のハーシム王朝の崩壊により実質的な独立を達成した。こうして、中東におけるフランスとイギリスの帝国は終焉を迎えた。

スエズ動乱は、少なくともイギリスにとっては大きな転換点であった。「変化の風」はサハラ以南のアフリカで最も激しく吹き荒れ、一九五〇年代後半から一九六〇年代に加速度を上げて強まった。南ローデシアの白人入植者たちは、独立を妨げようと過酷な抵抗を続けたが、一九七九年にはついに独立を認めざるをえなくなった。そのような例はあるものの、アフリカにおけるイギリスの植民地は、一九六五年までには実質的にすべて崩壊していた。イギリスのカリブ植民地も、いくつかの例外は除き、一九六〇年代には独立を達成した。

イギリス人は、他のヨーロッパの帝国が暴力と流血なしには解体されなかったのを見て、自分たちが比較的平和裡に帝国を断念できたことを自画自賛する傾向があった。それが、傑出したイギリスの研究者であるノエル・アナンの見解に特徴的に現れている。「帝国の平和的な放棄は、私の世代で最も成功した政治的達成だったのではないか。フランスはインドシナとアルジェリアで血みどろの戦いを繰り広げたため、国民は分裂し、軍隊の忠誠心は揺らいでしまった。それに比べ、イギリスは秩序正しく属領から撤退し、ほとんど遺恨を残さなかった」(Annan 1991: 483)。だが最近では、マラヤとキプロスにおける激しい反植民地闘争、ケニアのナショナリズムに対するイギリス政府の苛烈な弾圧を指摘する人々によって、イギリス帝国の平和的な解体という自己満足的な考え方にも疑問が呈されている。ただし、結局エリザベス・ブートナーの次のような見解が公正な判断と言えるかもしれない。「イギリスにはフランスがアルジェリアで経験したような激しい脱植民地化のエピソードはまったくないし、ベルギー領コンゴを苦しめたような暴力的な後遺症に悩まされることもなく、次々と植民地から撤退していった」[23] (Buettner 2016: 59; また Darwin 1988: 328; Spruyt 2005: 117–144)。

ヨーロッパの列強のなかで、帝国を維持するために最も断固として戦ったのがフランスだったことは間違いない。インドシナとアルジェリアで繰り広げられた植民地戦争(一九四五年から一九六二年)では、何十万というフランス人、アルジェリア人、ベトナム人が命を奪われた。しかし、最終的にフランスも撤退することになった。一九五四年にフランスはホーチミン指揮下のベトナム軍に敗北を喫していたし、さらに国家のためにアルジェリアを「救う」べく呼び出されたド・ゴールの政治的打算によれば、アルジェリアでの戦争でフランス共和国は危機に陥りつつあり、ゆえにアルジェリアは放棄すべきだったからである。アルジェリアを失うのなら、アフリカにおける他のフランス植民地を手放すのも当然のように思われた。こうして、一九五六年から一九六二年にかけてアフリカのフランス植民地が次々に独立した。

オランダも、植民地の維持をかけて懸命に戦った。なかでも最も重要だったのがインドネシアである(Buettner 2016: 78–105)。それまでオランダ領東インドの放棄が取り沙汰されることなどなかったし、オランダ経済にとってこの植民地は、何世代にもわたって必要不可欠だと考えられてきた。一九三〇年代から高まっていたインドネシアのナショナリズムは、とくに問題視されていなかった。一九四五年、スカルノ率いるインドネシアのナショナリストが、第二次世界大戦で日本がオランダを破ったことにも勇気づけられ、インドネシアを独立共和国であると宣言した。そこで激しい植民地戦争が起こった。一九四七年までに、オランダのインドネシア支配を防衛するために一七万もの兵士が投入され、それは「オランダ軍の戦争史上最大の戦争」(Wesseling 1980: 125)となった。オランダ軍は、フランス軍と似たような残忍な戦術まで用いて戦争を進めたものの、インドネシア・ナショナリストの反共産主義的な姿勢に安堵したアメリカの圧力もあり、一九四九年には、インドネシアの独立を承認せざるをえなかった。連邦共和制の「インドネシア合衆国」を創設してオランダ本国と結びつけ、オランダの影響力を保持しようという試みも短期間存在したが、無駄に終わった(Wesseling 1980: 135–136; Buettner 2016: 95–96)。

一九四五年以降の脱植民地化のペースは、当時もその後も、すべての人を驚かせた。二〇〇年も三〇〇年も生存し続けた帝国が、一九四五年から一九六五年の二〇年ほどの間にほとんど滅亡したのである。この目も眩むような変化が終わったあとで、ルパート・エマーソンはこう述べている。

> かつて一個の世界的規模のシステムが存在していた。それはほんの数年前まで、まだ堅固で永続的であるように見え、あるときは何百年にもわたって、またあるときは何十年にもわたって、人類の非常に大きな部分に関わる事象に道筋をつけたり、混乱させたりしてきた。かくも世界的な規模を有した堂々たる事物の体系が、かくも短期間に一掃されることが他にあっただろうか[24](Emerson 1969: 3)。

この潮流の公式なクライマックスは、一九六〇年の国連総会における「植民地諸国、諸国民に対する独立付与に関する宣言」の採択であろう。この決議文のなかでは、「すべての人民は、自決の権利を有する」ことが厳粛に確認され、「いかなる形式及び表現を問わず、植民地主義を急速かつ無条件に終結せしめる必要」が宣言されている(Emerson 1969: 5)。

脱植民地化という顕著な現象をさらに長い歴史的な文脈に置き、それは一七七六年に北アメリカの植民地がイギリスの支配から脱したときからすでに始まっていた、と主張する者もいる。このような考え方からすれば、アメリカとフランスの革命に由来する思想で育まれた「脱植民地化」は、それ以来、突発的に寄せては返す「波」のように続いたと考えることもできる。一九世紀初頭のスペイン帝国とポルトガル帝国の一部の脱植民地化、一九世紀末のオスマン帝国とスペイン帝国の残りの部分の脱植民地化、一九一八年以降のヨーロッパ陸上帝国の脱植民地化などを考えるとよい。だとすると、一九四五年以降のアジアとアフリカの脱植民地化は、西洋社会の刺激によって発生した、長きにわたる反植民地運動の最新の波に過ぎない。その西洋社会の支配を、反植民地運動は跳ねのけようとしたのである[25](Strang 1991; Kennedy 2016: 8-24)。西洋は、然るべく時間をかけて統治に関する「教育」を行なったのち、植民地を解放するという約束を履行したのだと言うことも可能かもしれない。

こうした考え方には幾分かの説得力がある。しかし、それが機能するのは一般論のレベルであり、ある特定の脱植民地化の噴出が、なぜその時期に限って起こらねばならなかったのか、という問題についてはほとんど答えてくれない。それはとくに最新の、ことさら急激だった一連の脱植民地化を説明するには弱く、この時代については確かに、それ独自の説明原理が欲しいところではある。しかし、何よりもそこで見逃されているのは、ヨーロッパの諸帝国の指導者たちの大部分が、ほとんど常に、帝国経営に対する自らの権利と能力をこれ以上ないほど信じ切っていたことである。彼らは自分たちが、高まり続ける抗いがたき脱植民地化の潮流に対して帝国を補強するために、ある種の防衛、「保持」のための作戦に従事しているとは思っていなかった。それどころか、最後の最後まで、帝国の支配を保障し、強化するための様々な計画を遂行していたのである。したがって、植民地が急速に失われたことは、彼らにとってばかりでなく、またほとんどの場合、帝国解体を画策していた反植民地主義勢力にとっても驚きであった。それも原因の一つとなって、植民地を終結させる和解案がしばしば拙速に入念な下準備もなく作られ、のちに数え切れないほどの対立を生みだすことになる。

いずれにせよ、確かなのは、急激で目覚ましい一九四五年以降の脱植民地化の波は、帝国の物語の終焉ではなかったということである。ヨーロッパの諸帝国は、少なくとも公式には消滅したのかもしれない。しかし、だからと言って、実際に旧帝国は旧植民地に対して、非公式に強大な影響力と支配権を行使し続けなかったわけではない。しかもそれは多くの場合、少なくとも新たな独立国家のエリート層の積極的な合意の下であった。さらに、アメリカとソ連の帝国が、あえて帝国を自称せぬまま存在し続けていた。この両国は一九四五年以降、頻繁にヨーロッパの旧帝国のように振るまい、世界的な大国として国際社会を支配したのである。他方、ヨーロッパ人は「EU(ヨーロッパ連合)」に結集した。これはある意味では失われた帝国の代用品であり、実際そこに、旧い形式の帝国の特徴を認める者もいる。

帝国には今も昔も「死後の世界」があって、それが植民地の消滅後も、本国の社会と本国人が公式に支配していた土地の双方に影響を及ぼし続ける。そこで以下、本書の結論として、現在もなお続く帝国の物語に目を向けておくべきだろう。

(1) ヨーロッパにおいて、キリスト教的終末論が多様な状況で「終末意識」を伝達する役目を果したことについては、Kermode (2000)。また社会的、経済的な意味でのヨーロッパの衰退経験については、Thompson (1998)。

(2) 古代と近代の帝国の衰退と滅亡に関する編著や著作としては、Eisenstadt (1967); Cipolla (1970); Kennedy (1989); Barkey and von Hagen (1997); Dawisha and Parrott (1997); Brix et al. (2001)。

(3) マイケル・マンによれば、「ローマの瓦解」は「西洋文化における最も悲劇的で倫理的な物語」である(Mann 1986: 283. また、彼の興味深い滅亡説については、283–298)。

(4) 明快な不可避説の見解については、Motyl (2001)。また Parsons (2010)。

(5) アレキサンダー・モティルはさらに述べている。「帝国の拡張にもかかわらず、数百年もの間満足な日々を過ごせていたのなら、拡張のせいで帝国が困難に陥ったとしても、それはまったく警戒すべきことではないのではないか」(Motyl 1999: 140)。

(6) この問題については、とくに Wright (1971)所収の諸論文、および Min (1989)。Rowe (2012: 253–283)と Spence (2013: 208–254)ではすぐれた総括もなされている。

(7) 「革命同盟会」が引き起こした革命的脅威は、非常に脆弱なものだった。それは彼らが一九〇七年から一九一一年の間に八回もの蜂起を画策しながらすべて失敗したことからもわかる。それはまさに、一八九五年の広州蜂起や一九〇〇年の恵州蜂起の失敗の再現であった。革命が成功する可能性があったのは、彼らが新軍の若い士官と手を組んだときだけであり、そもそも革命のきっかけとなった一九一一年の武昌軍の反乱で主導権を握ったのは新軍であった。さらに、軍隊の内部における革命運動は、革命同盟会の中核をなす学生組織や秘密結社からは比較的無縁なかたちで発展した(Dutt 1971; Schiffrin 1971: 466–467)。

(8) 一九世紀後半から二〇世紀初頭にかけての中国のナショナリズムの思想と文化については、Duara (1995: esp. part one); Harrison (2001); Esherlick (2006); Zhao (2006); Perdue (2007); Rowe (2012: 236–243)。Karl (2002)の非常に興味深い議論によれば、中国のナショナリズムは日本と西洋の思想と経験だけでなく、ハワイ、フィリピン、南アフリカなどのいわゆる「第三世界」の同時代的なナショナリズムの奮闘からも影響を受けたということである。

(9) 反満州感情は太平天国の乱において無視しえない通奏低音を成しており、孫文をはじめとする数多くの革命家に間違いなく影響を与えている(Schiffrin 1971: 445)。こうした感情は、一七世紀末から一八世紀初頭に遡る長い伝統があった。それは曽静など明への忠誠を失わなかった者たちによる一般向けの著作にうかがうことができる(Perdue 2007: 154-158)。

(10) ウィリアム・ロウによれば、「日清戦争は、中国の帝国史にとって大きな分水嶺となった。通常そのような役割を担ったのはアヘン戦争(一八三九—四二年)だとされてきたが、衝撃は日清戦争の方がはるかに大きかったのである」(Rowe 2012: 230)。

(11) Barkey (2006: 169-170, 194)では、これらの帝国の崩壊の原因をナショナリズムに帰する代表的な説を列挙している。

(12) オスマン帝国については、レシャト・カサバが、おもに帝国の外部で生まれたナショナリズムのイデオロギーに対する一般市民の無関心を指摘しつつ、次のように述べている。「マケドニアからイエメンに至る帝国の全土で、様々な背景を持つ人々が多様なネットワークや人間関係を形成し、充実した生活を送っていた。帝国の多くの臣民にとって、人々は自分と同種の人々とだけ暮らし、支配されるべきだという考え方は異質なものだった」(Kasaba 2006: 211)。カサバは、ギリシア、アラブ、トルコの民族運動において最も影響力のあったナショナリストの思想家たち(アダマンディオス・コライス、ユースフ・アクチュラ、ジャマール・アッ=ディーン・アル=アフガーニーなど)が、帝国の外部、とくにパリで多くの時間を過ごしたことに注目している(2006: 212)。

(13) この件については、以下の関連する章でより詳細に論じている。Kumar (2017). 帝国の崩壊におけるナショナリズムの役割に懐疑的なものとして、Roshwald (2001: 7-33); Comisso (2006); Barkey (2006); Kasaba (2006); Esherick et al. (2006: 19-28); Reynolds (2011); Osterhammel (2014: 466); Malešević (2019: 90-110)。

(14) ただし、奴隷制を廃止したフランス革命そのものが、とくにトゥーサン・ルヴェルチュールなどのハイチ人の独立意識を刺激したこと、そして引き続くナポレオンとの戦争によって、ハイチ人がイギリスとスペインから貴重な支援を得たことは忘れてはならない。

(15) セバスチャン・バルフォアによれば、残りの植民地を失ったスペインは、帝国によって与えられていた「広範囲の目的」を失った。「スペイン人であることの利点は、カタルーニャ人やバスク人であることの利点とさほど変わらないものになった」(Balfour 2004: 154; さらに McCoy et al. 2012: 43-103)。同じことは、一九四五年以降に帝国を失ったイギリスについても言えるだろう(Kumar 2003: 239-249)。

(16) ドイツの宰相ビスマルクは、一八七八年のベルリン会議にやってきたオスマン帝国の代表団に以下のように言い放った。「会議がトルコのために開かれたと思っているのなら、そのような考えは捨ててください。サン・ステファノ条約がある種のヨーロッパ列強の利害に関わっていなかったら、この条約はそのまま効力をもっていたでしょう」(Todorova 1996: 54–55)。

(17) オスマン帝国におけるそれ以前の事例として、もちろんギリシアの独立問題を挙げることができる。ギリシアが独立したのは一八三〇年だが、それを可能にしたのはイギリスとフランスが「ギリシア独立戦争」に介入し、オスマン政府に和解案を押し付けてくれたからである。

(18) エレズ・マネラによれば、第一次世界大戦は「おもな植民地帝国の力と威信に激しい一撃を与えた」。しかし、直ちにこうも言っている。「戦争によりヨーロッパの力と威信は枯渇してしまったが、帝国が軍事的に最も脆弱な戦争中は驚くほど平穏で、戦争終結直後にも反乱は起こらなかった」(Manela 2009: 11–12)。

(19) この点については、Osterhammel (2005: 36); Jansen and Osterhammel (2016: 54–62); Kumar (2017: 347–365, 450–458)。August (1986)によれば、「帝国主義の時代」とは、従来言われてきたように一八八〇年から一九一四年ではなく、むしろ戦間期、つまり一九二〇年代から一九三〇年代のことである。帝国のイデオロギーが国策のレベルでも実際にも実現するのがこの時代だから、というのがその理由である。それとは逆に、Bayly (1998)は、「グローバル帝国主義の最初の時代」としての一七六〇年から一八三〇年までの決定的な重要性を主張している。

(20) 一九四五年以降の「第三世界」の脱植民地化については、膨大な量の文献がある。ヨーロッパを起源とする「脱植民地化」という言葉とその歴史については、Ward (2016)。この問題に関する貴重な概説としてはRothermund (2006)。非常によくできた簡潔な解説としてはChamberlain (1999), Betts (2004), Kennedy (2016), Jansen and Osterhammel (2017)。権威ある論集としてはThomas et al. (2015)。興味深い「理論的な」分析としてはSpruyt (2005)とShipway (2008)。Hopkins (2008)における考察、Howe (2005)による様々な著作の論評、今でも有益な概説としてHolland (1985)。*Journal of Contemporary History*の特集号"Colonialism and Decolonization" (1969)も貴重である。ヨーロッパとアメリカにおける「帝国の衰退」をめぐる刺激的な比較研究の試みとしてMcCoy et al. (2012)。

(21) Stuart Ward (2016: とくにpp. 258–260)が明らかにしているように、「脱植民地化」とはいかなる点においても、ヨーロッパの懸念を刻み込んだ「ヨーロッパ由来」の言葉である。ほとんどのヨーロッパ人にとって、それは植民地の完全な独立というより、「愛すべき脱植民地化」、つまり平和的で交渉による解決を意味していた。こうして、ヨーロッパ人も旧植民地との密接な関係を失わず、引き続き管理・監督ができると考えていたのである。だからこそ、この言葉は、クワメ・エンクルマやフランツ・ファノンなど多くの非ヨーロッパ系反植民地主義の活動家や思想家によって拒絶された。ファノンが晩年にこの言葉を使い始めたのは、それに新しい意味を染み込ませようとしたからである。それは一般的なヨーロッパ人の理解を根底から覆すような「言葉そのものへの計算された攻撃」であった(Ward 2016: 253-236)。

(22)　これは、一九四二年一一月一〇日、ロンドン市長官邸における昼食会で行なわれたスピーチである。

(23)　インドとパキスタンの独立にともなう一九四八年の印パ分離暴動については、少なくともその責任の一端はイギリスが負うべきだと考える人もいるかもしれない。帝国からのイギリスの脱却における暗黒面については、Elkins (2005); Grob-Fitzgibbon (2011); Gildea (2019: 93-95)。

(24)　ほぼ同じ時期の世界史家ジェフリー・バラクラフの発言も聞いておきたい。「一九四五年から一九六〇年にかけて、八億の人口(すなわち世界人口の四分の一)を有する四〇もの国が植民地主義に反対して立ち上がり、独立を勝ち取った。人類の世界のなかでこれほど革命的な転覆が、これほどの速さで起こったことはなかった」(Barraclough 1964: 164)。

(25)　デイヴィッド・ストラングによれば「一七八三年のイギリスの大陸植民地に始まり、一九八三年のカリブ海の諸島セントクリストファー・ネービスに至るまで、一六五の植民地が新たな独立国家になったり、既存の主権国家に完全に組み込まれたりした」。新たな国家群が国際的な国家システムに参入する方法としては、欧米列強による既存の非西洋国家の承認よりも、この脱植民地化の拡大プロセスの方がはるかに一般的な方法であった。「脱植民地主義は、西洋の国家システムの拡大にとって中心的な役割を果たした。それに比肩するものとしては、帝国による征服と植民地化のプロセスしかない」(Strang 1991: 429)。

第6章　帝国後の帝国

帝国の遺産

「帝国の終焉」〔本書第5章で検討〕は、帝国なるものの終焉を意味しなかった。いかにそうでありえたのか、またはそう思われたのか、理解に苦しむ。帝国は、一般的には世界の限られた地域における現象だったと言えるが、何千年もの間、世界を支配してきた。最も新しい帝国の例で言うと、ヨーロッパの陸上帝国と海外帝国の支配は全世界に及び、帝国に組み込まれた社会（本国であれ植民地であれ）には大きな変化が生じた。そして多くの場合、ヨーロッパの帝国支配は数百年にわたって存続した。であるならば、ヨーロッパが公式には帝国支配を放棄したとしても、その衝撃や影響力が、何百年もの帝国支配を経験した社会から突然消え去るなどとは考えにくい。小説家のナイポールはこう述べている。「我々の時代の帝国は短命だったが世界の相貌を一変してしまった。帝国の消滅という現象そのものはその最も取るに足らない出来事に過ぎない」(Naipaul［1967］1985: 32)。近代の帝国は確かに「短命」だったかもしれない。しかしそれは古代世界のいくつかの帝国に比べればというだけであって、それが世界を大きく変えたことは間違いない。

皆が「帝国の遺産」について語っている。そこでこのテーマをめぐって論争が起こる。論争はしばしば方法論的なものである。ある種の行動や実践が、新たな状況に沿った新たな創造物というよりも帝国の後遺症であること、あるいは帝国以前的な様式の残存や復活であることをどのように証明したらよいのだろうか。たとえば、アジアの思想家のなかには、彼らがヨーロッパの支配を通じて国民(ネーション)の何たるかを学んだという考え方を否定する人々がいる。そうした人々の考えによれば、自分たちには固有の伝統があって、それを独立後の国民形成に新たに利用したのだということになる(Chatterjee 1993)。

「遺産」という言葉は、往々にして人を怠惰にする。本来、遺産は見出すというより、引き受けるものだ。しかし、たとえば東ヨーロッパの社会における権威主義的ポピュリズムの頻繁な発生を説明するのに、漠然と「遺産」について語られることがある。その現象をハプスブルク帝国、ロシア帝国およびソ連帝国(そしてときにはナチス帝国)における従属的国民としての彼らの経験にまで遡らせるのである。のちに見るようにこうした経験は大いに関係がある。しかし、そのさいにはこのような動向を引き起こした政治的・社会学的な力が存続したことを証明すべきであり、それを何らかの不変の遺産、文化に刻印された外見上永続的な記憶に落とし込んで済むような問題ではない。

帝国の経験は、しばしば深甚な変化を引き起こす。アジアの多くの地域のように、古い文明、もしくはすでに古くから存在する国家を引き継いだ社会では、帝国の経験は、この種の背景を持たない社会とは異なったものとならざるをえない。インド、スリランカ、ビルマ、ベトナムその他インドシナの諸国は、歴史的な「世界宗教」、すなわちたいていヒンドゥー教、イスラーム教、仏教、儒教(ときにこれらの組み合わせ、さらには多種多様なキリスト教)のいずれかに基づく各々固有の国家の時代(しばしば遠く離れた時代）に由来する記憶と慣習を維持していた。そこに、とくにイギリスやフランスといったヨーロッパの帝国が、無数の深い影響を与えた。その多くが西洋の教育と経験によって育まれたアジアのナショナリストの指導者たちがいかに主張しようとも、実際に過去に戻ることは不可能だったはずである。しかし、過去の資源を活用することで、過去の思想、態度、慣習を真の意味で回復させることはできた。

こうした過去の資源が、新しく誕生した国家に各々特有の性質を付与した。インドのヒンドゥー教、パキスタンのイスラーム教、スリランカ、ミャンマー、東南アジアの多くの国家の仏教（ときに儒教的伝統が要請されることもあったが）は、新国家において、ヨーロッパの支配下にあった頃には考えられなかったほど大きな存在感を示したのである。古来の伝統の影響は、宗教の枠組みをはるかに越え出ることもあった。イギリスの弁護士として訓練を受けたマハトマ・ガンディーは、同胞たるインド人に、実質的にすべての西洋の流儀を放棄し、伝統的なインド文明の信仰と慣習に立ち戻るよう求めた。しかし、ジャワハルラール・ネルーなどの他のナショナリストの指導者はそれに反対し、一九四八年にガンディーが暗殺されたあとは、インドはまた別のより近代的な道をたどった。しかし、ガンディーの教えは独立後のインドに多大な影響を与えており、ヒンドゥー至上主義を掲げる与党インド人民党のイデオロギーにも取り入れられている。(1)

依るべき長きにわたる国家的伝統を欠くような、実際に一から作られた国家では、事情が異なる。アフリカと中東がまさにそのようなケースである。そこでは、指導者たちは比較的新しい帝国的経験に過度に依拠しつつ新国家の青写真を描かねばならなかった。なぜなら、アフリカでは依拠すべき利用可能な国家的伝統がなかったからである。そして中東では、メソポタミアやエジプトなどの古代文明はずっと以前から、マケドニア、ローマ、ビザンツ、オスマン、イギリス、フランスなど長らく命脈を保った諸帝国に吸収されていたからである。最も新しく、最も「近代的」な帝国支配者として、独立後の中東における国家形成に直接寄与したのはイギリスとフランスであった。ただし、オスマン帝国の伝統も同様に重要な役割を担ったことは忘れてはならない。

帝国の遺産は、当然ながら支配者たるヨーロッパの本国社会にも見受けられる。そこでも議論は相互に矛盾する諸傾向によって錯綜している。帝国は一度過ぎ去ると、謝罪すべきとまでは言わなくとも恥ずべきもの、忘れるべきものとなることがあった。このようにして、否定と歴史の書き換えの波が押し寄せる。帝国は予め計画されたのではなく、厄介な必然としてヨーロッパ人に託されたというのがそれである。すなわち、ヨーロッパ人は、他の人々とは異なって「嫌々ながら帝国主義者」にされたのであって、帝国の喪失は、本国社会に何ら顕著な影響を残さなかったというのである(Porter 2004b)。

他方、時が経つにつれて、帝国の物語に明らかな再評価の動きが出てきた。必ずしも帝国のすべてが悪いわけではなかったというのだ。帝国は臣民の生活を数え切れないほど改善した。「文明化の使命」は単なる偽善でも搾取の隠蔽でもない。専制的で抑圧的な支配の下にあった社会には法の支配がもたらされた。あらゆるレベルの教育が導入された。道路、鉄道、港など必要不可欠なインフラも整備された。帝国の恩恵は、帝国撤退後に独立した多くの国々における混乱と無秩序を見れば明らかだ、などとされる。多くの映画、テレビドラマ、大衆文学からもわかるように、郷愁を漂わせた帝国の記憶が定着し始めたのである。

したがって、この複雑な態度と記憶の継承のあらゆる側面を検討し、かつて帝国に支配されていた社会と、支配者たるヨーロッパの社会の双方において、それらが人々の行動にいかなる影響を及ぼしたのかを調べる必要がある。世界的な広がりと重要性から、最も注目されてきたのはヨーロッパ海外帝国のその後である。しかし、まずは陸上帝国から検討したい。その多くは二〇世紀初頭に消滅している。そこには長期間存続した非西洋の帝国、すなわち中華帝国も含まれている。とはいえ、陸上帝国は数多の争点や問題をその背後に残したのであり、それらは帝国を構成していた各部分に長い間、つまり現在に至るまで影響を与え続けている。

帝国の遺産は実在する。そのことを立証するのは難しく、深読みの危険性はある。しかし、だからと言って帝国の系譜をたどり、ポスト帝国社会に対するその影響を評価するのをやめる理由にはならない。帝国は、世界の歴史において最も生きながらえた現象の一つであった。帝国が公式に解体されるとその影響力が急に失われるというのは、鵜呑みにしやすい考えだ。だが人間の社会はそのように作用しない。それは過去と現在の積み重ねである。帝国の過去は、かつて帝国を生きた様々な社会の現在を構成する重要な部分となっているのである。

陸上帝国の遺産

第一次世界大戦が終了して数年のうちに、ユーラシアのほぼすべての陸上帝国が崩壊した。まだ大戦前の一九一二年に、中華帝国はすでに中華民国に取って代わられていたが、一九一八年以降にはこの同じ運命を、ハプスブルク、ロマノフ、ホーエンツォレルン、オスマンの諸帝国が辿ることになった。帝国の崩壊は、重大かつ複雑な影響をもたらした。

ハプスブルク朝は、東中欧、南東欧のほとんどを支配していた。帝国の屋台骨は傾き、いかにも古びていたが、多くの人々が愛着を感じており、その驚くべき文化的活力に当然のように魅了されていた

(ウィーンがなければヨーロッパの音楽はどうなっていただろう)。帝国が崩壊しても誰も驚かなかったが、多くの人がその後に起こるかもしれないことに不吉な予感を抱いていた。

こうした不吉な予感、そしてハプスブルク家の消滅に対する哀惜の表明はますます大きくなり、大戦間期になると一大文学産業に成長した(Kozuchowski 2013)。好評を博したロベルト・ムージルの『特性のない男』(Musil 1930-32)やヨーゼフ・ロートの『ラデッキー行進曲』(Roth 1932)は帝国に対して決して無批判ではなかったが、同時にそこに賞賛すべき多くの美点も見出した。そして一九三〇年代に政治的混乱が嵩じるにつれて、失われたものへの賞賛に疑いを抱かなくなった。とくに尊敬されたのは長きにわたって帝位にあり、(実質的には)最後の皇帝となったハプスブルク朝のフランツ・ヨーゼフ帝である。彼は、帝国の最良の時期の特徴であった寛容、公正、義務感を体現していた。

失われた帝国への郷愁は、中心的存在であったオーストリアとハンガリーが一九三〇年代の動乱に巻き込まれるにつれて高まるばかりだった。一九一八年に帝国の残部から形成されたオーストリアは、自らの未来を「大ドイツ」のなかにしか見出すことができず、一九三八年にナチス国家による吸収併合を然るべく受け入れた。だがその報いとして、ナチス国家の劇的な破滅に引きずり込まれ、その後何年も連合国に占領されることになった。連合国の軍隊が去ったのは、ようやく一九五五年になってからのことである(Beller 2011: 231-260)。

オーストリア＝ハンガリー帝国のもうひとつの支柱であったハンガリーは、おそらくさらにひどい目にあった。ベーラ・クン率いる過酷な共産主義共和国は、ミクローシュ・ホルティ提督によって直ちに転覆された。しかし、今度はホルティ自身が、二〇年にもおよぶ強権的な個人支配を開始した。その彼の支配下で、ファシズム的要素がますます力を得ていく。ホルティは、連合国からトリアノン条約(一九二〇年)を押しつけられ、領土の七一%、人口の五八%、ハンガリー系民族の三二%を失った。しかし、彼はその回復を誓い、「大ハンガリー」の夢を復活させて、この地域におけるハンガリーの歴史的役割を回復しようとした(Macartney［1937］1965)。そのような野望をヒトラーが後押ししたため、ハンガリーは第二次世界大戦で喜んで枢軸国側につき、その結果、オーストリアと同様、彼らと運命を共にすることになった。しかし、オーストリアが一九四五年の灰塵から立ち直り、最終的に中立国となったのに対し、ハンガリーは国土そのものが実際に荒廃し、経済的にも疲弊して、ソ連の衛星国となった。その後ハンガリーは、一九八九年になるまで独立を回復することができなかった。

帝国の宗主国であったオーストリアとハンガリーの二国は、帝国の喪失がもたらす通常の帰結に苦しんだと言うこともできる。新しい役割を模索しながら、かつての高い地位と強い勢力を失ったことにも思い悩んでいたのである。結果が予め定められていたわけではないが、少なくとも短・中期的な厄災を追い払う手段を講じるべく強い圧力にさらされていた。オーストリアは、悪夢の期間を経たのち、小さく中立的な中欧の国家という居心地のよい場所を見出すことができた。その美しい田舎の風景、連綿と連なる山々、優美な都市のおかげで、オーストリアは魅力的な旅行先となり、それが戦後オーストリアの繁栄に大いに貢献した。ときにハプスブルクへの郷愁に駆られ、オーストリアの偉大な過去に対する誇りが湧き起こることがないでもなかった。二〇一六年、フランツ・ヨーゼフ帝の死後一〇〇年記念にさいしては、その治世を祝う多くの歴史関連の催し物や作品が生まれた。とはいえ、カーニバルの山車やナイトクラブでの風刺を除けば、オーストリアの帝国としての過去を回復しようなどという動きはなかった。

ハンガリーにはもっと陰鬱な亡霊が取り憑いている。ルーマニア、スロバキア、セルビアなどの「近隣諸国」に住む三〇〇万人近いハンガリー民族の存在が、ハンガリーのナショナリズムと失地回復の主張を刺激し続けるのである。そこで起こったのが、戦間期を彷彿とさせる権威主義的ポピュリズムの復活である。オーストリアとは異なり、ハンガリーはヨーロッパの舞台で脇役に徹することに抵抗があるようである。遅れて加盟したにもかかわらず、ハンガリーはEUにおける中欧の代弁者たろうとしている。さらには、他の加盟国にはもはや見られないような真の「ヨーロッパ」そのものであろうとさえ考えている。

ハプスブルク帝国の支配民族と異なり、被支配民族にとって、帝国の影響はより直接的に感知しうるものだった。多くの場合、帝国は彼らを物理的にも精神的にも形作ったからである。ハプスブルク帝国の大半の継承国家の国境線は、オーストリア＝ハンガリー帝国再編のための連邦構想に由来する。これは一九一七年の皇帝カール一世の提案によるものだったが、それ自体、一九世紀末期から二〇世紀初期にかけてオーストリア・スラブ主義者やオーストリア・マルクス主義者が作成した数多の計画の影響を受けていた(Judson 2016: 420-433)。帝国は、相続人を身ごもりはしなくとも、少なくとも指定したのである。ただし、それによって彼らに多くの混乱を残した。

オーストリア領ガリツィアはそのよい例である。この土地は一八世紀からハプスブルク帝国の一地方となっており、ポーランド人、ウクライナ人(ルテニア人)、ユダヤ人が住んでいた。ハプスブルク家はこれら様々な集団を互いにうまく調整して統治してきた。しかし一九一八年以降、ガリツィアの大部分は、ウクライナ人にとっては悲しむべきことに独立ポーランドに組み込まれた。しかし一九四五年以降、ポーランドとウクライナの間でおよそ均等に分割された。

ポーランド、ウクライナ双方ともに帝国の痕跡が残されている。一つはガリツィアを有するハプスブルク帝国である。そしてもう一つはロシア帝国、ソ連帝国で、それが両国にさらに別の要素をもち込んだ(Kumar 2022)。そのためウクライナは、ガリツィアの古都リヴィウを中心とするウクライナ西部と、ドネツク地方とクリミアを中心とするウクライナ東部によって文化的にも政治的にも明確に分断されることになった。西ウクライナはハプスブルク帝国の、東ウクライナはロシア帝国、のちのソ連帝国の一部となったからである。共産主義の崩壊以降、両者の間にくっきりとした断層面が現れた。ウクライナ西部はレオニード・クラフチュクのようなリベラルでEU寄りの指導者を着実に支持し続け、東方に目をむけるウクライナ東部はレオニード・クチマのような親ロシア寄りの指導者を支持していた。その結果、何千人もの死者を出した長期間にわたる内戦、ロシアによるクリミア併合(二〇一四年三月)という悲劇が起きた。

ポーランドも二つの帝国の遺産を反映し、半分に分かれていた。ヴィスワ川を境界線として、ときにそれぞれポーランドA、ポーランドBと呼ばれる。ポーランドAは、より豊かで、都市化が進み、西欧の社会と似た性質を持っている。他方、ポーランドBはポーランドAほど発展しておらず、より農村的で、保守的で、ナショナリストである。そのような態度の違いの原因ははっきりとわかっている。ポーランドAは、ほとんどの期間、ハプスブルク帝国(ガリツィア)、もしくはホーエンツォレルン帝国(シュレジエン、ポメラニア)の支配下にあった。つまり、そこにはより自由主義的で経済の発達した「西方」の帝国経験があったのである。それに対し、ポーランドBは旧ロシア帝国の一部であって、より抑圧的で経済の遅れも目立つすぐれて「東方」的な帝国経験を有していた。ポーランドの共産主義国家としての経験は、こうした差異を拭うことができず、帝国の対照的な経験を染料で染め上げたかのように示し続けている。

オスマン帝国においても、宗主国と被支配民族の帝国後の経験の差を見出すことができる。一九一八年から一九二三年にいたる凄惨な内戦と国際紛争を経て、オスマン帝国の残りの部分からトルコ共和国が誕生したが、旧帝国の中核はアイデンティティーを確立するのに大変な苦闘を強いられた。トルコの建国者ムスタファ・ケマル・「アタテュルク(トルコの父)」の下で、オスマンのすべての過去を強硬に消し去ろうとした試みもその一環である。アタテュルクは、近代的で世俗的な西洋式の共和国を創設しようとしたのである。モスクは閉鎖され、カリフ制は廃止され、イスラーム教はその特権を失った。

確かに、アンカラ、イズミール、イスタンブールといったトルコの大都市を見れば、その大部分は達成されたと言ってよい。しかし、同じように明らかなのは、こうした努力の不完全さ、またオスマン的過去の多くの信仰や慣習の回帰、復活である。とくに顕著なのは、レジェップ・タイイップ・エルドアン大統領と彼の率いる公正発展党の長期政権下でイスラームへの回帰が起こっていることである。トルコが帝国を脱しきれていないことを示すもう一つ別の徴候がある。西側諸国との緊張が高まるなか、トルコが地域における帝国としての存在感を見せつけようとしているのがそれである(Onar 2015)。二〇一三年、アフメト・ダウトオウル前外相は次のように語った。「トルコ人は、再びサラエボをダマスカスに、ベンガジをエルズルムに、バトゥミに結びつける。これが我々の力の核心である。これらの町はあなた方には違う国に属しているように見えるかもしれない。しかし、イエメンとスコピエは一一〇年前、エルズルムとベンガジと同様、同じ国の一部だったのだ」(Adil 2019: 12)。トルコはますますヨーロッパに背を向けつつある。トルコのEU加盟の支持率も低下している。その代わりに、オスマン帝国の時代のように、中東と中央アジアにおける無視しえない大国としての地位を回復させようとしている。「オスマン・ブーム」は、現代トルコの大衆文化とエリート文化の両方における顕著な特徴となっている。

ハプスブルク帝国と同じように、オスマン帝国のかつての被支配民族も、その長い帝国の経験と折り合いをつけねばならなかった(Brown 1996)。たとえば、アラブ人は四〇〇年にわたってオスマン帝国の支配下に暮らしてきた。彼らはオスマン・トルコ人との違いは意識していたが(「それが彼らの習慣、もしくは傾向である」というのが双方の違いを認めるさいのアラブ人の常套句だった)、同時に帝国の支配者たちと同じく、帝国の支配文化たるイスラーム信仰を保持していた。オスマン支配層はダマスカスをメッカ、メディナ、エルサレムに次ぐ帝国第四の聖なる都市に定めてさえいた。アブドゥルハミド二世(在位一八七六―一九〇九年)の時代、帝国内のキリスト教徒居住地域の大半を喪失すると同時に汎イスラーム戦略が採用されたが、その一環として、アラブ人が高官に任命されることも多くなった(Barbir 1996: 104-106)。

アラブ・ナショナリズムの出現は遅く、一九世紀に青年トルコがオスマンを帝国の視点で眺めるのを諦め、とくにアタテュルクの下で混じり気のないトルコ国民国家の建設を目指したあとに初めて生まれた。第一次世界大戦中でさえ、シャリフ・フサインとイギリスが画策した「アラブの反乱」を支持したアラブ人はほとんどいなかった。実際、第一次世界大戦後にオスマン帝国に代わってイギリスとフランスの帝国がやってきたとき、ほとんどのアラブ人は大いに失望したのである。その結果、多くの人々が、自分たちもその一部をなしていたかつてのオスマン帝国をある種の郷愁の念とともに思い起こすことになった。とくに関心を呼んだのが、一九世紀半ばの青年トルコによる連邦帝国構想である。それは、イスラーム教を基盤とする包括的なオスマン帝国の枠組みのなかで、民族や宗教共同体が共生するというものだった(Barbir 1996: 108)。というのも、彼らにとって緊急の問題、なかでもとくに彼らの土地の只中におけるイスラエル国民国家の誕生は、まさにイギリスとフランスの帝国によってもたらされたからである。しかし、トルコのイスラーム化が進むにつれ、アラブの諸民族が再び、敵国とその後ろ盾である西洋諸国に対して共同戦線を張ろうとする兆しが見える。イスラーム教は力強く復活したのである。オスマン帝国はかつてカリフの座所であり、メッカとメディナという聖地の管理者であり、ウンマ(イスラーム教の世界共同体)の指導者であった。今日、中東には他にもカリフ制を主張する人々もあるが、オスマン帝国ほど、長年の権威をもってカリフについて語ることのできる勢力はない。

オスマン帝国の遺産は、オスマンとハプスブルクの両方に支配されていたバルカン半島の人々にも同じように、そしてより直接的に見受けられる(Rusinow 1996; Todorova 1996)。一つのはっきりとした分断線によって、一方にカトリック国家のスロヴェニアとクロアチア、他方にセルビアやブルガリアなどのその他の正教国家がある。前者はハプスブルク帝国、後者はオスマン帝国に属していた。彼らは多くの文化的特徴を共有するにもかかわらず(場合によっては言語が同じこともあった)、異なった帝国経験が数多の差異を生み、それが最終的には、これらの地域すべてをユーゴスラビアという合同国家に統合するさいに致命的な障害となった。一九九〇年代に起きた残酷で凄惨な内戦によって、このユーゴスラビアの実験にも終止符が打たれた。

この内戦は、キリスト教国家間の深刻な対立だけでなく、バルカン半島の多くの国々に住むイスラーム教徒の問題をも露わにした。ことの発端は、オスマン帝国によって、ボスニア・ヘルツェゴビナ、ブルガリア、アルバニアでイスラーム教への改宗やイスラーム教徒の大規模な入植が行なわれたことである(Todorova 1996: 62–65)。こうした歴史的な背景のもと、一九九五年七月、ボスニア東部の町スレブレニツァで、分離したボスニア・セルビア人を主体とする「スルプスカ共和国」の人々による、八〇〇〇人のボシュニャク人(ボスニアのイスラーム教徒)の虐殺が行なわれた。さらに、二万人以上の民間人も強制移住させられた。この恐ろしい事件は、他のいかなる内戦のエピソードにも増して、バルカン半島におけるオスマン支配の遺産を外部の世界にはっきりと知らしめた。我々は、セルビアそのものの内戦(その結果、アルバニア系イスラーム教徒住民を多数派とするコソボが独立することになった)によって、そのことをさらに思い知らされることになる。六〇〇年以上もスペインに住み続けていたイスラーム教徒が追放され、まだそれほど時間の経たないうちにヨーロッパに戻り、その南部境域地帯で強くその存在感を示し続けた。したがって、イスラーム教徒の主張によれば、イスラーム教はオスマン帝国やそれ以前のアラブ人の諸帝国の時代を経てヨーロッパの一部となったのであり、それは抹消されるべき異質で異邦の存在ではない。

さらにある別の国でも、オスマン帝国支配の痕跡がまだ残っている。ハンガリーである。オスマン朝は、この国を一六世紀初頭から一八世紀初頭まで一五〇年以上にわたって支配してきた。西欧でプロテスタントの改革が起こったとき、ヨーロッパにおけるカトリックの対抗宗教改革を主導したのはハプスブルク朝である。しかし、ハプスブルク朝は、ライバルであるオスマン朝によって大部分が支配されていたハンガリーでは、カトリック改革を推し進めることができなかった。実際、オスマン朝はこの国のプロテスタントを支援していた。その多くはカルヴァン派であり、だから今でもハンガリーの南部と東部にはカルヴァン主義が残っている。ハンガリー東部の都市デブレツェンは今でも「カルヴァン派のローマ」と呼ばれており、プロテスタンティズムは、ハンガリーのこの地域において最も多くの人々が奉じている信仰である(Pálffy 2001: 120)。ハンガリーにおけるオスマン帝国の遺産はトルコ風呂とトルコ料理に尽きるものではないのである。

一九一七年に滅亡したもう一つの巨大な陸上帝国であるロシア帝国はどうだったのだろうか。ロシア帝国は、ユーラシア大陸の広大な地域においてどのような遺産を残したのだろうか。遺産をめぐる事態が複雑なのは、帝政ロシアを継承したのがもう一つのロシア帝国、すなわちソビエト連邦として知られるソ連帝国だったからである。ソ連はロシア帝国を一つまた一つと再建し、ほぼ元の規模を復元するまでになった。第二次世界大戦後には、ソ連は東ヨーロッパにまで勢力を広げ、「非公式帝国」を築き上げた。ポーランド、ハンガリー、チェコスロバキアを含むこれらの国々は「ソビエトブロック」と呼ばれ、四〇年以上にわたって多かれ少なかれモスクワの指導を受けてきた。

とはいえ、ソ連帝国は単に新たなロシア帝国だったというわけではない。ロシア・ナショナリズムは、一九四一年から一九四五年の「大祖国戦争」の短い時期を除いて抑制されており、実際ロシア人はソ連のなかで明らかに支配的な勢力であるのに、自分たちのことを犠牲者であると感じるようになっていた(Kumar 2017: 300-308)。先述したように、「土着化政策」により他の国民は固有の国民文化の発展を奨励されているのに、ロシア人は、支配民族にありがちなことだが、被支配民族の反感を恐れて自らの固有の文化は抑制するよう求められていたのである。

一九九一年のソ連崩壊によって、他の帝国民族と同じように、ロシア人も自らの国民としてのアイデンティティーの停止という当然の結果に苦しむことになった。彼らは帝国民族として、何百年もの間、自分たちを単なる国民とみなす強い伝統を育んでこなかった。つまり、彼らは国民国家の建国を目指してこなかった。ボリス・エリツィン率いるロシア政府は、ソ連の消滅が宣言されて数日後に、新生ロシア連邦の国章として帝政ロシアの古来の象徴である双頭の鷲を採用した。また一九九三年に導入された新憲法の前文では、「我らロシア連邦のマルチナショナルな国民は」と宣言されている。エスニック・グループとしてのロシア人はロシア連邦の八二%を占めるが、その他にも二五〇〇万人余りのロシア人がロシア連邦の外に、バルト三国や中央アジアといった「近隣」に住んでいる。

もちろん、それはロシアだけの問題ではない。ほとんどのいわゆる国民国家はマルチエスニック、もしくはマルチナショナルであり、その多くが民族名を冠した国民国家の外部にディアスポラ人口を抱えている。しかし、かつて帝国をなした国家は、国民国家、すなわち他の国家と同等の国家となることをとくに難しくする精神と行動様式をもっている。確かにウラジーミル・プーチン率いる今日のロシアは、帝国の腕っ節を見せつけようとする強い傾向があるようだ。二〇〇八年、ロシアは旧ソ連領のアブハジアと南オセチアをジョージアから分離させて保護国化した。またロシアは「沿ドニエストル・モルドバ共和国」(トランスニストリア)を支援しており、それが独立国家たるモルドバ共和国の一部であることを否定し続けている。二〇一四年には、ロシアはクリミア併合を行なった。そのときの彼らの主張というのが、クリミアは本来ロシア領だったが、一九五〇年代にウクライナを偏愛したソ連の最高指導者ニキータ・フルシチョフによって(噂によると彼がウクライナの友人たちと一晩飲み明かしたあとで)遺憾にもウクライナに譲渡されたというものだった。ロシア人の考えによれば、クリミアはウクライナ東部と同様ロシアのものである。ウクライナ東部は親ヨーロッパ的なウクライナ政府と紛争中であり、ロシアはそれを武器と人員によって支援している。プーチン大統領が公式に言明したところでは、ソ連の崩壊は「二〇世紀最大の地政学的惨事」であり、ロシア国民にとって「真の悲劇」であった。確かに、新たな「ロシア帝国」は存在しない。少なくとも名称としては存在しない。しかし、おそらくロシアは、厳密な意味での一つの国民としての利害と、国民の生存にとって自然な舞台となるべき帝国の再建とを区別できるようにはならないのではないだろうか。

ロシア／ソ連帝国の宗主国とも言うべきロシアにおける帝国の遺産は、これほど多大だったのである。(2)

では「周辺部」すなわち一六世紀以降、ロシア帝国に組み込まれた民族と領土ではどうだったのだろう。ロシア/ソ連帝国のアジア地域には、いくつかの民族と領土が今日では独立した国民国家群として存在している。そこに一つの明らかな遺産があると言ってよいのではないか(Morrison 2015: 164-166)。ロシアに征服される以前、おもにテュルク系からなるウズベク人、カザフ人、キルギス人、タジク人、トルクメン人が中央アジアを放浪していた。ロシアは一九世紀に彼らを再編し、その土地を領土に組み込んだ。その後、一九二〇年代から一九三〇年代にかけて、ソ連はそれらをもとに「ウズベク・ソビエト社会主義共和国」「カザフ・ソビエト社会主義共和国」といった本格的な「ソビエト社会主義共和国」を建国した。さらにスターリン主義的な「土着化政策」もあって、彼らに「ナショナル」な言語を与え、「ナショナル」な文化を促進した。いずれの場合も、それらははっきりとしたかたちではそれまで存在しなかったものである。

中央アジア諸国は、ソ連の他の地域と異なり、独立を急がなかった。しかし、ソ連が内側から崩壊して一度その機会が与えられると、また実際この件について選択の余地がなくなると、中央アジアの指導者たち(多くは旧共産党の幹部)は、自分たちがすでに出来合いの国民国家を手にしていることを知った。彼らはほとんどの場合、自国民のイスラーム的な性質を強調しつつ、急遽ナショナリストへと変身した。旧ソビエト社会主義共和国が、その境界線をほとんど変えることなく、カザフスタン、ウズベキスタン、キルギス、タジキスタン、トルクメニスタンという五つの「スタン」として再登場したのである。これらの国々は、ソ連が開発した、それも少なからぬ量の石油とガスも引き継いだ。そのほとんどはマルチエスニックな国家である(たとえば、カザフスタンには一三一の民族が確認されている)。それぞれ、ウズベク語、タジク語など国民の「名前」を冠した言語を国家公用語として採用しているが、大部分の解する言葉として引き続きロシア語が第二の公式語になっている。また多くのロシア系民族がこの地域に残り、その発展に重要な役割を果たしている。中央アジアにおけるロシア支配の遺産はまぎれもなく深く浸透している。帝国が国民の創設者であること、それも帝国を継承した国民の創設者であることをこれほど明瞭に示す例もなかなかないのではないか。

ロシア帝国とソ連帝国の西側、つまりヨーロッパ側の境域地帯では、帝国内の民族が国民として、さらには国家としての経験をもっている場合があった。とくにポーランド人とリトアニア人である。彼らは一八世紀のポーランド分割統治でオーストリア、プロイセン、ロシアによって解体されるまで、偉大なポーランド・リトアニア共和国の中核をなしていた。しかし、ロシア／ソ連帝国の影響は、ハプスブルク帝国やホーエンツォレルン帝国の影響と同様に、この地域でも明らかである。ロシア人から見て「小ロシア」と呼ばれたウクライナは、一七世紀のロシア帝国への編入までは影の薄い存在だった。だがその国民意識は、少なからずロシアによって掻き立てられた。より危険視されたポーランドのナショナリズムの脅威に対抗するため、ロシアが均衡を図ってウクライナのナショナリズムを刺激しようとしたのである。ウクライナは、ソ連時代の末期には最も強いナショナリズムをもった共和国となった。ソ連からの独立を最初に宣言したのもウクライナである。しかし、今日、ウクライナの特質と文化に対してロシアが相変わらず強い影響力をもっていることは、ウクライナの本質的に分裂的な性質をみても明らかであろう。

現在のポーランドも、その輪郭はソ連によって形成されたと言っても過言ではない。第一次世界大戦後に復活したポーランドは、第二次世界大戦中に西側をドイツに、東側をソ連に奪われた(ドイツに全体を占領される以前)。ドイツの敗北によって、ポーランドはその西側国境を丸ごと西方に進め、ドイツに占領されていた部分以上を回復したが、その代償として、ソビエト社会主義共和国となったウクライナとベラルーシにその東側を永久に編入されてしまった。その後、この部分は独立国家となったウクライナとベラルーシの一部となった。これまでにも見たように、ポーランドにはいまだロシアの過去の痕跡が残っている。ポーランドが多分に西欧的な性格を有し、過去の歴史的な要素、たとえばリヴィウ(ウクライナ語)/ルヴウ(ポーランド語)やヴィルニュス(リトアニア語)/ヴィルノ(ポーランド語)といった古都を喪失したことは、ポーランドの地で諸帝国が引き起こした地殻変動の結果に他ならない。現在のポーランドは、現在のウクライナ、ベラルーシ(「白ロシア」。この呼称もロシア/ソ連の創造による)、リトアニア、ラトビア、エストニアとほぼ同じくらい帝国の産物である。(3)

陸上帝国の遺産の考察の最後に、中華帝国の場合も見ておきたい。一九一一年の帝国崩壊のあと、中国は多少とも断続的な内戦状態に陥り、それが一九四九年まで続いた。帝国を引き継いだ共和国は帝国時代の領土は維持しえたが、封建的な「軍閥」によって常に内部から脅威に晒されていた。結局、蔣介石が主導する国民党によって事態が収拾されたが、その国民党も毛沢東が組織化した共産党の根強い抵抗を受けた。さらに危険だったのは外部の脅威である。一九三一年に日本が満州に侵入して征服し、満州国に傀儡政権を樹立して中国の他の大部分の地域を支配したのである。毛沢東は共産党軍を率いて日本と国民党の両方に抵抗運動を組織した。そして最終的に一九四九年、共産主義国家である中華人民共和国を建国した。

毛沢東の指導した中国共産党は中国の過去を丸ごと拒絶し、その全体を「封建的」だとして批判した。中国人は儒教であれ纏足であれ、旧式の信仰や習慣はすべて軽蔑するように教えられた。また文化大革命(一九六六—七六年)の時期には、しばらくの間、旧来の士大夫階級の残滓とみなされた学者や知識人を排斥するよう駆り立てられた。

毛沢東の死、そして一九八〇年代の鄧小平の登場を嚆矢とした中国の経済と社会の「自由化」をへて、中国の過去に対する新しい態度が現れ始めた。儒教は支配権力に対する敬意を植えつけることで共産党の防御壁となることを期待された。一九世紀に西側諸国によってもたらされた「屈辱の世紀」以前の、中国が何百年間も占めていた世界経済の中心としての地位に対する誇りも生まれた。中国の博物館は今では明代初期の鄭和の大航海を喧伝し、中国の学者は、中国がこれらの航海を続け、植民地化に乗り出していたならどうなっていたかに思いをめぐらしている。

なかでも最も大々的な試みが、二〇一三年に習近平国家主席が鳴物入りで打ち出した「一帯一路」である。[4] その目的は、すべての大陸(とりわけアフリカ、中東、南アメリカ、アジアの一部は中国の考えではとくに重視されている)における野心的で洗練された投資計画と建設計画を通じて、世界中に中国の影響力を拡大することである。一帯一路は道路、鉄道、橋、港といった巨大インフラの設置計画を有しており、ときに都市の全体がそっくり建設されることもある。中国を中心とした何百年も前の「シルクロード」と呼ばれた大貿易ルートを、以前と同様平和的に、しかし今度は世界規模で再現する、というのがその目的である。

中国は、これらすべてに対するいかなる「帝国的」な意図も否定している(「地域間の連結を強化し、さらに輝かしい未来を描く」というのが、その目的の中立的な説明である)。確かに、この構想が明らかにしているところでは、それはさらなる富と権力を使って、より良く、より平等で、より調和の取れた世界を生み出すことを目指している。しかし、一帯一路に帝国のこだまを聞き取る人々もいる。そうした人々によれば、中国が地球の中心に位置する王国、すなわち「中央の王国」としての地位を再び確立しようとしているのだという。[5] ただ、以前の中華帝国が限定的で地域的なものにとどまる傾向があったのに対し、新しい中華帝国は地球規模の野心をもっているという点で異なる。中国は間もなく、世界最大の経済大国としてアメリカに取って代わろうとしている。[6] 中国人は今や世界中を旅し、学生は西側の主要国の学校や大学で学んでいる。そして中国語、中国文化、中国文明を広めるため、多くの外国の大学キャンパスに孔子学院を設立した。二〇〇八年に北京で開催された夏季オリンピックの大成功は、世界の舞台における中国の「出現」を宣言するものだった。

他のどの国家よりも、中国が新たな公式の帝国を創設する可能性はないだろう。たとえ、多くの点ですでにそれをもっていたとしてもである。たとえば、中国共産党国家は中華民国の国境線を引き継いだが、中華民国はそれを中華帝国からほぼそのまま引き継いでいる。そこには信じられないほどの連続性がある。少なくとも清朝の時代からはそうである。現代の中国も、清朝と同様、チベット、新疆、モンゴルといった広大な非漢民族の領土を支配しているのだ。中華人民共和国には現在公式に五七の民族がいるとされており、そのマルチエスニック／マルチナショナルな性格は明らかである。アメリカ合衆国と同じく、中国は自らを帝国とは呼ばない。しかし多くの人々の目には、アメリカ合衆国も中国も、帝国と同様に映じている。

だが、中国が世界に手を伸ばしているということは新しい事態である。これこそ、中国がその歴史の大半を通じて抵抗してきたことに他ならない。一九世紀にイギリスが公式の帝国と並行して「非公式の帝国」を作り上げたように、これは「非公式の帝国」創設の試みと解釈することができるし、実際そう解釈されてきた。それが事実かどうか、そして現実に成功するかどうかは、時間がたてばわかることである(すでに多くの挫折もあった)。しかし、どのように呼ばれようと、一帯一路が新しい種類のグローバル帝国になりうることを示唆する徴候はすでにある。それは現在国内で実践されているいわゆる「中国の特色ある社会主義」をもじっていえば、「中国の特色ある帝国」になるだろう。

海外帝国――ポストコロニアルの条件

ヨーロッパの海外帝国は世界を覆い尽くした。そしてその終焉の記憶は、いまだ存命中の多くの人々の脳裏に焼きついている。つまり帝国の崩壊が起こったのは最近のことであり、今はまだその遺産の長期的な評価を下すのは難しいということである。それは被支配民族にも、本国の支配者たちにも当てはまる。「脱植民地化」の直後には、その時代の熱気に特有の対応や再調整が行なわれた。旧宗主国は、自分たちの帝国を過去の遺物にしたいようだった。他方、被支配地域の人々は断絶が完全だったことを示そうとした。彼らは今や自らの運命を支配し、新しい社会を作っていたからである。彼らは、国、都市、街路の名称を変えることでそのことを劇的に演出しようとした。ヨーロッパの旧支配者の銅像が倒され、跡地には独立運動の英雄たちの銅像が建てられた。

これらの現象のいくつかはどうしても表面的で一時的たらざるを得ない。何百年におよぶ帝国支配は、被支配民族にとっても支配民族にとっても簡単に振り払えるようなものではない。海外帝国の崩壊からはまだ五〇年ほどしかたっておらず、帝国経験の真の長期的な帰結をいま見極めることはできないのである。ただ少なくとも、そのための最初の道筋はつけておくことができる。

帝国の影響に関する思索は、その多くが「ポストコロニアル」の名の下になされてきた。これは、ポストコロニアル社会の思考と行動に根強く残る帝国の影響を研究する体系的な方法を打ち立てようとする一連の著作を指す。少々残念なのは、そこで扱われる帝国の衝撃というのがほとんど、大部分が非西洋に属する被支配民族、「第三世界」もしくは現在は通常「グローバル・サウス」と呼ばれる地域の社会に限られていることである。つまり、それはおもに反植民地思想や反植民地運動と結びついており、帝国がいかに、ヨーロッパの諸帝国の一部であったポストコロニアル社会の生活の多くを形成し続けているのかを示そうとしている。したがって、ジュリアン・ゴウはこう述べている。「ポストコロニアルの思考とは、何よりも帝国のその根強い遺産を批判する反帝国的言説である」(Go 2016: 1)。また、ポストコロニアルの思考の背後にある活動家的な衝動をとくに指摘する者もいる。つまり、ポストコロニアルの思考は単に帝国の根強い継続に注目を促すだけでなく、それを拭い去り、帝国の悪夢を振り払うよう人々を駆り立てることでもあった。ロバート・ヤングによると、ポストコロニアル批評とは「反植民地解放闘争という政治参加を振り返り、そこからヒントを導くための一種の活動文書」である(Young 2001: 10)。これこそ「まさにヴァルター・ベンヤミンが言うところの「被抑圧者の伝統」」に他ならない(Young 2015: 149)。であるならば、その基本的な文献にフランツ・ファノンの『黒い皮膚・白い仮面』(Fanon 1952)や『地に呪われたる者』(1961)のような刺激的な題名が付されているのも驚くべきことではない。(7)

遅ればせながら(というのも、本国社会では帝国が去ったあと、帝国の問題が長い間無視されてきたので)、学者たちがポストコロニアルの視点を支配社会に適用し始めた。帝国は、ヨーロッパ社会においても存続している一個の事実である。(8) それは明白だったはずだが、無視されるにもそれなりの理由があった。主人が食事を終えると、使用人たちは残飯の取り合いをする。主人は、食事が自分の思考と行動に及ぼした影響をほとんど忘れてしまい、他の関心事に移る。しかし、主人も使用人も同じ食事をしたのであり、その影響はどちらにも見られるのである。

海外帝国の遺産は、ヨーロッパに支配された非西洋社会において最も顕著に表れている。ポストコロニアル研究がこれらの地域に焦点を当てるのもそれが理由である。その影響はあまりに明白で疑いようがない。人々は大挙して移住し、境界線は固定され、経済、文化、政治の諸制度が設立された。これらすべてにヨーロッパの刻印が押されている。先住民の伝統がそれを変容させたり、この伝統がヨーロッパ人の慣行の傍で生き残ったりしたこともあったかもしれない。だが、帝国後に出現した社会は、彼の地を支配したヨーロッパの痕跡を間違いなく残している。

帝国は、多くの場合、それまで国民がいないところに国民を作り上げた。国民的アイデンティティーも与えたし、どの先住民の言語も新しい国民から公用語として承認されない場合には、帝国はしばしば国民語を与えることとさえあった。たとえば、ほとんどのアフリカの植民地の言語は、地元や地域や部族のなかでしか通じなかった。そのうちの一つを押し付けることは、ある一定の部族の支配の押し付けを意味しており、ほとんど受け入れることが不可能だった。そこで次善の策として採用されたのが、分裂を和らげるために少なくとも当分の間、かつてのヨーロッパの支配者の言語を受け入れることだった。多くの西アフリカと中央アフリカの旧フランス植民地が、解放後もフランス語を使い続ける理由もそこにある。このようにして、旧宗主国のフランスも含め、多くの旧フランス植民地からなる広域的なフランス語圏共同体(フランコフォニー)が形成された。同様に、英連邦も、独立後かなり時間がたっても英語を公用語として使い続ける多くのアジア、アフリカの諸国民を構成員としている。インドのように長く続くハイカルチャーを反映する歴史的な言語が存在する地域でも、独立後も人々を統合しうる言語を欠く場合には、ヨーロッパの支配民族の言語、たとえばインドの場合だと英語を、すべての人々が抵抗なく使う共通の国民語として事実上採用せざるを得ないのである。

新しい国民国家が意図的に新しい国名をつけたところでも(南ローデシアがジンバブエに、オートボルタがブルキナファソに、ビルマがミャンマーになった)、現在の国家形態が帝国支配から直接導かれたことは明らかである。アフリカはこのことを最も明瞭に示している。ヨーロッパの諸帝国がやって来る以前は、多様な部族や部族連合が存在したが、それらを政治的に組織化し、新たに独立した国民国家の輪郭を与えたのはヨーロッパ人である。一度出来上がると、これらの国家形態は著しく丈夫に持ちこたえた。これはよく言われることであるが、ヨーロッパ人が去って、アフリカは多くの内戦で破壊されたが、帝国が定めた国境線の大部分はそのまま残り続ける[9](C. Young 2001: 172)。

当然ながら、このような国境線の決め方は、おもにエスニックな性質を持つ無数の紛争を生んできた。ヨーロッパ人は自分たちの都合に合わせて、またヨーロッパにおける勢力配分に従って植民地国家を作った。こうして、アフリカの地図には、過去の歴史やエスニックな構成とほとんどまったく関係がない線が引かれた。アフリカ最大にして最多の人口を抱えるナイジェリアはその格好の例である。ナイジェリアという国名を与えたのも、一九一四年に現在の国境線を確定したのもイギリス人である。ナイジェリアは、性格も構成も大きく異なる三つの地域から形成された。ナイジェリアには二五〇を超えるエスニック・グループが存在し、なかでも最大の集団がハウサ族(北部人)、イボ族(東部人)、ヨルバ族(西部人)である。これらのエスニック・グループはそれぞれ異なった信仰をもっている。すなわち、北部のハウサ族とフラニ族はおもにイスラーム教徒、東部のイボ族はキリスト教徒、ヨルバ族はほぼ半々である。一九六〇年の独立後、政党は基本的にエスニック・グループの差異に対応しており、その状況は今でも変わっていない。公用語は「ナイジェリア英語」であり、これは多様性のなかで共通の絆を築こうとする試みの一環であった(Kwarteng 2012: 273–303)。

多様なエスニック集団を抱えているからといって、必ずしも紛争が起こるとは限らない。しかしナイジェリアのように、伝統的な敵対関係や分裂が外部勢力の創設した国家のなかで隠蔽されている場合、そうした紛争が起こる確率はぐっと高くなる。外部勢力によってもたらされたナイジェリアの政治的不安定さは、風土病のようなものだった。一九六七年から一九七〇年の三年間、東部をビアフラ共和国として独立させようとしたイボ族と他のエスニック集団との間で激しい内戦が起こった。この戦争で、一〇〇万人から三〇〇万人の死者が出たとされている。内戦が終わっても、問題は解決されなかった。一九六六年から一九九九年、ナイジェリアは特定のエスニック集団を基盤とする強権的な指導者による支配が続いた。それ以降、不安定ながら民主主義が広まったが、エスニシティーが政治権力の基礎であることに変わりはない[10]。

エスニックな紛争(これは外部勢力同士の利害関心の競合によって掻き立てられることも多い)は、明らかにヨーロッパの支配者が旧植民地に残した政治構造に起因する(Fearon and Laitin 2003: 88)。それらは確かに「国民国家」かもしれないが、国民的な均質性という点で言えば、同様に多様なエスニック集団を抱える他の多くの国民国家に比べてもそれが著しく欠けている。同じように明らかなのは、帝国が終焉しても経済的には旧宗主国に強く依存していることである。多くの人が論じているが、ヨーロッパ支配の終焉後に起こったのは新しい国民の真の独立というより、旧帝国支配層であった大国と巨大企業による、新しいはずの主権国家の運命に対する一種の間接支配である。ガーナの指導者であるクワメ・エンクルマは、一九六五年、すでに人口に膾炙していた表現を使いつつ、レーニンに倣ってこのような状況を「帝国主義の最終段階としてのネオ・コロニアリズム」と呼んだ(Gildea 2019: 98)。反植民地主義の作家として広く知られているフランツ・ファノンは、これを受けて「植民地主義と帝国主義は、旗と警察を私たちの土地から撤収させても、まだその償いをしていない」(Fanon〔1961〕1967: 79-80)と主張した。

これは一種の「非公式帝国」である。この種のものとしては、ギャラハーとロビンソンの共著論文(Gallagher and Robinson 1953)が明らかにしたように、一九世紀の自由貿易の時代にイギリスが作り上げた帝国がとくに有名であるが、その基本的な考え方は、非公式の手段でずっと安く効果的に同じ目的に到達することができるなら、公式の帝国は必要がないというものである。新国家は大仰な儀式を執り行ない、旧帝国の旗を降ろし、誇り高い新国家の旗を掲げて、かつての主人に別れを告げることはできるかもしれない。しかし実際は、援助、投資、専門知識、そしてしばしば基本的な安全保障さえも、昔の支配者に依存し続けるという残酷な現実がある。国際連合、国際通貨基金、世界銀行、世界貿易機関など、一九四五年以降に設立された新世界秩序のグローバル機関は、新旧を問わずすべての国に平等であるかに見えるかもしれない。しかし、その運営は明らかに主要な西側の大国によって、その利益のために行なわれている[11]。

結局、依存の度合いは、それぞれ非常に異なっていた。公式であれ非公式であれ、インドやブラジルのようにまさに高度な独立を果たし、世界経済における主要な大国となった旧植民地がある。一〇〇年以上半植民地化されていた中国はさらに先を行き、前例のない桁外れの発展を遂げて、世界最大の経済大国、つまりアメリカ合衆国に挑戦するまでになった。他方、ほとんどのアフリカの国家は、相変わらず外部勢力(アメリカやヨーロッパだけでなく現在は中国)に強く依存している。以上の例からも明らかなように、ポストコロニアル社会によって形成される「第三世界」と言ってもそれは一つではなく、多数の発展しつつある世界が存在している。ヨーロッパの諸国家は、かつての植民地と「特別な関係」を維持しようとし続けるだろう。たとえばフランスはフランス語を話す「フランコフォニー」の国々と、イギリスは英連邦の国々と。しかし、旧植民地の政治を思い通りに動かせるかどうかは、自分たちではどうにもならない多くの諸条件に左右される[12]。

経済的・政治的依存がポストコロニアル状況の一つの特徴だとすれば、多くの国々にとってより深刻な遺産は心理的・文化的依存である。こうした考え方からすれば、「精神の帝国」は経済や政治の帝国よりも執拗に残り続けると言える[13]。すなわち、植民地主義は身体を拘束するだけではない。それは精神を捉え、植民地臣民を根深い植民地心理を持つように再処理された生き物に仕上げた、と彼らは主張する。植民地主義は被支配民の心奥に入り込んだ。このような遺産は、経済的、もしくは政治的な依存よりも取り除くことがはるかに難しい。

この方向で検討されたテーマの多くが、エメ・セゼールが簡潔な詩的散文で書き上げた先駆的な『植民地主義論』(Cesaire［1950］2000)で言語化されている。人はこれを第三世界のためのヨーロッパへの「宣戦布告」と呼んだ。セゼールは、フランスの海外県であるマルティニークから基本的な考え方を打ち出したのだが、それは、植民者は被植民者と同じくらい植民地主義に冒されているというものである。「植民地化は植民者を非文明化し、文字通りの意味で非人間的にしてしまう」のである(2000: 35)。これがセゼールの言うところの「ブーメラン効果」に他ならない。植民者は被植民者を動物として扱うことで、「客観的には、自らを動物へと転じる傾向」を示す(2000: 41)。

しかし、セゼールにとって切迫した問題関心は被植民者の苦境であって、植民者のそれではなかった。被植民者は植民地主義の毒に冒されていた。彼らは白人の優越性を受け入れ、自分たちを劣った存在であり、白人の指導に依存すべきだと考えるようになった。ヨーロッパの政治的支配を打破するだけでは決して十分ではなかった。より重要な課題だったのは、ケニアの小説家グギ・ワ・ジオンゴの一九八一年の本のタイトルを借りれば、「精神の脱植民地化」である。それは、被植民者を政治的依存につきものの精神的依存から解放することを意味する。植民地化とは「モノ化」、すなわち被植民者を植民者のための単なる「生産道具」に変えることであり、これこそが肉体的な動物化の裏面とも言うべき精神的動物化である。セゼールは述べている。「私が言っているのは、巧妙に恐怖を植え付けられ、劣等感を抱き、震え、跪き、絶望し、下僕のようにぺこぺこするよう教え込まれた何百万もの男たちのことである」(Cesaire 2000: 42-43)。

フランツ・ファノンもマルティニークの出身である。だが彼が『地に呪われたる者』(Fanon [1961] 1967)で発したメッセージはより大きな衝撃をもたらした。専門訓練を受けた精神分析家であり、アルジェリアの反植民地闘争に参加したファノンは、セゼールに多くを負っていたが、彼らに共通する思想をより綱領的に展開した。実際に、精神的・心理的依存は大問題であった。しかしファノンが提示した解決法は、大いに議論を呼んだ。というのも、彼は単に批判的な自省ではなく、暴力による粛清、それも「浄化の力」としての暴力の必要性を訴えたからである。「被植民者は暴力のなかで、暴力を通じて自由を得る」。暴力を通じてのみ、被植民者は植民地的態度の悪夢を追い払うことができる。「かく努めるということは、[白人]入植者の死のために努めるということである」([1961] 1967: 67-68)。[14]

同書のフランス語の原書には、著名なフランスの哲学者ジャン＝ポール・サルトルの序文が付されているが、これがファノンのメッセージの伝播に大きな役割を果たした。サルトルによれば、ファノンのなかに「第三世界は自らを見出し、彼の声を通して自らに語りかける」。サルトルはファノンの暴力への呼びかけを支持し、こう述べた。

先住民は、武器を取って入植者を追っ払うことで、植民地の神経症を治癒する。その怒りが沸点に達したとき、先住民は失われた純朴さを再発見し、自分自身が自ら創造することで自らを知るようになる。彼らは自らの意志で、ゆっくりと、しかし着実に、反逆者の解放を成し遂げる。しかし、彼らは自らの意志で、先住民の戦争からかけ離れたところにいて、我々はそれを野蛮の勝利だと考える。自らの内部に、自らの周囲に巣食う植民地的な陰鬱さを、彼らは一つまた一つと破壊していく(略)。反逆者の武器は、その人間性の証明である。反乱の最初の数日間は、殺さなければならない。ヨーロッパ人を銃撃することは、一つの石で二羽の鳥を殺すに等しく、抑圧者と抑圧者が抑圧している人間を同時に破壊することである。そうして死んだ人間と自由な人間が残る。生存者はそこで初めて、自分の足下に国土を感じるのである(in Fanon［1961］1967: 18–19)。

ファノンのメッセージを、批評家たちは一種の「革命的メシアニズム」とみなした。それはサルトルに支持されることによって世界中に、ラテンアメリカや東南アジアの革命家たちのところにも、アメリカ合衆国の黒人たちのところにも届くに至った。彼らは皆、ファノンの植民地状況の診断に自分たちの苦境が映し出されていると感じたのである。この分析は、著名なパレスチナ系アメリカ人の文学研究者エドワード・サイードによって、今度は学術的な言説のレベルで、さらに広く知られるようになった。彼は広範な読者を獲得した『文化と帝国主義』でこう述べている。ファノンは「誰よりも劇的かつ決定的に(略)、ネーションの独立から解放理論への巨大な文化的転換を表現している」(Said 1994: 323–324)。ファノンが明らかにしたのは、被植民者にとってネーションの独立は決して十分なものではなく、罠にさえなりかねないということであった。「正統的ナショナリズムは帝国主義によって切り開かれた道と同じ道をたどっている」(Said 1994: 330)からである。

宗主国社会における帝国のその後

サイードは、『文化と帝国主義』以前に書いた同じように影響力のある著書『オリエンタリズム』(Said 1979)で、帝国が宗主国の人々、つまり帝国を支配していた人々に与えた影響について考察している。そこでは、帝国の経験が、植民地支配者たちにオリエント(サイードはおもに中東の文化を例にしている)に対する特別なイメージを与えたことが大きなテーマとなっている。サイードによれば、オリエントは、オクシデントと対比的に、退廃的で劣っており、脆弱で女々しく、従属的な地域として描写されてきた。「オリエンタリズムとは、オリエントに関するヨーロッパあるいは西洋の知の体系であり、(略)ヨーロッパのオリエント支配と同義である」(Said 1979: 197)。このような考え方がどのような帰結をもたらすのかは、とくにアラブ世界の人々に対する現在の態度や政策を見ればわかる。サイードが同書を執筆したのは、二〇〇一年九月一一日にニューヨークの世界貿易センタービルとワシントンDC近郊のペンタゴンが同時多発テロに見舞われる以前のことである。しかし彼は、この事件をきっかけに西側世界の大半を襲った猛烈なイスラーム恐怖症を予期していた。

イスラーム世界がヨーロッパの諸帝国を意識したのも当然であった。第一次世界大戦までにイギリスはインド、アフリカその他の地域で、世界のイスラーム教徒の半分以上を支配していたからである。その数は戦後の国際連盟によってイラク、ヨルダン、パレスチナにイギリスの委任統治領が設定されたことによって増加し、イギリスはまさに「世界最大のイスラーム大国」になった(Aydin 2017: 83)。他にも、北アフリカのフランス帝国、インドネシアのオランダ帝国には多くのイスラーム教徒が住んでいた。このようなヨーロッパ諸帝国の経験に、イスラーム文明を創造性に欠け退嬰的だとみなしたヨーロッパのイスラーム蔑視が重なったことが原因となって、一九世紀末のイスラーム思想ルネサンスや、かつて科学の発展と啓発的思想で世界を導いた共通イスラーム文明という観念が起こったのである。ジェミル・アイディン(Aydin 2017: 65–98)によると、こうした観念が発生したのはそのときが初めてであった。このような背景を考えると、近年イスラーム教徒の誇りが再び主張され、オスマン帝国の終焉以来消滅していたカリフ制が新たに求められるのも(それが暴力的で、ときにテロの形態をとることはあっても)、さもありなんと言うべきである。[15]

イスラーム教徒は、多くの人々が宗主国社会における最も明白で可視的な帝国の遺産とみなす現象にとっても、重要な役割を果たしている。いわゆる「逆植民地化」であり、これはヨーロッパの旧帝国に住む何百万という人々がヨーロッパの帝国の中心部に移民としてやって来ることを言う。フランスには北アフリカとサハラ以南のアフリカのイスラーム教徒やその他の人々、オランダにはインドネシアとカリブ海の移民、イギリスにはインド亜大陸(インド、パキスタン、バングラディシュ)、アフリカ、西インド諸島の移民が押し寄せている。そしてこれらの人々が相まって、イギリス、フランス、オランダの主要都市の多くで相当大きなマイノリティーを形成しているのである。ベルギーとポルトガルも、今や旧帝国から大量の移民を迎え入れている。

移民がすべて黒人や褐色人だというわけではない。旧帝国で農民、貿易商、教師、役人、兵士として働いた白人の引揚げ者や帰国者もいる。ただし、引揚げ者や帰国者という言い方は誤解を与えるかもしれない。これらヨーロッパ人の子孫たちのほとんどは(彼らはラテンアメリカではクリオーリョと呼ばれることだろう)、ヨーロッパの外で生まれ、それまで「祖国」を訪れたことさえない。彼らにとって「祖国」との出会いは不安や心配の種となることも多く、たとえばイギリスへの帰国者のなかには、祖国の社会生活に大変な違和感を覚え、早々にオーストラリア、ニュージーランド、南アフリカといった白人の住む「イギリス文化圏」に移住する者も多かった(Buettner 2016: 226-227)。

第二次世界大戦後の四〇年間に旧植民地から西ヨーロッパにやってきた五四〇万人から六八〇万人のうち、三三〇万人から四〇〇万人がヨーロッパ人またはユーラシア人であった。つまり、全体の半分以上である。ポルトガルだけでも一五〇万人の引揚げ者を受け入れており、それによってポルトガルの人口九〇〇万人が一五%以上増加した。これはヨーロッパ社会における最大の脱植民地化による移民である。フランスもまた、一九五〇年代初頭から一九六〇年代半ばにかけて、一五〇万人の引揚げ者を受け入れ、それはフランス本国のフランス国民四四〇〇万人のうち三%以上を占めるに至った。そのうちの一〇〇万人がフランス領アルジェリアの植民者の子孫、すなわちピエ・ノワールである。イギリスでは、一九九一年の人口調査によると、五六万人以上の旧イギリス植民地出身の白人、および二万五〇〇〇人ほどのユーラシア人(おもにインド系イギリス人)が記録されていた。オランダでは、旧オランダ植民地出身(そのほとんどがインドネシア)のヨーロッパ人とユーラシア人が三〇万人がいた。そのなかには混血の「インドネシア系オランダ人」約一八万人も含まれている。ベルギーの場合、一九六〇年のコンゴからの急激な撤退に続く暴力と混乱によって、それまでコンゴに居住していた八万九〇〇〇人のヨーロッパ人のほぼ全員がベルギーに大挙して押し寄せて来た(Buettner 2016: 213-250)。

エリザベス・ブートナーを除き、こうした白人の引揚げ者の経験を調査した研究者はほとんどいない。

彼らは「祖国」に簡単に吸収されてしまったか、もしくはその数があまりにも少なく相手にしても仕方がないと思われたのである。さらに多かったのは、彼らがある種の物笑いの対象となり、チェルトナムやバース(またはフランスのマルセイユ)で植民地幻想を演じていると思われたことである。いずれにせよ、彼らが抱える問題は、数百万に上る旧植民地出身の黒人、褐色人の移民、移民の子孫の問題に比べると大したことがなく、重要性に欠けるかに思われた。イギリスでは、二〇一七年に約五〇〇万人、すなわち人口の七%が旧イギリス帝国領アジア、西インド、アフリカからの移民(その大半がインド、パキスタン、カリブ出身)の第一世代、もしくは第二世代である。フランスも似たような数を示している。人口の七・八%が旧フランス植民地(おもに北アフリカとサハラ以南のアフリカ)から陸続とやって来た。オランダ、ポルトガル、ベルギーも、旧植民地であるインドネシア、アフリカ、西インドから大量の非西洋人の移民を受け入れた。

控えめな言い方をすると、これらの「有色人」の移民の人生は波瀾万丈であった。[16] オランダやイギリスなどは、それぞれの集団が自らの伝統と生活スタイルを保持する「多文化」社会を作ろうとした。そこでスローガンとなったのは、「同化」ではなく「統合」である。しかし、こうした試みはとくに九・一一以降、多くのヨーロッパの都市でイスラーム教徒に対する白人の疑念や敵意が増加してから、暗礁に乗り上げることになった。こうした白人の態度を見て、イスラーム教徒のコミュニティー、とくに若者が過激化したのも無理からぬことだった。なかには、アルカーイダやISISなどのイスラーム過激派に参加する者たちもいた。過激化した行動の大半は、監獄、モスク、郊外(フランスの都市では実質的にイスラーム教徒のゲットーになっている)など自分たちの住んでいる場所で暴発した。

ロンドンでは、二〇〇五年七月七日(事件に言及するときに七・七と呼ばれる)、三人のイギリス出身のイスラーム教徒がロンドン市内のバスや地下鉄に爆弾を仕掛け、五六人を殺害した。二〇一七年三月二二日、混血の改宗イスラーム教徒を乗せた車がウェストミンスター橋で五人の通行人をはね、一人の警官を刺殺した。二カ月後の同年五月二二日、ここでもイギリス出身のイスラーム教徒が自爆テロによってマンチェスターのコンサート会場にいた二二人を殺害し、五九人を負傷させた。二〇一七年六月三日、パキスタン生まれのイギリスのイスラーム教徒がロンドン橋で人々を襲撃して七人を殺害し、四八人を負傷させた。以上の攻撃はすべて、イギリスがアメリカのイラク、シリア、リビアへの空爆を支持したことに対する復讐だと考えられた。

アングロ＝サクソン流の多文化主義を否定し、昔ながらの同化政策を高らかに支持したフランスは、さらにひどい状況に陥った。とくに衝撃的だったのは、二〇一五年一月七日に風刺新聞『シャルリー・エブド』のジャーナリストら一二人が、フランス出身のイスラーム教徒によって殺害された事件である。それから数カ月後の二〇一五年一一月一三日には、パリのバタクラン劇場の襲撃をはじめ同時多発テロが発生し、フランス出身のイスラーム教徒によって一三〇名が殺害された。二〇一六年七月一四日には、チュニジア生まれのイスラーム教徒がニースでトラックを運転して群衆に突っ込み、八六人を殺害、四五八人の負傷者を出した。これらの攻撃は明らかにシリアとイラクにおけるＩＳＩＳに対するフランスの介入が原因であったので、そこに帝国の反響、つまり中東での長きにわたるフランスの存在の反響を見出す論者もいた。フランスにおける社会学の大家であるエドガール・モランはこう述べている。「中東は、今や明らかにフランスの中心部に存在する」。だが実行犯のなかにはアルジェリアの出身者もいたし、パリ警察がバタクラン襲撃犯の立てこもった郊外のサン＝ドニ地区を急襲したさい、多くの人々が、「一九五七年にアルジェリアで民族解放戦線のテロリストを一掃したアルジェの戦いが、いまパリの郊外で行なわれているようだ」と語っている(Gildea 2019: 228, また200–202, 223–231, 240–241)。これは帝国の逆襲であり、復讐である。

多文化主義が終焉を迎えたのは明らかだった。少なくとも、多文化主義はもはやこれまでと同じものではなかった[17](Kumar 2008)。その結果、相互のコミュニティーが切り離され、各々どのようなことが起こっているかを知ることがないからである。法的、もしくは市民生活における「統合」は立派な目標だったかもしれないが、諸集団が相互理解を不可能とするようなコミュニティーの内部で生活するのであれば、それは到達不可能である。フランス流の「同化」も異なったアプローチが必要である。政教分離(ライシテ)と世俗的共和主義に関するフランスの考え方はあまりにも厳格で、ポスト帝国のあらゆる社会に内在する高度の文化的多様性を受けとめることができない。とはいえ、ある種の同化政策は、目下多くのヨーロッパ社会を脅かしている細分化と分断に対して、ますます不可欠になっていると感じる人々も多い(Brubaker 2015: 119–154)。

「逆植民地化」は、旧宗主国における帝国残滓のほんの一側面(ただし明らかに最も可視的で、ある意味最も意義深い)に過ぎない。帝国後の痕跡は、建築、大衆文化、映画とテレビ、スポーツ、ファッション、君主制、外交政策など、他の様々な分野にも見受けられる[18]。郷愁はそうした特徴の一つであるが、最も支配的というわけではない。より重要なのは、国際環境が変わりつつあることの認識であり、帝国研究によって得られる、帝国との付き合い方である。

帝国に未来はあるのか?

二〇一四年七月のイギリスの世論調査では、回答者の五九%がイギリス帝国を「誇るべき」だと考えており、恥ずべきだと考えているのはわずか一九%だった(Gildea 2019: 235-236)。この数字は数年来の傾向にそったものである。帝国は一時期な記憶喪失と無関心に陥ったのち、再び関心と注目を集めるようになった。それはなぜだろうか。

国民国家は、長きにわたり帝国の当然の後継者とみなされてきた。二〇世紀には、国際連盟と国際連合に象徴されるように、国民国家は近代国家の標準形態、それも唯一正統な形態となった。しかし次第に、それは我々が直面する諸問題を解決するのではなく、生み出しているかに思われてきた。国民国家はここ数十年の間に、かつてないほどの規模で暴力を爆発させている。一九九〇年代のユーゴスラビア紛争、一九九四年のルワンダのジェノサイド、二〇世紀後半から二一世紀前半の中東での凄惨な戦争の数々(たとえば、一九八〇年代のイラン・イラク戦争)などがそうである。二〇世紀初頭、一八七〇年ごろに国民国家として新たに統一されたばかりのドイツとイタリアは、人類史上最も野蛮な行為の一つを引き起こした。今日では、ナショナリズムの情念は世界中で紛争を煽り続けている。イギリス、フランス、ドイツ、イタリアなど、ナショナリズムの情念を克服したと思われていた社会でさえも、その勃興が見受けられる。スペインでは、それが地域間の歴史的な対立を掻き立てている。アメリカ合衆国では、「アメリカ第一主義」がポピュリスト的ナショナリズムのスローガンとなって、国内を激しく分断させている。

帝国には暴力が入り込む余地があったが、帝国は暴力を引き起こすのと同じくらい、それを抑制する機能も有していた。確かに、帝国にとってナショナリストは、その安定を脅かすだけでなく、帝国秩序の土台たる超ネーション的あるいはマルチナショナルな原理そのものを脅かすものであった。これとは対照的に、ウィルソン流の民族自決の原則は本質的にはリベラルであったが、実際にそれがもたらしたものといえば、果てしない紛争と戦争(その多くは内戦)であった。実に内戦は、現代の典型的な戦争として国際戦争に取って代わっている(Fearon and Laitin 2003: 75; Armitage 2017: 1–8)。ここでデイヴィッド・アーミテージが指摘する一つの逆説を紹介しよう。彼によれば、「世界が普遍的な人間性というコスモポリタンな理想に近づけば近づくほど、国際戦争、さらには世界規模の戦争がより本質的な存在になる」(Armitage 2017: 198)。

この「本質」部分がエスニシティーや国民性に関係している。世界に向けて自分たちが一個のネーションであることを合理的に主張できる集団は、それがどのような集団であれ、国民としての独立と国家としての地位を求める闘争において、自らの正統性を確信することができる。ケベック、カタルーニャ、スコットランドから東ティモール、コソボ、南オセチア、沿ドニエストル共和国、ボスニアのスルプスカ共和国に至るまで、様々な集団がそれぞれ、自分たちが他とは区別されたネーションであり、必要ならば武力に訴えてでも自らに固有の国民国家を創設する権利があると主張してきた。そして何千人もの人々が、権利の主張に続く紛争の犠牲となって死んだ。その結果できた国民国家が、小さ過ぎたり弱過ぎたりして自分たちだけの力では生存できず、そのため強力な庇護者の保護を必要としたことは問題ではない。そうした庇護者の役割を買って出たのが、南オセチアと沿ドニエストル共和国にとってのロシア人、コソボ、スルプスカ共和国にとっての国際連合である。もしスコットランドとカタルーニャがイギリスとスペインという複合国家から分離すれば、彼らもその生存を確実にするためにＥＵを必要とすることだろう。

その主張の正当性や有効性はどうであれ、ナショナリズムの原理は、絶え間なく不断に続く紛争の未来を約束している、あるいはその前兆となっている。そのことは、国民国家を超えたり、別の選択肢を提供したりする政治組織が模索される理由としては充分ではないだろうか。たとえば国際連盟と国際連合は、二つの世界大戦の悲惨な結末を受けて、国民国家の作用を制限し、監視する試みであった。しかし、どちらも成功とは言い難い。国際連盟には構造的な弱点があり、国際連合は安全保障理事会を通じて実質的に大国に支配され、国連総会は単なる弱小機関に成り下がっている。一九九〇年代に、NATO軍は国際連合の決議なしに主権国家であるセルビアを爆撃した。二〇〇三年にアメリカ合衆国とその同盟国がイラクに侵攻したときも、国際連合の容認はなかった。当時事務総長を務めていたコフィ・アナンはこう述べている。それは「国連憲章の精神からすれば(略)、不法である」(BBC News, September 16, 2004)。

そう考えると、国民原理に基づかない政治組織を模索するにあたって、可能なモデルを引き出すべく帝国の歴史と構造がこと細かく検討されるようになったのも不思議ではないのかもしれない。いずれにせよ帝国は、ほぼその定義からして、超ネーション的でマルチナショナルな存在だからである。帝国から何かを学ぶことができるだろうか。こうした問いを早い時期に表明したものとして、アメリカの経験豊富な政治家で歴史家のジョージ・ケナンの発言がある。一九七九年、彼は「オーストリア＝ハンガリー帝国は、そのいかなる後継国家より、世界のあの地域の絡み合った問題の解決策として、いまだすぐれているように見える」と述べている(Kozuchowski 2013: 168所収)。オーストリア＝ハンガリー帝国(つまりハプスブルク帝国)は、多くの論者に好まれた事例である(Miller-Melamed and Moreton 2019)。オスマン帝国も、自治共同体が作るミレット制度と、様々な宗教と文化に対する一般的な寛容政策のため、とくに現在のトルコ政府のイスラーム化傾向との対比で、好意的に受け止められている(Onar 2015: 151–152)。歴史家のニーアル・ファーガソンは、イギリス帝国をグローバリゼーションの初期の段階、すなわち「アングローバリゼーション」の段階とみなし、現在のグローバリゼーションを理解するためのモデルとして提案している(Ferguson 2004: xx–xxxviii)。新疆ウイグル自治区に住むイスラーム教徒のウイグル族は中国共産党指導部によって過酷な扱いを受けてきたが、それに対しては批判的な意味も込めて、中華帝国のはるかに知的で効果的な政策と比較されてきた(Millward 2019)。

ハプスブルク帝国崩壊前夜の一九一七年、オーストリアの偉大な詩人で劇作家であるフーゴー・フォン・ホフマンスタールは「新たな自己形成を目指すこのヨーロッパは、オーストリアのようになることが必要である」と述べた。「オーストリア的観念」の熱烈な信奉者であったホフマンスタールによれば、ハプスブルク帝国には「真に融通無碍な構造」が備わっており、それによって帝国は東西ヨーロッパに橋を架けることができた。そしてその「流動的な国境線」のおかげで、ゲルマン、ラテン、スラブの民族と文化を交差させることができたのである(in Le Rider 1994: 122)。それから年月を経て、一九九〇年代にはもう一つの中欧知識人であるアーネスト・ゲルナーが、ナショナリズムの必要性を主張した以前の見解を幾分か改め、ハプスブルク・モデルに類する何か、つまり「グローバルなハプスブルク帝国」のようなものを基にした世界の再編成を訴えた。不幸にも、マルチナショナルなソ連とマルチエスニックなユーゴスラビアが崩壊してしまったからだ。ゲルナーは、ハプスブルク帝国領ガリツィア生まれの人類学者ブロニスワフ・マリノフスキーのハプスブルク帝国(ゲルナーによればそれは「武力を備えた国際連盟」である)に寄せる熱意にも触発されつつ、これ以上ないほどのマルチエスニックでマルチナショナルな世界の状況に対して、ある挑発的な解決策を提示した。それは「単に全員を植民地化して、すなわち個々の政治集団から主権を奪いながら、絶対的な文化的表現の自由は許可すること。その結果、国境はその何らかの重要性と象徴的な力も同時に奪われることになる」(Kumar 2015: 80)。[19]

「国境なきヨーロッパ」は、EUが常に公言する目標の一つである。したがって、一部のEU加盟国は不快に思うかもしれないが、過去の帝国とEUを比較することがますます一般的になってきている。実際、EUを構成する多くのヨーロッパの国家にとって、EUは一九四〇年代と一九五〇年代に彼らが失った帝国の代用品だったと説得的に主張することも可能である。「帝国は死んだ。EU万歳」という皮肉たっぷりな発言は、ポルトガルの反体制派で、サラザール支配下のポルトガル帝国(一九七〇年代まで続いた)を逃れて亡命していたアントニオ・デ・フィゲイレードのものである。ポルトガルは、最終的に帝国を放棄すると、巨大な収入源として、また新たなアイデンティティーの提供元としてすぐさまEUに飛びついた(Buettner 2016: 208–210)。さらに野心的だったのはフランスである。フランスは、EUを旧敵ドイツを封じ込める手段とみなしていただけではなかった。ド・ゴール将軍をはじめとする人々にとって、EUはベネルクスから中欧に広がるナポレオン帝国の復活に等しく、フランスがそこで指導的な役割を与えられることを望んだのである。彼らの考えでは、またそれはかつての帝国支配者たちも同じだったが、「植民地は失われた。しかしヨーロッパにおける新しい未来が招き寄せられて」いたのである[20](Gildea 2019: 260, また 145; Wesseling 1980: 131–132)。

マルチナショナル、または超ナショナルな組織であるEU(困難に陥ったこともあったが、この種の組織としては最も成功したものの一つ)は、ハプスブルク帝国と比較されることも多い。EUは東方拡大によって今や実質上旧ハプスブルクの領土のほぼすべてを含んでおり、EUを通じた「ヨーロッパの連邦化」

は、多くの人々にとって、ハプスブルク帝国末期にその連邦化を目指した数多の図式とまさに瓜二つである(Kozuchowski 2013: 19)。より頻繁になされているのは、EUを、ハプスブルク家が数百年にわたって支配した政治体制、すなわち神聖ローマ帝国になぞらえることである。その点で示唆的だったのは、一九八九年に「ヨーロッパは神聖ローマ帝国の遺産で生きている」と発言したのが、他ならぬハプスブルク家の当主であり、ヨーロッパ議会の議員でもあったオットー・フォン・ハプスブルクだったことである。

この発言を引用したジェームズ・リーは、実際にEUを「ハプスブルク帝国の大陸規模の復活」だと考えていた(Leigh 2005: 3, 17)。リーを悩ませたのは、それがローマに始まり、キリスト教を受け継いで、力ずくで世界を支配しようとした「ヨーロッパ帝国」の二〇〇〇年の伝統の再来だからである。他方、ヤン・ジーロンカにとって、神聖ローマ帝国は、EUについて思考するさいに参照を勧めているモデルの賞賛すべき一事例であった。彼はそのモデルを「新たな中世帝国」と呼んでいる。彼の考えでは、EUは超国家、「新たなウェストファリア国家」(一六四八年のウェストファリア条約で確立した絶対的な国家主権の原理を組み込んだ国家)とみなすべきではない。それはむしろ、中世のヨーロッパ帝国、すなわち「複雑な契約や誓約によって権限が定義された、多種多様な準主権と重層的な階層秩序が作るパッチワーク」なのである[21](Zielonka 2007: 145)。

「アメリカ帝国」――帝国としてのアメリカ？

「ヨーロッパ」、つまりEUを新たな帝国と考えることができ、中国やロシアが帝国的傾向を示しているとしたなら、今日、他にも帝国の例はあるのだろうか？　もちろん、そのどれもが自らを帝国と呼ぶことはありそうにない。今では帝国は、実に汚れた名称である。しかし、必ずしも帝国と呼ばれずとも帝国ではありうるのではないだろうか。帝国という名称がなくとも、帝国として振る舞うことも、さらには帝国を想起させる言葉で自己を顧みることも可能なのである。「非公式帝国」という概念はまさにこうした考え方に基づいている。本書では、こうした極めて狡猾な道筋は辿らないことにしたが、少なくとも一つの事例についてはこの議論を検討する価値があるようだ。それは帝国のイメージを否応なしに呼び起こすこの国の世界的な、また歴史的な重要性ゆえである。この国とは、アメリカ、より厳密に言えばアメリカ合衆国のことである。

九・一一以降、またとくにアメリカが二〇〇一年にアフガニスタン、二〇〇三年にイラクに侵入して以降、「アメリカ帝国」について語られることが多くなった。[22]政府の報道官はなんとかそのレッテルを否定しようとし、当時の大統領ジョージ・W・ブッシュも「我々は帝国勢力ではない」と断言した。また国防長官であったドナルド・ラムズフェルドもブッシュの発言にはっきりと賛同の意を示し、「我々は植民地勢力ではない。我々は一度も植民地勢力ではなかった」と述べている(Ferguson 2005: ix, 1)。しかし多くの人々、たとえばイギリスの歴史家ニーアル・ファーガソンなどのような人々にとって「今日のアメリカは帝国である」。確かに、その圧倒的な経済力と軍事力によって、「今日のアメリカほど強力な帝国はかつて存在しなかった」(Ferguson 2005: 286, 289)。しかし、それは「特殊な帝国」、「あえてその名を口にし得ない帝国」、「否認する帝国」である(Ferguson 2004: 381)。よく引用されるのは、ジョージ・W・ブッシュ大統領の上級顧問を務めた人物の夢見がちなつぶやきである。「我々は今や帝国であり、我々が行動するとき、我々自身の現実を創造する。そしてあなた方がその現実を研究している間に

(略)、我々はまた行動し、別の新しい現実を創造する(略)。我々こそが歴史の行為者であり(略)、そしてあなた方、いやあなた方すべては、ただ我々のなすことを研究することしかできない」(Suskind 2004: 51)。これはまさに、ジョージ・オーウェルの『一九八四年』に登場する党幹部オブライエンの大仰な戯言(「我々が自然の法則を作る」、「我々があらゆるレベルの生命を支配する」など)を彷彿とさせる発言ではないだろうか。とくに息子の方のブッシュ大統領の時代(二〇〇一―〇八年)に、アメリカは自らの似姿に合わせて世界を作り変えたいという、度々沸き起こる願望に力強く回帰したように見えた。一九九一年には主要なライバルであったソ連が崩壊し、アメリカが「孤独な超大国」となったいま、この任務は一見すると容易になったかに思われた。名目はともかく、実質的に世界帝国へとアメリカは手招きされていたからである(Bacevich 2002; Vivek 2004: 435-436)。

アメリカが帝国である、もしくはそのように扱うべきであるという主張は、アメリカは今も昔も帝国ではあり得ないという長い伝統を持つ考え方と衝突する。というのも、もしアメリカが帝国であるならば、それは一八世紀に植民地権力、すなわち当時のグレートブリテン王国に対して反植民地闘争を行なった自らの建国の基盤を否定することになるからである。帝国に抗して建国した国家が、いかに帝国であり得ようか、帝国を希求し得ようか。このような議論は当時から繰り返されてきたが、それがとくに顕著になったのは、一八九八年の米西戦争以来、すなわちアメリカに海外帝国建設の機会と能力の両方が与えられて以来のことだった。一八九九年、アメリカが近年獲得したフィリピンの未来について思いをめぐらせていたとき、イギリスの詩人ラドヤード・キプリングはある詩のなかで、アメリカに「白人の重荷」を担い、疲弊したヨーロッパから帝国支配を引き継いで世界を文明化する任務を遂行するよう呼びかけた。だがアメリカはその機会をつかもうとはしなかった。そのことが、アメリカの反帝国的な性格の何よりの証拠であるとも考えられてきた。ウッドロー・ウィルソンとフランクリン・ルーズベルトという二人の大統領の激しい反帝国的な声明が引き合いに出されることも多かった。彼らが心底ヨーロッパの帝国に反対しており、それを終わらせようと努めたのも確かである。[23]

実際、一八九八年に選択の時が訪れたとき、アメリカは旧スペイン植民地のフィリピンとキューバをアメリカの植民地にはしなかった(ただしフィリピンはアメリカに数十年占領され、キューバに対しても非公式ながらも相当程度の支配が行なわれた)。同じく重要なのは、旧スペイン植民地のプエルトリコが、併合はされたもののアメリカの植民地にはならず、アメリカという国家に組み込まれたことである(ただし完全な権利をもつ州としてではなく、自治連邦区という変則的な地位によって)。グアム、アメリカ領サモア、アメリカ領ヴァージン諸島、北マリアナ諸島および他の太平洋の領土などの、いくつかの比較的小さな「海外領土」(「植民地」と呼ばれないのが示唆的である)を除けば、アメリカはヨーロッパのライバル国とは異なり、今も昔も海外帝国を形成していない。[24] その事実こそ決定的だと考える人もいる(King 2006)。

しかし、海外植民地の所有は、もちろん帝国としての唯一のあり方ではない。たとえば、ロシアでは皇帝が陸上帝国の建設を開始し、ソ連がそれを引き継いだが、アメリカも同じような過程でその領土を拡大してきたことからすれば、アメリカを陸上帝国とみなすことはできないだろうか。もしくは、初期の論者たちが一般的に考えていたように、アメリカもローマもともに帝国としての宿命と文明化の使命をもっていたのだから、アメリカを新たなローマとみなすことはできないだろうか(Ferguson 2005: 33-35)。これこそ、アメリカの歴史のなかに恒常的な帝国への衝動(しかし遠くの海外領土ではなくより近隣に向けられたものとして)を見出す人々が確信していることである。まさにその歴史の初めから、またはイギリス支配を脱する前からすでに、アメリカはアパラチア山脈を越えて西方へ、カリブ海とラテンアメリカに向けて南方へと眼差しを注いでいた。一七八三年にイギリスの軛を脱して以降、自由となったアメリカはこの夢を追求してきた(Taylor 2016)。確かに独立の大義名分をなしたのは、当時イギリスを席巻していた奴隷廃止論によってアメリカの奴隷制が脅かされていたことである。それはもちろんであるが、さらにそこには、イギリスという帝国支配者の押し付ける地理的な拘束から抜け出したいという欲求もあったはずである。イギリスから解放されたことで、アメリカはもう一つ魅力的な獲物を見出した。北方への進出である。北アメリカからイギリスを一掃するために、その支配の最後の砦たるカナダを征服してはどうか、ということが真剣に検討されたのである。

ただし、新生アメリカ合衆国の領域的拡大は、土地の購入を通じてなされる場合もあった。ルイジアナは一八〇三年にフランスから、フロリダは一八一九年にスペインから、アラスカは一八六七年にロシアからそれぞれ購入された。しかしこれら領土の購入は、西、南、北西への進出を目指すより大きな計画の一部をなすに過ぎなかった。ルイジアナという広大な領域の獲得は(これで若き共和国の領土は二倍に膨れ上がった)、トーマス・ジェファーソン大統領の支援するルイス&クラーク探検隊の大陸横断事業に呼応したものであり、アメリカはこれによって、急速に太平洋に進出することが可能になった。アメリカはこうして大陸の空間を埋めることができたが、それはヨーロッパ諸国の帝国形成と非常に似たかたちで進められた。すなわち、先住民の排除(ときに根絶に近いところまで進んだ)と隣人との戦争である。イギリスもインディアンの自由を制限したり、追放したりしながら、またフランス人と戦って敗北させたりしながらアメリカに海外帝国を打ち立てたが、同様にアメリカも、似たような手段で、今度は自分たちが陸上帝国を拡大したのである。

アメリカの白人は、いくつもの条約を通じて(だがいつも決まって反故にする)、またときに凄惨な対インディアン戦争によって、着実にインディアンを先祖伝来の土地から追い出し、しばしば大陸内で居住に最も適さないような場所を保留地に設定して、彼らをそこに閉じ込めた。その過程で、多くのインディアンが生命をすり減らし、堕落していった。病気とアルコール中毒の餌食となったのである。それこそアメリカの帝国的使命の成就であると確信したフロンティアの新聞は、こう言明した。「ローマの崩壊を言い渡した神秘の判事が、アメリカの赤色人種にも絶滅の運命を宣告した」(Kiernan [1978] 2005: 103-104, また一般的には 29-41, 79-104; Mann 2005: 83-98; Weitz 2019: 83-121 も参照)。

同じ運命は、スペインから解放されたばかりのアメリカ南部の隣人、メキシコにも降りかかってきた。一八四五年、最初にテキサス(一八三六年にメキシコから独立)が併合された。それは、ジョン・オサリヴァンが一八四五年の『デモクラティック・レビュー』誌で書いたように、「大陸に拡大するという我々のマニフェスト・デスティニー(明白な運命)」の「成就」であった(Ferguson 2005: 38; McPherson 2013: 32)。「マニフェスト・デスティニー」は、ヨーロッパ人にアメリカ大陸に立ち入らないよう警告した一八二三年の「モンロー・ドクトリン」をより攻撃的に表現したものである。その基本的な考え方は、アメリカはアメリカ人だけのもの、ということである。しかし、多くの人々は「モンロー・ドクトリン」のことを、アメリカが必要に応じて自分の判断で介入する権利をもつという、大陸におけるアメリカの覇権主義を隠蔽したものだと考えてきた。したがって、そうした人々にとって、この宣言は「モンローの帝国宣言」とでも呼ぶべきだということになる(McCoy and Scarano 2009: 65; また Ferguson 2005: 42, 52-53)。

こうした衝動は、一八四六年から一八四八年にかけて現れた。アメリカがメキシコを挑発して戦争に誘い込み、最終的にメキシコに「ヌエバ・メヒコ」と「アルタ・カリフォルニア」を割譲させたのである。これによって、アメリカの領土は二倍に膨れ上がり、メキシコはその三分の一を失った。[25] だが、アメリカがここで終わらずメキシコ全土を併合すべきだという熱烈な要求が沸き起こった。それはなんとか押し留められたが，今度は北方，つまり太平洋北西部のイギリス領カナダに対する権利主張を行なよう要求する声も高まったのである。ジェームズ・ポーク大統領の選挙運動のときのスローガンは「北緯五四度四〇分か，さもなくば戦争」だったが，こうしてカナダ併合に対する要求は活気を帯び，一九世紀を通じて落ち着いてはまたぶり返した(それが最初に起こったのは一八一二年のイギリスとの戦争のとき)。最終的に，アメリカがイギリスからオレゴンを購入し，カナダとの国境は北緯四九度で決着がつけられた。しかし，一八九八年の米西戦争にともなう戦争熱のさなかにまたその夢が浮上したことからして，それは一時的に見えなくなっていただけだということが明らかであった。

運命が，米西戦争においては再び前面に出てきた。マッキンリー大統領によれば「義務こそが」米西戦争を正当化する，すなわち「運命を決定づける」(Hofstadter 1965: 177)のである。そしてアメリカは，神に与えられた「荒野の使命」によって，アングロ＝サクソンの遺産によって，世界における明白な成功によって，世界に文明を広める神聖な義務を負うべく定められているのだとされた。ハーマン・メルヴィルは自身の小説『白いジャケット』(Melville 1850)のなかでこう述べている。「我々アメリカ人は，特別な選ばれた国民である。現代のイスラエル民族と言っていい。我々は，世界の自由の方舟を運んでいる」。それが義務である。そして運命とは，その過去の歴史がすでに示しているように，アメリカが成功する意志と手段をもっていることそのものである。それは「膨張は国民として，また「種族」として相続した財産であり，深く抗いがたい内的必然性」を意味しているのである(Hofstadter 1965: 177)。こうした見解は，一八九八年のハワイ併合によって正当化された。ハワイは当時すでにアメリカ人の定住者によって多少とも植民地化されていたが，太平洋におけるアメリカの存在感がますます大きくなる時期にハワイがアメリカの支配下に入ったことは重要な意味をもった(Ferguson 2005: 46-47)。

しかし一九五九年、最終的にハワイは、アラスカと並んでアメリカの植民地から州へと昇格した。先に見たように、キューバも同じように占領されたがこちらはアメリカの手を離れ、フィリピンも(現地住民は反帝国主義を掲げる有力者たち、なかでもマーク・トウェインのような大物に熱心に支持された)、ときに激しい紛争を繰り返しながら、一世代を経て解放された。プエルトリコはアメリカの領土に止まったが、植民地ではなく、自治連邦区になった。一八九八年、帝国に対する好意的な感情は高いままであったが、アメリカでは反帝国主義者が最終的に勝利した(Hofstadter 1965; Ferguson 2005: 45-60)。アメリカは、当時の主要な帝国勢力であったイギリスやフランスを模範とする海外帝国にはならなかったのである。

しかし、たとえアメリカが海外帝国を形成しなかったとしても、それを陸上帝国とみなすだけの立派な理由がある。その証拠がハワイである。太平洋岸から何千マイルも離れているにもかかわらず、ハワイは、準州としての「お試し」期間を経て、大陸のすべての準州がアメリカの連邦制度に組み込まれたとまったく同じように、完全なメンバーである州としてそこに組み込まれた。その意味において、ハワイはカンザスやモンタナとなんら異なるところがない。アメリカの西方への衝動は、アメリカにおける正真正銘の帝国の本能である。かの有名な「フロンティア学説」を提唱したフレデリック・ジャクソン・ターナーでさえ認めているように、それは必ずしも太平洋で止まるとは限らない。ターナーによれば、フロンティアはアメリカ人の生を「膨張を目指す性質」で満たした。「移動こそ、支配的な事実であり(略)、アメリカ人のエネルギーは、その生存のためにさらなる土地を要求し続ける」(Turner [1920] 1962: 37)。二〇世紀になり、アメリカは月の植民地化を夢みたが、彼らを突き動かしたのは、この長きにわたる膨張の精神なのである。

二〇世紀にアメリカが世界的な大国になると、とくに外側から見たときに、その帝国主義的な性格も顕著になってきた。たとえば、アメリカは、かつてラテンアメリカ、のちに中東に対して行なったように、しばしばあからさまに武力によって他国に介入し、その場合たいていそれが政権転覆へとつながった。秘密裏に武力を行使し同盟相手を支援することもあった。一九五三年のイランにおける首相モハンマド・モサッデクの解任、一九七三年のチリにおけるサルバドール・アジェンデのクーデタによる失脚などがそうである。アメリカはすべての大陸に何百もの軍事拠点をもち、それによって地球を取り囲んでいる。アメリカの巨大な多国籍企業は、その経済力を背景に多くの国々に対して厳格な価格設定の条件や労働条件を課すこともあった。世界を股にかけるアメリカの「ソフトパワー」もある。ハリウッドのスタジオからディズニーランドまで、アメリカの大衆娯楽産業が生み出す生産物は莫大な人気と影響力を誇っている。これらはすべて、ギャラハーとロビンソン(Gallagher and Robinson 1953)が言うところの「非公式帝国」という非常に有力な概念の示す特徴に他ならない。彼らは、一九世紀の世界における非公式のイギリスの力が、公式のイギリス帝国よりもはるかに強力だった理由を説明しようとして、この概念を練り上げたのだった。論者たちは、アメリカが公式なかたちで帝国をもつ、もしくは現在帝国であるということには概して同意しない。だが多くの者が、アメリカが非公式の帝国のあらゆる特徴を帯びていること、つまり「他の手段による帝国」であることには同意している。

「アメリカは近代の反帝国主義のゆりかごであるが、それと同時に強大な帝国を建設した」。これは一九四七年に、ドイツの経済学者モーリッツ・ユリウス・ボンの指摘したパラドックスであり、多くの論者の間で反響を呼んだ(Ferguson 2005: 62)。より新しいところでは、デイヴィッド・アーミテージ(Armitage 2018)が「反帝国の帝国」としてのアメリカについて語っている。結局のところ、アメリカを帝国と呼ぶべきか呼ばざるべきかは問題ではない。明白な事実として、アメリカがその歴史の大半において帝国的に行動してきたのである。北アメリカ大陸では、アメリカは帝政ロシアや清朝など他の陸上帝国と非常に似たようなかたちで拡張してきた。海外領土はそれほど多く獲得しなかったが、非公式な手段や可能な限りの「ソフトパワー」によって、また必要だと判断したときには、積極的な武力介入によって世界中にその力と影響力を展開してきた。つまり、アメリカは、そう名指すかどうかは別にして、事実上は帝国だったのである。二一世紀初頭の状況において、アメリカがこのような枠組みで考え、行動するのをやめたという徴候もない。

実際、帝国の時代の終わりを想像するのは難しい。いずれにせよ、もし実際に独立した、主権的な国民国家があったとしても、それは現実というより願望であり、「国民国家の勝利」は今から考えると非常に短命であったようにみえる。確かに、国民国家は一九世紀と二〇世紀に正統性を獲得した。しかし、実質的にこの時代の全体において、一九六〇年代およびそれ以降に至るまで、国民国家は帝国をともなっていた。もしくはまさに帝国に監視されていた。ヨーロッパの帝国が解体したあと、それを引き継いだのはアメリカとソ連である。そして一九九一年に今度はソ連帝国が消滅すると、アメリカは束の間「孤独な超大国」となった。しかし、それ以来、他の競争相手も勃興し始めた。その筆頭に来るのが中国である。さらにEUにも可能性があるかもしれない。別のライバルとしては、イランやサウジアラビアが主導する復活したカリフ制も考えられる。つまり結局、ニーアル・ファーガソンがイギリス帝国に関する書物の結論部分で述べている真実を否定するのは難しいのではないだろうか。それによれば、「好むと好まざるとにかかわらず、そしてそれを誰が否定しようとも、帝国は、イギリスが近代世界を支配し、作り上げてきた三〇〇年間を通じて現実であったように、今日においても現実である」(Ferguson 2004: 381)。

本書序文の冒頭で、ジョン・ダーウィンにも参照を求めつつ、人類史の大半において帝国が政治組織の「デフォルト」であったと指摘しておいた。したがって、帝国が今日においても支持され続けているとしてももちろん驚くには当たらない。これは疑いなく多くの人々を不安に陥れる。しかし同時に、混乱の度を深めていく世界において、帝国が何らかのかたちで、秩序にとって必要だと考える人も出てくるだろう。国民国家は世界史の終着点ではないし、そうではありえない。もし国民国家が完全に勝利すれば、国際的なアナーキー状態と、国内および国家間の不断の暴力がもたらされるであろう。誰もがポスト国民国家を探し求めている。帝国は、その様々な形態において、長きにわたってモデルを提供してきた。それは国民国家の勃興以前から存在し、国民国家をはるかに上回る持続力を見せつけてきた。現代社会が見据える未来がどのようなものになるかは、過去から何かを取り返すことにかかっているかもしれない。そしてそれは、初めてのことではないであろう。

（1）　インド社会に対するガンディーの影響についてモディー首相が行なった明白な賛辞を参照。Modi (2019).

（2）　もちろん、ロシアを一五〇年以上支配したモンゴル帝国の遺産がロシアの中核そのものにいかなる影響を与えたのかという問題もある。ロシアは帝国として膨張するさい、自らを中央ユーラシアに投影したと言える。しかし、その一部は、モンゴル帝国の中心であった中央ユーラシアを自らに投影したのかもしれない。ロシアの社会と文化が継承した可能性がある「アジア的」遺産については、Kumar (2017: 216–217)。またモンゴルの遺産に関するより広範な見解については、Neumann and Wigen (2015)。

（3）　このヨーロッパの「境域地帯」の複雑さに関する貴重な歴史的考察として Snyder (2003, 2010)。また、Bartov and Weitz (2013)。非常に示唆的なガリツィアの事例については Hann and Magocsi (2005)、ウクライナについてはThesis Eleven (2016)。この地域におけるロシア／ソ連、ハプスブルク、オスマンの支配に関するさらなる議論はBarkey and Hagen (1997); Ekiert and Hanson (2003); Kumar (2022)。

(4)「一帯一路」の当初の英語の名称は"One Belt, One Road Initiative, OBOR"(一つの経済ベルトと一つのシルクロード構想)だったが、批判を受け、中国側もこれでは中国の支配的影響力が強調されすぎるということで、二〇一六年に"Belt and Road Initiative, BRI"(経済ベルトおよびシルクロード構想)に変更された。

(5)「一帯一路」が、中国の帝国時代の過去と世界経済におけるかつての中心的な位置に触発された可能性については、Miller (2017); French (2018); Frankopan (2018); Goldstone (2018)。

(6) 当然のことながら、二〇二〇年の世界的なコロナ・ウィルスの流行によってこのような従来の紋切り型の予測がすべて不確実なものになった。

(7) ポストコロニアルの思考については、Moore-Gilbert (1997); R. Young (2001, 2015); Go (2016)。基本的な文書は以下で読める。Ashcroft, Griffiths and Tiffin (1995). 基本的な概念については、Ashcroft, Griffiths and Tiffin (2000)。これらはすべて「グローバル・サウス」の社会に焦点を当てているが、多くのアメリカの都市にある黒人のゲットーのように、グローバル・サウスの側面が北側にも存在していることは認めている。

(8) ヨーロッパの旧支配社会における帝国の影響については、最近の成果をまとめたすぐれた総合的な研究がある。Buettner (2016). Garavani (2012)も参照。多岐にわたる個別研究については、Thompson (2012); Halperin and Palan (2015); Nicolaïdis et al. (2015); Rothermund (2015); Ponzanesi and Colpani (2016)。*Journal of Contemporary History*誌の特集号「Imperial Hangovers(帝国の二日酔い)」(1980)も参照。

(9) 驚くべきことに、今日世界に存在する国境線の四〇%がイギリスとフランスによって引かれたという(Jansen and Osterhammel 2016: 177)。

(10) 帝国後のアフリカでの紛争に関する簡潔ですぐれた解説としては、Breuilly (1994: 257-268)。またC. Young (2001); Neuberger (2006)。

(11) こうした見解を強く述べているのがTully (2009)である。この立場の多くは「従属」論として理論化されてきた。その古典的な説明についてはFrank (1967)、その後の見解についてはFrank (1998)。「新植民地主義」、「低開発」などの理論の簡潔ですぐれた整理はMommsen (1982: 113-141)。これらの思想の文学的表現については、Said (1994: 230-340)。Mommsen and Osterhammel (1986)所収の論考、とくにColin LeysとAnthony Brewerの論考を参照。近年、こうした見方は、新種のグローバル「帝国」としての資本主義の理論に吸収される傾向にある。

る。

たとえば、Hardt and Negri (2000); Gildea (2019: 117-121)。両者に共通する問題意識は、「グローバル・サウス」のポストコロニアル社会が相変わらず西欧資本主義のヘゲモニーから脱却することができないこと、西欧資本主義の主要なライバルであったソ連の一九九一年の崩壊でそれがさらに強まったことである。さらに、これらの説明のすべてにおいて、アメリカは少なくとも一九四五年以来、こうした傾向を率先して推し進めてきたとみなされている。

(12) フランスについて、エリサベス・ブートナーは次のように述べている。「忠実なフランス語話者エリートが支配するサハラ以南のアフリカと旧植民地支配者との関係は、政治的従属と経済的依存によって強く特徴づけられる」(Buettner 2016: 160)。マクロン大統領によって復活したフランス語圏についてはAlexandre (1969); Gildea (2019: 251-252)。フランサフリック[フランスとサブサハラ旧植民地の関係]という概念についてはLorcin (2013: 100-101); Gildea (2019: 99-103)。イギリスの急激なEU脱退(ブレグジット)により、英連邦(コモンウェルス)はイギリスにとって不可欠とは幾分言い難いような存在から、ヨーロッパのパートナーの代わりとして、関係強化の必要性をより切実に感じる相手に変わった(Gildea 2019: 234-237, 243-247; Bell and Vucetic 2019)。

(13) 一九四三年、ウィンストン・チャーチルはハーバード大学の卒業生を前にしたスピーチで「未来の帝国は精神の帝国である」と述べた。これは、もっぱら戦争をこととする過去の帝国が、平和的で調和のとれた世界共同体に取って代わられることを望むという意味である(Gildea 2019: 2)。しかし、多くの人々が意図的にこの文をより広い文脈で理解し、心理的もしくは精神的な支配を意味する言葉として使っている。

(14) ファノン自身がセゼールの戯曲「そして犬は黙っていた」(『奇跡の武器』所収)を引用したさいに述べたように、セゼールは植民地的心性からの解放に暴力が不可欠だと考えた点でファノンの先駆者であった(Fanon [1961] 1967: 68-69)。Ciccariello-Maher (2017)はファノンの議論をさらにラディカルに押し進め、暴力は単に脱植民地化の過程の始まりを示すだけでなく、多少とも無限に続けられなければならない、植民地の遺産の重みとはそういうものである、と主張している。

(15) 「グローバル・イスラームの勃興」に関する簡潔ですぐれた解説は、Gildea (2019: 158-181, 213-231)。ギルデアはそれが始まった時期を、一九七九年にシャーを退位させてホメイニ師を首班とするイスラーム共和国を建国したイラン革命、およびアフガニスタンにおけるムジャーヒディーンと世界各地からの支援者(その一人がウサーマ・ビン・ラディンである)によって一九七九年に開始された対ソ連戦争に求めている。

(16) この問題に関する文献は大量にあるが、個別の事例に限定したものがほとんどで、比較の視野を欠いている。

例外はBuettner (2016: 250–321)で、ここではとくにヨーロッパの様々な旧帝国からの移民に焦点を当てて論じられている。Gildea (2019: 122–143, 195–203)も参照。両書とも、関連文献が広範囲にわたって紹介されている。

(17) とはいえ、すでに多くのヨーロッパの主要都市で目の当たりにしている「共生的」「日常的」とも言うべき新たな多文化主義も、多くの論者によって活発に提起されている。たとえばGilroy (2004); Valluvan (2019)。こうした多文化主義の理論と実践を力強く再定式化する論者として、Modood (2019)。

(18) イギリスについてはWard (2001)、アルジェリアが優勢となっているフランスについてはSaverese (2015)、インドネシアを主要な関心事とするオランダについてはBaudet (1969)、Wesseling (1980)。帝国の存命中、もしくは消滅後の帝国の文化的衝撃に関する極めて質の高い叢書として、ジョン・マッケンジー編でマンチェスター大学出版局から刊行されている百数巻のシリーズ『帝国主義研究』がある。現在までの網羅的なリストはThompson (2014: vii–xi)。

(19) こうした見解は、イギリスの外交官ロバート・クーパーが二〇〇二年に発表した注目すべき文書に強く反映している。そこでは、九・一一後の世界が直面する危機的な状況にあって、最善の解決策は「防衛的帝国主義」であるという主張がなされている。「混乱に対処する最も論理的な方法、そして過去に最も用いられた方法は植民地化である」(Ferguson 2004: 375–376)。しかし、他の多くの人々とは異なり、クーパーがこの新たな「ポスト・モダン帝国主義」を求めた実体はアメリカではなく、ＥＵであった。

(20) ヨーロッパの脱植民地化とＥＵの建設の関係はまだきちんと研究されていない。手掛かりになりそうなものとして、Garavani (2012); Hansen and Jonsson (2015); Buettner (2016: 498–504)。

(21) 「帝国としてのヨーロッパ」、つまり「帝国としてのＥＵ」に関する他の見方としては、Böröcz and Kovács (2001); Foster (2015); Behr and Stivachtis (2016)。

(22) その当時は多くのすぐれた研究者や評論家が、アメリカは帝国であること、またおそらくはずっと帝国であったことを論じていた。なかでもBacevich (2002), Ignatieff (2003), Mann (2003, 2008), Johnson (2004), Ferguson (2005)。これらの議論を論評したものとしてはChibber (2004)がよくできている。実はアメリカを帝国とみなすのは今回が初めてではなく、一九六〇年代と七〇年代、つまりベトナム戦争の時代に似たような傾向があった。当時はその大半が左翼的な立場からのものだったが(たとえばWilliams 1969, Kiernan [1978] 2005)、九・一一後の進展でさらに勢いがつき、多くの場合、より肯定的なニュアンスで語られることも多くなった。より近年のものとしては、Bulmer-Thomas (2018), Fradera (2018: 154–184), Hopkins (2018)。この問題を考えるに資する議論として、また他の帝国と比較して書かれたものとしては Steinmetz (2005), Calhoun et al. (2006), Maier (2007), Münkler (2007: 139-167), McCoy and Scarano (2009), McCoy et al. (2012)。

(23)　ウィルソンとルーズベルトの帝国に対する態度については Ferguson (2005: 172)。とはいえ、エレズ・マネラの非常によく読まれた『ウィルソニアン・モーメント』(Manela 2009)によれば、ウィルソンは自分の「民族自決」の原則が非西洋世界のヨーロッパの植民地に適用されるとは思ってもみなかったという。ウィルソンの考えでは、彼らはまだ自治の準備が整っておらず、アジアをはじめとする各地のナショナリストが自身の提言を深く受け止めたことに少々当惑していたようである。

(24)　アメリカはフィリピンを約五〇年、パナマ運河地帯を七五年間占領していたし、さらにアメリカには既存の海外領土もあることから、「グレーター・ブリテン」や「グレーター・フランス」になぞらえて「グレーター・ユナイテッド・ステイツ」と呼ばれることもある(Immerwahr 2019)。同書(2019: 17)によれば、一九四〇年までに世界各地で二三〇〇万人の人々がアメリカの植民地的な支配のもとにあり、そこからするとアメリカの固有の領土は、「グレーター・ユナイテッド・ステイツ」の約五分の一を占めていたということである。この点については、また Hopkins (2018)。デイヴィッド・アーミテージによれば、世界中に散らばった八百余の軍事拠点も含めると、アメリカの領土は「世界史上最大の帝国的集合体を形成していると言うことも可能である」(Armitage 2018: 25)。

(25)　メキシコの州であった「ヌエバ・メヒコ」と「アルタ・カリフォルニア」は、グアダルーペ・イダルゴ条約(一八四八年)でアメリカに割譲されたが、それはおよそ現在のニュー・メキシコ、アリゾナ、コロラド、ユタ、ネバダ、カリフォルニアに相当する。米墨戦争の新しくすぐれた解説は Greenberg (2013) および Guardino (2017)。

訳者あとがき

本書は、Krishan Kumar, *Empires: A Historical and Political Sociology*, Polity Press, 2021 の全訳である。著者のクマー（一九四二―）は、英領トリニダード・トバゴ（現在は独立の共和国）生まれのイギリスの歴史社会学者。一九九六年以降、アメリカ合衆国のヴァージニア大学で社会学を教えている。

社会学の専門雑誌に掲載されたクマーの論文は枚挙にいとまがないが、代表的著作は以下のとおりである。

――(1978): *Prophecy and Progress: The Sociology of Industrial and Post-Industrial Society*, Allen Lane.（杉村芳美・二階堂達郎・牧田実訳『予言と進歩――産業社会と脱産業社会の社会学』文眞堂、一九九六年）

――(1987): *Utopia and Anti-Utopia in Modern Times*, Basil Blackwell.

――(1988): *The Rise of Modern Society: Aspects of the Social and Political Development of the West*, Basil Blackwell.

――(1991): *Utopianism*, Open University Press.（菊池理夫・有賀誠訳『ユートピアニズム』昭和堂、一九九三年）

――(1995): *From Post-Industrial to Post-Modern Society: New Theories of the Contemporary World*, Blackwell.

—(2001): *1989: Revolutionary Ideas and Ideals*, University of Minnesota Press.
—(2003): *The Making of English National Identity*, Cambridge University Press.
—(2015): *The Idea of Englishness: English Culture, National Identity and Social Thought*, Ashgate.
—(2017): *Visions of Empire: How Five Imperial Regimes Shaped the World*, Princeton University Press.
—(2021): *Empires: A Historical and Political Sociology*, Polity Press.

以上の主要著作リストからもわかるように、歴史社会学者としてのクマーの関心については、これを大きく四つの段階に整理することができる。一つ目は、産業社会の過去・現在・未来である。[Kumar 1978]では、クマーは一八世紀に遡る産業主義の思想を検討し、二〇世紀末にもてはやされた安易な脱産業主義イデオロギーを鋭く批判している。二つ目は、未来社会を描く想像力である。[Kumar 1991]では、「ユートピア」は決して夢想や幻想ではなく、「現実の世界」に対する根本的批判の思想、態度であることを歴史的パースペクティヴに立って社会思想的に明らかにしながら、フェミニズムやエコロジー運動にもつながるユートピア的想像力の可能性が提示されている。三つ目は、ネーション形成の歴史社会学である。[Kumar 2003; 2015]では、とくにイギリスを中心に国民意識(National Identity)の形成が検討された。なおその出発点となった問題意識は、二〇〇〇年の雑誌論文("Nation and Empire: English and British National Identity in Comparative Perspective")にある。そこでは、帝国の担い手、文明化の使命の担い手としてのイギリスの帝国意識が、連合王国の形成(イングランド、ウェールズ、スコットランド、アイルランドの統合)にともなう国民意識と不可分のかたちで醸成されたこと、また海外帝国の建設によってそうした意識がさらに強化されたことが述べられていた。国民意識と帝国意識の表裏一体の形成プロセスに対する関心は、その後、様々な帝国ないし帝国的な広がり(多民族的・多文化的広域政治体)の特質に関する歴史社会学的な比較研究へと至った。それが四つ目の段階である[Kumar 2017]。その起点となったのは二〇一〇年の雑誌論文(“Nation-States as Empires, Empires as Nation-States: Two Principles, One Practice?”)で、「多くの国民国家は実際には帝国のミニチュアであり、同様に多くの帝国は「大規模な」国民国家と見なしうる」という指摘は、「帝国から国民国家へ」という近現代史の通説的理解に反省を迫るものであった。

その後、検討すべき帝国の歴史を古代から現代にまでひろげ、対象も世界的規模に拡大して、まさに帝国の経験を世界史的な視野で考察したのが、本書である。原書は本文一五〇頁というコンパクトな書物ながら、本書は「帝国」をめぐる様々な問題を凝縮的に比較、検討した書物として歴史家からの評価も非常に高い。以下、本書の内容を要約し、改めてその意義について述べたい。

第1章「時間と空間のなかの帝国」では、出発点として最初に「帝国」という言葉をめぐる思索がなされる。そのさい、最初に「帝国」を定義して視野を限定することは避け(著者によれば、帝国の認識は、特定の事例や論点を議論したあとで、本書を読み終えるころにようやく浮かび上がるものである)、ラテン語の imperium に由来する言葉で帝国を語ってきた西洋の経験を確認したうえで、ヤスパースに依拠しながら帝国の世界史を古代、古典古代、近代に分類している。歴史上の帝国はそれ以前の帝国の遺産を受け取り、何ものかを付け加えて次に引き渡している。そこに、差異を越えた歴史の連鎖が生まれる。

第2章「東洋と西洋の帝国の伝統」では、帝国の差異と連鎖の様相を具体的に見きわめるために、imperium の伝統の外部にある中国とイスラームにおける固有の帝国的伝統が検討される。結局、西洋と西洋的な imperium の概念のない諸国家を同一の範疇に括ることの問題は解消しない。しかしだからこそ却って、包括的で大規模な政治体が地域の差異を越えて普及していた事実をどう考えるべきかという問いが残る。

第3章「支配者と被支配者」では、海外帝国と陸上帝国の差異を踏まえつつ、支配者と被支配者の関係が歴史的に分析されている。両者の関係は、抵抗と反乱だけでなく、協力、共謀、妥協の関係でもあり、その複雑な諸相、それもその歴史的な変遷を見つめなければ政治体としての帝国の真の理解に至ることは難しい。

第4章「帝国、ネーション、国民国家」では、ここでも海外帝国と陸上帝国の差異に留意しつつ、帝国的な拡大によって国民国家が形成されたこと、国民国家の形成を軸に帝国的な拡大がおこなわれたことが論じられている。実際の歴史的な過程を観察してみると、帝国の消滅により国民国家が生まれたわけでも、帝国とネーションが本来的に対立するものでもない。第一次世界大戦後の陸上帝国の崩壊によって生じたのは海外帝国のさらなる強大化であったし、一九六〇年代以降の海外帝国の崩壊後には、それを引き継ぐように、帝国と呼ばれざる帝国的な巨大な国家や政治組織が再度出現する。そして弱小のネーションは他のネーションから身を守るために、これまでと同様「帝国」に抗いつつその庇護を求める。

第5章「衰退と滅亡」では、帝国という政治体、とくに近代の陸上帝国と海外帝国の消滅過程が歴史的に検討されている。すなわち巨大な脱植民地化のプロセスであるが、帝国の崩壊後も、旧帝国は旧植民地に非公式な形で影響力を行使し続けている。

第6章「帝国後の帝国」では、第5章の問題意識を受けて、公式の帝国が崩壊した後の旧帝国の影響や遺産、ポストコロニアル状況下のかつての被支配者の意識や現状が論じられている。とくに一見すると帝国が消滅した現在の世界にあって、ロシア、中国、アメリカなど国民国家になりきれない帝国的な国家、EUなどの地域統合体が、帝国と名指されることなく、大きな政治的な役割を果たし続けている。これは人々を不安に陥れるかもしれない。しかしもし世界中で国民国家の原理だけが先行すれば、アナーキーや不断の暴力がもたらされないとも限らない。ポスト国民国家の世界が探求されているいま、私たちは帝国の歴史から学ぶことがあるのではないか。

以上の要約からもわかるように、本書の特徴は、人類の歴史を帝国の歴史として広く整理して論じたことにある。『ティムール以後』の著者ジョン・ダーウィンに倣って言えば、帝国は人間社会にとってデフォルトの政治組織であり、世界史とは帝国の歴史にほかならない。つまり、人々は今も昔も、帝国に抗い、帝国に守られ、帝国を動かして生きてきたのであって、いま現在世界の様々な地域で起こっている出来事も、帝国現象を見据えることなしに理解することはできないのである。欧米では、こうした問題意識から、世界各地に出現した帝国に関する個別的な実証研究が進んできた。その現時点での集大成が全2巻、二〇〇〇頁に近い Peter Fibiger Bang, C. A. Bayly, Walter Scheidel (eds.), *The Oxford World History of Empire*, 2 vols., Oxford University Press, 2020 である。また本書の参考文献にも挙がっているが、この種の帝国研究の先駆けともいうべき Jane Burbank and Frederick Cooper, *Empires in World History: Power and the Politics of Difference*, Princeton University Press, 2010 も五〇〇頁を越える大著で、これを一般読者が翻訳で読むようになるのは難しい。そうした意味では、よりコンパクトな形で全体を俯瞰して帝国の世界史的意味を問う書物も求められており、まさに本書はその種の要請にこたえるものといえよう。

*

翻訳はまず竹下が全体を訳し、これを立石が通読し、必要と思われる箇所の補足と修正を加え、さらに竹下と立石でやり取りをして、本書の流れを、竹下と立石の訳文の違いによって損なうことがないように努めた。岩波書店編集者の石橋聖名さんからは読者の立場にたったコメントを数多くいただき、翻訳を読みやすくしていただいた。ここに謝意を記したい。

二人の訳者は、かつて東京外国語大学大学院のゼミナールでの教師と教え子の関係にあるが、爾来二〇年にわたって、アンソニー・パグデン『民族と帝国』(猪原えり子訳、立石博高監訳、ランダムハウス講談社、二〇〇六年)、J・H・エリオット『歴史ができるまで——トランスナショナル・ヒストリーの方法』(立石・竹下共訳、岩波書店、二〇一七年)、立石博高編著『スペイン帝国と複合君主政』(昭和堂、二〇一八年)の出版などを通して、近世・近現代の国家体制のありかたをめぐる共同研究をおこなってきた。本書はまさに、この二人による共同作業の成果である。主権、領土の不可分性を前提とした国民国家を超える新たな政治体制・政治組織が模索されているいま、クマーの言うように様々な歴史的帝国の「過去から何かを取り返すこと」が必要ではないだろうか。本書がわが国の帝国と国民国家についてのさらなる省察に寄与することになれば幸甚である。

二〇二四年一月

立石博高
竹下和亮

索　引

＊帝国，国家および一定の領域を示す語を中心に採項した．
＊「○○帝国」には，○○の(主に海外の)植民地にかんする記述を含む．
＊本文中で節(見出し)としてとりあげられている項目は，該当節の頁を太字で示した．
＊→は関連項目．合わせて参照されたい．

あ 行

アイルランド　5, 94, 123, 133
アケメネス朝　13, 14, 16, 21
アステカ帝国　7, 9, 24, 29, 47, 75, 86, 88, 104
アゾレス諸島　24
アッカド帝国　11
アッシリア　11-14, 17, 18, 21, 44, 46, 47
アッバース朝　70-73
アテネ　21, 22
アナトリア　12, 87
アフリカ　17, 23, 24, 27, 28, 31, 55, 88, 91, 97, 98, 102, 103, 107, 108, 110, 126, 127 130, 147, 174-177, 180-184, 193, 209, 213, 214, 216, 220-223
　北――　21-24, 33, 70, 85, 98, 103-106, 221, 223
　西――　24, 75, 213
　東――　25, 63,
　南(部)――　98
　サハラ以南――　107, 181, 221, 223
　→南アフリカ(共和国)
アメリカ合衆国　5, 6, 24, 30, 32, 47, 49, 50, 56, 75, 79, 85, 88, 93, 97-102, 109, 120, 122, 133-135, 139, 163, 164, 171, 173, 174, 176-180, 183-185, 210, 216, 219, 224, 226, 228, 231-240
　アメリカ(大陸／南北アメリカ)　19, 20, 24, 27, 30, 32, 33, 93, 97-99, 173
　→南アメリカ
アメリカ帝国　6, 47, 49, 50, 79, 122, 133-135, 185, 231-241
アラスカ　235, 238
アラブ帝国　9, 70, 72, 75, 155, 203
アルジェリア　80, 91, 98, 103, 106, 107, 177, 182, 218, 222, 224
アンゴラ　24, 27, 33, 174
EU　→ヨーロッパ連合
イギリス(連合王国)　3-6, 40, 43, 51, 74, 75, 79, 86, 89-91, 93, 94, 97-103, 105, 108-110, 123-125, 128, 131, 133, 134, 139, 164-166, 168, 172-176, 178-182, 184, 201, 210, 216, 220-227, 232-240
　→アイルランド，イングランド(帝国も)，ウェールズ，スコットランド
イギリス帝国　9, 28, 30, 33, 44, 46-48, 54, 55, 81, 85-87, 89-91, 97-103, 105, 107, 109, 110, 119, 121, 123, 130, 131, 133-135, 139, 146, 148, 157, 160, 171, 176, 178-182, 184, 193, 194, 201, 210, 216, 220, 222, 223, 225, 228, 235-240

イスマイール朝　73
イスラーム帝国　47, **69-76**, 81
イスラエル　181, 201, 237
イタリア　29, 43, 44, 80, 93, 120, 125, 131, 133, 134, 176, 226
イタリア帝国　33, 178
イラク　12, 70, 176, 181, 220, 224, 226, 228, 232
イラン　10, 33, 73, 226, 239, 240
インカ帝国　7, 9, 24, 29, 47, 75, 86, 88, 104
イングランド　5, 40, 125, 128, 131, 157
イングランド帝国　5, 40, 94, 123
インド　9-11, 15, 20, 23-26, 28, 30, 33, 46, 47, 55, 60, 63, 70, 73-75, 86, 87, 90, 91, 103-107, 109, 110, 122, 128, 129, 139, 141, 165, 177, 181, 192, 193, 213, 216, 220-223
　→マウリア朝, グプタ朝, デリー・スルタン朝, ムガール帝国
インドシナ　86, 87, 91, 103, 107, 139, 180-182, 192
インドネシア　25, 91, 139, 141, 180, 181, 183, 221-223
ウェールズ　5, 123
ヴェネツィア共和国　79
ウクライナ　92, 138, 198, 199, 205, 207, 208
ウマイヤ朝　70, 72
エジプト　16-18, 46, 47, 70, 72, 105, 181, 193
エジプト帝国　7, 9, 11-13, 21
エストニア　92, 208
オーストラリア　91, 97, 98, 101, 102, 222
オーストリア　29, 87, 92, 125, 133, 136-138, 147, 196-198, 207, 228, 229
　→ハプスブルク帝国
オスマン帝国　9, 33, 43, 46, 47, 62, 71-73, 75, 79, 81, 83, 85-89, 92, 118, 121, 129, 133, 134, 146, 155, 159, 169, 171, 175, 176, 184, 193-195, 200-203, 221
オランダ　79, 139, 157, 183, 221-223
オランダ帝国　9, 27, 28, 32, 33, 79, 89, 91, 93, 99, 121, 130, 134, 177, 178, 180, 181, 221
オランダ領東インド　91, 102, 103, 182

か 行

ガーナ　75, 91, 215
海外帝国　3, 9, 19, 21-24, 29, 30, 32, 33, 39, 50, 55, 56, 84-95, 97, 107, 109, 110, 121, 123, 124, 133, 134, 140, 161, 170, 172, 173, **175-185**, 191, 194, **211-220**, 233-235, 238
海洋帝国　22, 23
カザフスタン　92, 206
ガズナ朝　74
カナダ　91, 98, 101, 102, 118, 235-237
ガリツィア　96, 137, 138, 198, 199, 229
カルタゴ　22, 23
漢　15, 52, 55, 58-60, 64, 68
ギニア　24, 27
キプロス　182
キューバ　32, 94, 174, 234, 238
金　64-66
グプタ朝　15, 75
クロアチア　29, 202
ケニア　108, 127, 182, 218
元　48, 52, 63, 65, 66, 81, 153

公式の帝国　6, 133, 176, 210, 216
→非公式の帝国
コソボ　203, 227
古代帝国　39

さ 行

ササン朝　69, 70
サファヴィー朝　7, 48, 71, 73, 75
周　54, 57-59, 63
シュメール　11
シリア　12, 70, 176, 181, 224
神聖ローマ帝国　29, 39-43, 46, 125, 147, 231
新　58
秦　15, 52, 54, 55, 58, 59, 63, 66-68
清　48, 52, 55, 59, 65-68, 81, 82, 88, 93, 121, 126, 134, 153, 154, 157, 161-168, 210, 240
ジンバブエ／南ローデシア　61, 108, 109, 127, 181, 214
隋　59, 61, 63
スコットランド　5, 123, 227
ステップ帝国　9, 59, 63-65, 75
スペイン　3, 29, 46, 70, 72, 93, 94, 123, 124, 129, 147, 154, 155, 172-174, 184, 203, 226, 227
スペイン帝国　9, 26-33, 43, 55, 79, 86, 89, 93, 94, 97, 99, 100, 102, 104, 124, 154, 157, 172-174, 184, 233-236
スロヴェニア　202
セイロン／スリランカ　25, 181, 192, 193
セルビア　175, 197, 202, 203, 228
宋　52, 62-65, 68, 153
ソ連　5, 47, 49, 79, 92, 93, 121, 122, 134, 135, 141-143, 169, 172, 178, 179, 197, 204-208, 229, 233, 234, 240
ソ連帝国　47, 49, 79, 92, 134, 141, 176, 185, 192, 199, 204-207

た 行

チェコスロバキア　204
中華帝国　7, 9-11, 15, 16, **48-69**, 75, 81, 88, 93, 95, 126, 129, 130, 134, 157, 158, **161-168**, 195, 208-210, 229
→秦，漢，隋，唐，宋，遼，金，元，明，清
中国　15, 17, 20, 21, 25, 30, 33, 41, 47, 70, 92, 93, 122, 126, 133-135, 153, 157, 158, 161, 163-169, 176, 208-211, 216, 229, 231
中東　11-14, 33, 70, 97, 180, 181, 193, 194, 200, 202, 209, 220, 224, 226, 239
朝鮮　55, 59-61, 165, 177
ティムール朝　9, 74
デリー・スルタン朝　74
ドイツ　29, 39, 40, 93, 119, 120, 125, 134, 136, 137, 147, 157, 196, 226, 230
→プロイセン
ドイツ帝国　33, 40, 107, 125, 133, 165, 175, 176, 226
→ナチス帝国
唐　52, 59-65, 68
トルテカ帝国　9, 75

な 行

ナイジェリア　214, 215
ナチス帝国（ドイツ第三帝国）　134, 178, 179, 192, 196, 207

日本　21, 25, 60, 61, 176
日本帝国(大日本帝国)　10, 33, 53-55, 60, 62, 66, 131, 133, 134, 139, 140, 162, 163, 165, 168, 176-178, 180, 183, 208
ニュージーランド　91, 97, 98, 101, 102, 222
ヌビア　12, 17, 18
ネーデルラント　29, 93, 147

は 行

パキスタン　139, 180, 193, 221, 224
バビロニア　11-14, 17, 21, 22, 45, 47
ハプスブルク帝国　9, 29, 30, 33, 39, 40, 46, 83, 85-88, 93, 118, 119, 125, 128, 129, 133, 136-138, 169-171, 175, 192, 195-199, 201-203, 228-231
バルカン諸国　83, 175, 202, 203
バルト諸国(バルト三国)　92, 96, 170, 205
パレスチナ　12, 181, 219, 220
ハワイ　163, 237, 238
ハンガリー　29, 75, 87, 133, 136, 137, 196-198, 203, 204, 228
非公式の帝国　6, 204, 210, 216, 232, 239
ビザンツ帝国　14, 42, 43, 46, 55, 69, 70, 88, 89, 129, 159, 193
ヒッタイト　9, 12, 17
ビルマ／ミャンマー　109, 139, 180, 181, 192, 193, 214
フェニキア　22, 31
プエルトリコ　32, 94, 174, 234, 238
ブラジル　26, 27, 31, 97, 172-174, 216
フランス　3, 5, 40, 74, 80, 86, 98-100, 104, 106, 120, 123-125, 133, 134, 139, 140, 157, 171, 172, 174-176, 178-182, 213, 217, 218, 221-226, 230
フランス帝国　9, 28, 30, 33, 40, 43, 46, 79, 80, 85-87, 89, 91, 98-100, 102, 103, 106, 107, 121, 129-131, 133-135, 139, 157, 165, 171, 173, 174, 176, 180-183, 193, 194, 201, 213, 217, 221-223, 235, 238
→アルジェリア，インドシナ
ブルガリア　119, 175, 202
プロイセン　125, 207
ベトナム　55, 58, 60, 139, 165, 182, 192
ベラルーシ　142, 208
ベルギー　33, 107, 119, 121, 134, 176, 182, 221-223
ペルシア帝国　9, 12-14, 16, 17, 21, 23, 44-46
→アケメネス朝，ササン朝，サファヴィー朝
ポーランド　133, 138, 156, 178, 198, 199, 204, 207, 208
ボスニア・ヘルツェゴビナ　175, 202
ポルトガル　27, 173-175, 221-223, 230
ポルトガル帝国　9, 24-33, 89, 91, 97, 99, 100, 102, 104-107, 121, 129, 134, 154, 155, 172-177, 184, 230
香港　33, 139, 176, 180

ま 行

マウリア朝　16, 48, 75

マカオ　25, 30, 31, 33, 176
マケドニア　13, 21-23, 45, 47, 193
マデイラ諸島　24, 27, 31
マヤ　75
マラヤ　180, 182
マリ　75, 76
満州　55, 59, 64-66, 81, 165-167, 208
南アフリカ(共和国とその前史)　5, 98, 101, 102, 222
南アメリカ　29, 75, 93, 97-100, 102, 173, 209
明　52, 55, 56, 63, 66, 153, 157, 158, 209
ムガール帝国　7, 9, 33, 48, 71, 72, 74, 75
メキシコ　29, 172, 236
メソポタミア　9, 11, 12, 16, 193
モンゴル　48, 63, 65, 71, 72, 75, 167
　→元

や 行

ユーゴスラビア　202, 226, 229
ヨーロッパの帝国　9, 33, 34, 46, 54, 76, 81, 110, 179-181, 191, 193, 221, 233, 240
ヨーロッパ連合(EU)　91, 148, 185, 198-200, 227, 230, 231, 240
ヨルダン　176, 181, 220

ら 行

ラテンアメリカ　172-174, 219, 222, 239
ラトビア　92, 208
陸上帝国　3, 9, 21-23, 29, 30, 33, 39, 84-88, 90, 92-97, 107, 121, 134, **169-175**, 184, **195-211**, 234, 235, 238, 240
リューリク朝　156
遼(契丹)　64, 66
レバノン　176, 181
ローマ帝国　14, 16, 18, 21, 23, 29, 39-46, 48, 55, 65, 85, 125, 134, 147, 157-159, 231
ロシア〔ソ連崩壊後〕　49, 92, 95, 135, 142, 199
ロシア帝国〔帝政ロシア以前〕　9, 33, 43, 46, 49, 53, 62, 81, 85, 86, 88, 92, 96, 118, 119, 121, 126, 129, 130, 133, 134, 136-138, 146, 156, 165, 170-172, 175, 192, 199, 203-207
　→ソ連(帝国も)

読書案内

ここでは，読者のさらなる関心に応えるために，帝国全般と特定テーマの理解に資する文献を選定・掲載した(英語文献に限定)．より詳しい参考文献については，注釈と参考文献リストを見られたい．

*読書案内のなかで邦訳のあるものは，その旨を記した．併せて本書読者の便宜を図って，邦語基本文献を記載した(訳者)．

全般的・包括的・理論的著作

最も包括的な著作は，*Empires in World History: Power and the Politics of Difference* (Princeton University Press, 2010)である．さらに，John Darwin, *After Tamerlane: The Rise and Fall of Global Empires, 1400–2000* (Penguin Books, 2008)〔ジョン・ダーウィン『ティムール以後――世界帝国の興亡 1400-2000年』秋田茂ほか訳，国書刊行会，2020〕; Herfried Münkler, *Empires: The Logic of World Domination from Ancient Rome to the United States* (Polity, 2007); Peter Fibiger Bang and C. A. Bayly (eds.), *Tributary Empires in Global History* (Palgrave Macmillan, 2011); Peter Fibiger Bang and Dariusz Kołodziejczyk (eds.), *Universal Empire: A Comparative Approach to Imperial Culture and Representation in Eurasian History* (Cambridge University Press, 2015)を参照．

概念と理論に関する良書として，Richard Koebner, *Empire* (Cambridge University Press, 1961); Richard Koebner and Helmut Dan Schmidt, *Imperialism: The Story and Significance of a Political Word, 1840–1960* (Cambridge University Press, 1964); Roger Owen and Bob Sutcliffe (eds.), *Studies in the Theory of Imperialism* (Longman, 1972); Michael W. Doyle, *Empires* (Cornell University Press, 1986); Wolfgang J. Mommsen, *Theories of Imperialism* (University of Chicago Press, 1982); Anthony Pagden, *Lords of All the World: Ideologies of Empire in Spain, Britain and France, c. 1500–c. 1800* (Yale University Press, 1995); Alejandro Colás, *Empire* (Polity, 2007); Sankar Muthu (ed.), *Empire and Modern Political Thought* (Cambridge University Press, 2014)がある．簡潔な導入的著作としては，Stephen Howe, *Empire: A Very Short Introduction* (Oxford University Press, 2002)〔スティーヴン・ハウ『帝国(1冊でわかる)』見市雅俊訳・解説，岩波書店，2003〕; Anthony Pagden, *Peoples and Empire* (Modern Library, 2003)〔アンソニー・パグデン『民族と帝国』猪原えり子訳，立石博高監訳，ランダムハウス講談社，2006〕を挙げたい．

古代と非西欧世界の諸帝国

Thomas Harrison (ed.), *The Great Empires of the Ancient World* (The J. Paul Getty Museum, Los Angeles, 2009)〔トマス・ハリソン編『世界の古代帝国歴史図鑑――大国の覇権と人々の暮らし』藤井留美訳，本村凌二監修，柊風舎，2011〕; Susan E. Alcock, Terence N. D'Altroy, Kathleen D. Morrison, and Carlo M. Sinopoli (eds.), *Empires: Perspectives from Archaeology and History* (Cambridge University Press, 2001); Walter Scheidel (ed.), *Rome and China: Comparative Perspectives on Ancient World Empires* (Oxford University Press, 2009); Ian Morris and Walter Scheidel (eds.), *The Dynamics of Ancient Empires: State Power from Assyria to Byzantium* (Oxford University Press, 2010); P. D. A. Garnsey and C. R. Whittaker (eds.), *Imperialism in the Ancient World* (Cambridge University Press, 1978); Mogens Trolle Larsen (ed.), *Power and Propaganda: A Symposium on Ancient Empires* (Akademisk Forlag, 1979); Michael Mann, *The Sources of Social Power*, Vol. I: *A History of Power from the Beginning to A. D. 1760* (Cambridge University Press, 1986)〔マイケル・マン『ソーシャルパワー：社会的な〈力〉の世界歴史 I　先史からヨーロッパ文明の形成へ』森本醇・君塚直隆訳，NTT 出版，2002〕を参照されたい．

とくにイスラーム諸帝国については，Robert G. Hoyland, *In God's Path: The Arab Conquests and the Creation of An Islamic Empire* (Oxford University Press, 2017); Stephen F. Dale, *The Muslim Empires of the Ottomans, Safavids, and Mughals* (Cambridge University Press, 2010)がある．すぐれた外観としては，Francis Robinson, *The Mughal Emperors, and the Islamic Dynasties of India, Iran and Central Asia, 1206-1925* (Thames and Hudson, 2007)〔フランシス・ロビンソン『ムガル皇帝歴代誌――インド，イラン，中央アジアのイスラーム諸王国の興亡(1206-1925 年)』月森左知訳，小名康之監修，創元社，2009〕がある．ステップ帝国に関しては Thomas J. Barfield, *The Perilous Frontier: Nomadic Empires and China, 221 BC-AD 1757* (Blackwell, 1992); David Morgan, *The Mongols*, 2nd edition (Blackwell, 2007)〔デイヴィド・モーガン『モンゴル帝国の歴史』杉山正明・大島淳子訳，角川選書，1993/2007〕を参照．

中華帝国に関しては，Yuri Pines, *The Everlasting Empire: The Political Culture of Ancient China and Its Imperial Legacy* (Princeton University Press, 2012); Wang Hui, *China from Empire to Nation-State* (Harvard University Press, 2014); Dingxin Zhao, *The Confucian Legalist State: A New Theory of Chinese History* (Oxford University Press, 2015)がある．中華帝国の過去に関する研究として，Ge Zhaoguang, *What is China? Territory, Ethnicity, Culture, and History* (Harvard University Press, 2008)が興味深い．

ヨーロッパの諸帝国と植民地主義

すぐれた論考として，Robert Aldrich (ed.), *The Age of Empires* (Thames and Hudson, 2007), and Robert Aldrich and Kirsten McKenzie (eds.), *The Routledge History of Western Empires* (Routledge, 2014). 同様に広範囲にわたるものとしてKrishan Kumar, *Visions of Empire: How Five Imperial Regimes Shaped the World* (Princeton University Press, 2017)を挙げたい．さらに，Wolfgang J. Mommsen and Jürgen Osterhammel (eds.), *Imperialism and After: Continuities and Discontinuities* (Allen and Unwin, 1986); Dominic Lieven, *Empire: The Russian Empire and Its Rivals* (Yale University Press, 2001); Alexei Miller and Alfred J. Rieber (eds.), *Imperial Rule* (Central European University Press, 2004)を参照．

ヨーロッパ植民地主義の幅広い概観としては，D. K. Fieldhouse, *The Colonial Empires: A Comparative Survey from the Eighteenth Century*, 2nd edition (Macmillan, 1982); David B. Abernethy, *The Dynamics of Global Dominance: European Overseas Empires 1415–1980* (Yale University Press, 2000); H. L. Wesseling, *The European Colonial Empires 1815–1919* (Pearson, 2004); Jonathan Hart, *Empires and Colonies* (Polity, 2008); Heather Streets-Salter and Trevor R. Getz, *Empires and Colonies in the Modern World* (Oxford University Press, 2016)を挙げたい．とくにヨーロッパの海外での入植に関しては，L. Veracini, *Settler Colonialism: A Theoretical Overview* (Cambridge University Press, 2010)がある．さらにMarco Ferro's lively *Colonization: A Global History* (Routledge, 1997)を見られたい．

鋭い洞察として，Frederick Cooper, *Colonialism in Question: Theory, Knowledge, History* (University of California Press, 2005)を参照．さらに，Jürgen Osterhammel, *Colonialism: A Theoretical Overview*, 2nd edition (Markus Wiener, 2005)がある．ある学問分野と帝国の関わりについての個別研究は，George Steinmetz (ed.), *Sociology and Empire: The Imperial Entanglements of a Discipline* (Duke University Press, 2013)がある．ヨーロッパ植民地主義の文化的側面に関しては，Edward W. Said, *Culture and Imperialism* (Vintage, 1994)〔エドワード・W. サイード『文化と帝国主義』全2冊，大橋洋一訳，みすず書房，1998/2001〕; Frederick Cooper and Ann Laura Stoler (eds.), *Tensions of Empire: Colonial Cultures in a Bourgeois World* (University of California Press, 1997)を参照．

支配者と被支配者に関しては，Timothy H. Parsons, *The Rule of Empires: Those Who Built Them, Those Who Endured Them, and Why They Always Fall* (Oxford University Press, 2010); Tony Ballantyne and Antoinette Burton, *Empires and the Reach of the Global 1870–1945* (Harvard University Press, 2012)が挙げられる．

帝国と国民国家の関係については，Harry G. Gelber, *Nations Out of Empires: European Nationalism and the Transformation of Asia* (Palgrave, 2001); Joseph

W. Esherick, Hasan Kayali, and Eric van Young (eds.), *Empire to Nation: Historical Perspectives on the Making of the Modern World* (Rowman and Littlefield, 2006); Krishan Kumar, "Nation- States as Empires, Empires as Nation-States: Two Principles, One Practice?" *Theory and Society* 39(2), 2010: 119-143; Stefan Berger and Alexei Miller (eds.), *Nationalizing Empires* (Central European University Press, 2015); *Thesis Eleven*, "Empires and Nation-States: Beyond the Dichotomy," no. 139, 2017 を参照.

脱植民地化と帝国の終焉

包括的研究に Dietmar Rothermund (ed.), *The Routledge Companion to Decolonization* (Routledge, 2006)がある．さらに R. F. Holland, *European Decolonization 1918-1981: An Introductory Survey* (Macmillan, 1985); Martin Shipway, *Decolonization and Its Impact: A Comparative Approach to the End of the Colonial Empires* (Blackwell, 2008); Martin Thomas, Bob Moore, and L. J. Butler (eds.), *Crises of Empire: Decolonization and Europe's Imperial States*, 2nd edition (Bloomsbury, 2015)を参照．すぐれた簡潔な試論に，Dane Kennedy, *Decolonization: A Very Short Introduction* (Oxford University Press, 2016)〔デイン・ケネディ『脱植民地化――帝国・暴力・国民国家の世界史』長田紀之訳，白水社，2023〕がある．さらに，Jan C. Jansen and Jürgen Osterhammel, *Decolonization: A Short History* (Princeton University Press, 2017)を見られたい．当該プロセスの只中で書かれた鋭い批評に，Rupert Emerson, *From Empire to Nation: The Rise to Self-Assertion of Asian and African Peoples* (Beacon Press, 1962)がある．アジアの場合の知的背景に関しては，Pankaj Mishra, *From the Ruins of Empire: The Revolt against the West and the Remaking of Asia* (Penguin Books, 2013)〔パンカジ・ミシュラ『アジア再興――帝国主義に挑んだ志士たち』園部哲訳，白水社，2014〕がある．この問題を扱った主要文献とそれらについてのコメントは，Prasenjit Duara (ed.), *Decolonization: Perspectives from Now and Then* (Routledge, 2004)である．フランツ・ファノンその他の著者に関しては，George Ciccariello-Maher, *Decolonizing Dialectics* (Duke University Press, 2017)で議論されている．

帝国の衰退と没落に関する全般的原因に関しては，S. N. Eisenstadt (ed.), *The Decline of Empires* (Prentice-Hall, 1967); Paul Kennedy, *The Rise and Fall of the Great Powers: Economic Change and Military Conflict from 1500 to 2000* (Fontana Press, 1989); Alexander J. Motyl, *Imperial Ends: The Decay, Collapse, and Revival of Empires* (Columbia University Press, 2001)を参照.

帝国後の帝国

帝国後の帝国的遺産の全般とその結果として生起したことに関しては，Karen Barkey and Mark von Hagen (eds.), *After Empire: Multiethnic Societies and Na-*

tion-Building. The Soviet Union and the Russian, Ottoman, and Habsburg Empires (Westview Press, 1997); Kalypso Nicolaïdis, Berny Sèbe, and Gabrielle Maas (eds.), *Echoes of Empire: Memory, Identity and Colonial Legacies* (I. B. Tauris, 2015); Sandra Halperin and Ronen Palan (eds.), *Legacies of Empire: Imperial Roots of the Contemporary Global Order* (Cambridge University Press, 2015); Robert Gildea, *Empires of the Mind: The Colonial Past and the Politics of the Present* (Cambridge University Press, 2019)を見られたい．ヨーロッパに関しては，Elizabeth Buettner, *Europe after Empire: Decolonization, Society, and Culture* (Cambridge University Press, 2016)がすぐれた著作である．さらにヨーロッパに焦点をあてた著作に，Giuliano Garavini, *After Empires: European Integration, Decolonization, and the Challenge from the Global South 1957–1986* (Oxford University Press, 2012); Sandra Ponzanesi and Gianmaria Colpani (eds.), *Postcolonial Transition in Europe* (Rowman and Littlefield, 2016)がある．イギリスの福祉国家の成立(1945年以後)と帝国の喪失を関連づける非常に興味深い試みとしては，Jordanna Bailkin, *The Afterlife of Empire* (University of California Press, 2012)が示唆に富む．この研究の射程は他の国々にも及んでいる．ヨーロッパと他の地域についての帝国の影響を考察したすぐれた著作に，L. Carl Brown (ed.), *Imperial Legacy: The Ottoman Imprint on the Balkans and the Middle East* (Columbia University Press, 1996)がある．「アメリカ帝国」は，帝国時代を超えて存続する帝国の事例として見ることができる．比較的考察として，Charles S. Maier, *Among Empires: American Ascendancy and Its Predecessors* (Harvard University Press, 2007); Craig Calhoun, Frederick Cooper, and Kevin W. Moore (eds.), *Lessons of Empire: Imperial Histories and American Power* (The New Press, 2006); A. G. Hopkins, *American Empire: A Global History* (Princeton University Press, 2018)を参照．ポストコロニアルな方法に基づく研究には，Patrick Williams and Laura Chrisman (eds.), *Colonial Discourse and Post-Colonial Theory* (Harvester Wheatsheaf, 1993); Gyan Prakash (ed.), *After Colonialism: Imperial Histories and Postcolonial Displacements* (Princeton University Press, 1995); Bill Ashcroft, Gareth Griffiths, and Helen Tiffin (eds.), *Post-Colonial Studies: The Key Concepts* (Routledge, 2000)〔ビル・アッシュクロフト，ガレス・グリフィス，ヘレン・ティフィン／木村公一編訳『ポストコロニアル事典』南雲堂，2008〕; Robert J. C. Young, *Postcolonialism: An Historical Introduction* (Blackwell, 2001)〔ロバート・J. C. ヤング『ポストコロニアリズム(1冊でわかる)』本橋哲也訳，岩波書店，2005〕; Robert J. C. Young, *Empire, Colony, Postcolony* (Wiley-Blackwell, 2015); Julian Go, *Postcolonial Thought and Social Theory* (Oxford University Press, 2016)が挙げられる．

邦語基本文献

＊帝国の世界史的考察に関連する基本文献として，わが国の研究者の手になる以

下の文献をあげておきたい.

池田嘉郎編『第一次世界大戦と帝国の遺産』山川出版社, 2014年.
江口朴郎『帝国主義と民族』東京大学出版会, 1954年(同, 新版, 2013年).
大澤広晃『帝国主義を歴史する〈歴史総合パートナーズ 8〉』清水書院, 2019年
岡本隆司編『宗主権の世界史——東西アジアの近代と翻訳概念』名古屋大学出版会, 2014年.
柄谷行人『帝国の構造——中心・周辺・亜周辺』岩波現代文庫, 2023年.
木畑洋一・南塚信吾・加納格『帝国と帝国主義』有志舎, 2012年.
佐川英治編『君主号と歴史世界』山川出版社, 2023年.
清水知久『アメリカ帝国』亜紀書房, 1968年.
鈴木董編『帝国の崩壊』上・下, 山川出版社, 2022年.
松本彰・立石博高編『国民国家と帝国——ヨーロッパ諸国民の創造』山川出版社, 2005年.
山内昌之・増田一夫・村田雄二郎編『帝国とは何か』岩波書店, 1997年.
山内昌之『帝国とナショナリズム』岩波現代文庫, 2012年.
山下範久編『帝国論』講談社選書メチエ, 2006年.
山本有造編『帝国の研究——原理・類型・関係』名古屋大学出版会, 2003年.
吉村忠典「「帝国」という概念について」『史学雑誌』108巻3号, 1999年(同『古代ローマ帝国の研究』岩波書店, 2003年, 所収).
歴史学研究会編『帝国への新たな視座——歴史研究の地平から』〈シリーズ歴史学の現在 10〉青木書店, 2005年.
歴史学研究会編『幻影のローマ——〈伝統〉の継承とイメージの変容』〈シリーズ歴史学の現在 11〉青木書店, 2006年.
『歴史学研究——特集 歴史から考えるウクライナ危機(II)』1037号, 2023年7月.
『岩波講座 世界歴史 5 帝国と支配——古代の遺産』岩波書店, 1998年.
『岩波講座 世界歴史 16 国民国家と帝国 19世紀』岩波書店, 2023年.

＊加えて, 原書では言及されていない欧文基本文献の邦訳としては, 以下も参照されたい。

デイヴィッド・アーミテイジ『帝国の誕生——ブリテン帝国のイデオロギー的起源』平田雅博・岩井淳・大西晴樹・井藤早織訳, 日本経済評論社, 2005年.
アンドリュー・ポーター『帝国主義』福井憲彦訳, 岩波書店, 2006年.
カール・シュミット『陸と海と——世界史的一考察』生松敬三・前野光弘訳, 慈学社出版, 2006年.
G. C. スピヴァク『サバルタンは語ることができるか』上村忠男訳, みすず書房, 1998年.
G. C. スピヴァク『ポストコロニアル理性批判——消え去りゆく現在の歴史のために』上村忠男・本橋哲也訳, 月曜社, 2003年.
エレン・メイクシンズ・ウッド『資本の帝国』中山元訳, 紀伊國屋書店, 2004年.

フランシス・A. イエイツ『星の処女神エリザベス女王——十六世紀における帝国の主題』西澤龍生・正木晃訳，東海大学出版会，1982 年.
フランシス・A. イエイツ『星の処女神とガリアのヘラクレス——十六世紀における帝国の主題』西澤龍生・正木晃訳，東海大学出版会，1983 年.

参考文献

Abernethy, David B. (2000) *The Dynamics of Global Dominance: European Overseas Empires 1415–1980.* New Haven, CT: Yale University Press.

Adams, William Y. (1984) "The First Colonial Empire: Egypt in Nubia, 3200–1200 B.C.," *Comparative Studies in Society and History* 26(1): 36–71.

Adil, Alev (2019) "Legacy of Empire," *Times Literary Supplement* January 11: 12.

Albertini, Rudolf von (1969) "The Impact of Two World Wars on the Decline of Colonialism," *Journal of Contemporary History* 4(1): 17–35.

Alcock, Susan E., Terence N. D'Altroy, Kathleen D. Morrison, and CarloM. Sinopoli (eds.) (2001) *Empires: Perspectives from Archaeology and History.* Cambridge University Press.

Aldrich, Robert (ed.) (2007) *The Age of Empires.* London: Thames and Hudson.

Alexandre, Pierre (1969) "Francophonie: The French and Africa," *Journal of Contemporary History* 4(1): 117–125.

Alighieri, Dante ([1314] 1996) *Monarchy* [*De Monarchia*], trans. and ed. Prue Shaw. Cambridge University Press〔ダンテ・アリギエーリ『帝政論』小林公訳，中公文庫，2018〕.

Anderson, Benedict (2006) *Imagined Communities: Reflection on the Origin and Spread of Nationalism,* revised edition. London: Verso〔ベネディクト・アンダーソン『定本 想像の共同体——ナショナリズムの起源と流行』白石隆・白石さや訳，書籍工房早山，2007〕.

Annan, Noel (1991) *Our Age: The Generation that Made Post-War Britain.* London: Fontana.

Arendt, Hannah (1958) *The Origins of Totalitarianism,* 2nd edition. New York: Meridian Books〔ハンナ・アーレント『全体主義の起原』全3冊，大久保和郎・大島通義・大島かおり訳，みすず書房，2017〕.

Armitage, David (2017) *Civil Wars.* New York: Alfred A. Knopf〔デイヴィッド・アーミテイジ『〈内戦〉の世界史』平田雅博・阪本浩・細川道久訳，岩波書店，2019〕.

Armitage, David (2018) "The Anti-imperial Empire?" *Times Literary Supplement* August 3: 25.

Armstrong, John (1982) *Nations before Nationalism.* Chapel Hill: University of North Carolina Press.

Arnason, Johann P., Shmuel N. Eisenstadt, and Bjorn Wittrock (eds.) (2004) *Axial Civilizations and World History.* Leiden: Brill Academic Publishers.

Ashcroft, Bill, Gareth Griffiths, and Helen Tiffin (eds.) (1995) *The Post-Colonial*

Studies Reader. London and New York: Routledge.

Ashcroft, Bill, Gareth Griffiths, and Helen Tiffin (eds.) (2000) *Post-Colonial Studies: The Key Concepts*. London and New York: Routledge〔ビル・アッシュクロフト，ガレス・グリフィス，ヘレン・ティフィン／木村公一編訳『ポストコロニアル事典』南雲堂，2008〕.

August, Thomas (1986) "Locating the Age of Imperialism," *Itinerario* 10(2): 85-97.

Aydin, Cemil (2017) *The Idea of the Muslim World: A Global Intellectual History*. Cambridge, MA: Harvard University Press.

Bacevich, Andrew J. (2002) *American Empire: The Realities and Consequences of U.S. Diplomacy*. Cambridge, MA: Harvard University Press.

Balfour, Sebastian (2004) "The Spanish Empire and its End: A Comparative View in Nineteenth and Twentieth Century Europe." In Miller and Rieber (2004: 151-160).

Bang, Peter Fibiger, and Darius Kołodziejczyk (eds.) (2015) *Universal Empire: A Comparative Approach to Imperial Culture and Representation in Eurasian History*. Cambridge University Press.

Baranowski, Shelley (2011) *Nazi Empire: German Colonialism and Imperialism from Bismarck to Hitler*. Cambridge University Press.

Barbir, Karl K. (1996) "Memory, Heritage, and History: The Ottomans and the Arabs." In Brown (1996: 100-114).

Barkey, Karen (2006) "Changing Modalities of Empire: A Comparative Study of Ottoman and Habsburg Decline." In Esherick et al. (2006: 167-197).

Barkey, Karen, and Mark von Hagen (eds.) (1997) *After Empire: Multiethnic Societies and Nation-Building: The Soviet Union and the Russian, Ottoman, and Habsburg Empires*. Boulder, CO: Westview Press.

Barraclough, Geoffrey (1964) *An Introduction to Contemporary History*. London: C. A. Watts〔G. バラクラフ『現代史序説』中村英勝・中村妙子訳，岩波書店，1971〕.

Bartov, Omer, and Eric D. Weitz (eds.) (2013) *Shatterzone of Empires: Coexistence and Violence in the German, Habsburg, Russian, and Ottoman Borderlands*. Bloomington and Indianapolis: Indiana University Press.

Baudet, Henri (1969) "The Netherlands after the Loss of Empire," *Journal of Contemporary History* 4(1): 127-139.

Bayly, C. A. (1998) "The First Age of Global Imperialism, c. 1760-1830," *Journal of Imperial and Commonwealth History* 26(2): 28-47.

Bayly, C. A. (2004) *The Birth of the Modern World 1780-1914: Global Connections and Comparisons*. Oxford: Blackwell〔C. A. ベイリ『近代世界の誕生――グローバルな連関と比較 1780-1914』上・下，平田雅博・吉田正広・細

川道久訳，名古屋大学出版会，2018〕.
Beazley, C. Raymond (1910) "Prince Henry of Portugal and the African Crusade of the Fifteenth Century," *American Historical Review* 16(1): 11-23.
Bedford, Peter R. (2010) "The Neo-Assyrian Empire." In Morris and Scheidel (2010: 30-65).
Behr, Hartmut, and Yannis A. Stivachtis (eds.) (2016) *Revisiting the European Union as Empire*. London and New York: Routledge.
Beissinger, Mark (2006) "Soviet Empire as 'Family Resemblance,'" *Slavic Review* 65(2): 294-303.
Bell, Duncan, and Srdjan Vucetic (2019) "Brexit, CANZUK, and the Legacy of Empire," *British Journal of Politics and International Relations*.
Bellah, Robert N., and Hans Joas (eds.) (2012) *The Axial Age and Its Consequences*. Cambridge, MA: Harvard University Press.
Beller, Steven (2011) *A Concise History of Austria*. Cambridge University Press.
Bellich, James (2009) *Replenishing the Earth: The Settler Revolution and the Rise of the Anglo-World, 1783-1939*. Oxford University Press.
Benjamin, Craig (2018) *Empires of Ancient Eurasia: The First Silk Roads Era, 100 BCE-250 CE*. Cambridge University Press.
Bentley, Jerry H. (1996) "Cross-Cultural Interaction and Periodization in World History," *American Historical Review* 101(3): 749-770.
Berger, Stefan (2004) *Germany*. London: Hodder Arnold.
Berger, Stefan, and Alexei Miller (eds.) (2015) *Nationalizing Empires*. Budapest and New York: Central European University Press.
Betts, Raymond F. (2004) *Decolonization*, 2nd edition. New York: Routledge.
Bickers, Robert (ed.) (2014) *Settlers and Expatriates: Britons over the Seas*. Oxford University Press.
Blackburn, Robin (2005) "Emancipation and Empire, from Cromwell to Karl Rove," *Daedalus* 134(2): 72-87.
Blanshard, Alastair (2009) "The Athenian Empire 478-404, 378-338." In Harrison (2009: 122-146).
Böröcz, József and Melinda Kovács (eds.) (2001) "Empire's New Clothes: Unveiling EU Enlargement," *Central Europe Review*: 1-305.
Boxer, C. R. (1969) *Four Centuries of Portuguese Expansion, 1415-1825*. Berkeley: University of California Press.
Boxer, C. R. (1977) *The Portuguese Seaborne Empire 1415-1825*. London: Hutchinson.
Boxer, C. R. (1990) *The Dutch Seaborne Empire 1600-1800*. London: Penguin Books.
Brendon, Piers (2007) *The Decline and Fall of the British Empire 1781-1997*. New

York: Vintage Books.

Breuilly, John (1994) *Nationalism and the State*, 2nd edition. University of Chicago Press.

Briant, Pierre (2002) *From Cyrus to Alexander: A History of the Persian Empire*, trans. Peter D. Daniels. Winona Lake, IN: Eisenbrauns.

Bridge, Carl, and Kent Fedorowich (eds.) (2003) *The British World: Diaspora, Culture and Identity*. London: Frank Cass.

Brix, Emil, Klaus Koch, and Elizabeth Vyslonzil (eds.) (2001) *The Decline of Empires*. Vienna: Verlag für Geschichte und Politik; Munich: Oldenburg.

Brook, Timothy (2013) *The Troubled Empire: China in the Yuan and Ming Dynasties*. Cambridge, MA: Harvard University Press.

Brook, Timothy (2016) "Great States," *Journal of Asian Studies* 75(4): 957-972.

Brown, L. Carl (ed.) (1996) *Imperial Legacy: The Ottoman Imprint on the Balkans and the Middle East*. New York: Columbia University Press.

Brubaker, Rogers (2015) *Grounds for Difference*. Cambridge, MA: Harvard University Press.

Buckner, Phillip, and R. Douglas Francis (eds.) (2005) *Rediscovering the British World*. University of Calgary Press.

Buettner, Elizabeth (2016) *Europe after Empire: Decolonization, Society, and Culture*. Cambridge University Press.

Bulmer-Thomas, Victor (2018) *Empire in Retreat: The Past, Present, and Future of the United States*. New Haven, CT: Yale University Press.

Burbank, Jane, and Frederick Cooper (2010) *Empires in World History: Power and the Politics of Difference*. Princeton University Press.

Calhoun, Craig, Frederick Cooper, and Kevin W. Moore (eds.) (2006) *Lessons of Empire: Imperial Histories and American Power*. New York: The New Press.

Camões, Luís Vaz de ([1572] 1997) *The Lusíads*, trans. with an Introduction by Landeg White. Oxford University Press〔ルイス・デ・カモンイス『ウズ・ルジアダス――ルーススの民のうた』池上岑夫訳，白水社，2000〕.

Césaire, Aimé ([1950] (2000) *Discourse on Colonialism*, trans. Jon Pinkham. New York: Monthly Review Press〔エメ・セゼール『帰郷ノート――植民地主義論』砂野幸稔訳，平凡社ライブラリー，2004〕.

Chamberlain, M. E. (1999) *Decolonization: The Fall of the European Empires*, 2nd edition. Malden, MA: Blackwell.

Chatterjee, Partha (1993) *The Nation and Its Fragments: Colonial and Postcolonial Histories*. Princeton University Press.

Chibber, Vivek (2004) "The Return of Imperialism to Social Science," *European Journal of Sociology* 45(3): 427-441.

Ciccariello-Maher, George (2017) *Decolonizing Dialectics*. Durham, NC: Duke

University Press.
Cipolla, Carlo M (ed.) (1970) *The Economic Decline of Empires*. London: Methuen.
Cipolla, Carlo M. (1974) *The Economic History of World Population*, 6th edition. Harmondsworth: Penguin Books〔カルロ・M. チポラ『経済発展と世界人口』川久保公夫・堀内一徳訳，ミネルヴァ書房，1972〕.
Clarke, Peter (2008) *The Last Thousand Days of the British Empire: Churchill, Roosevelt, and the Birth of the Pax Americana*. New York: Bloomsbury Press.
Colley, Linda (1994) *Britons: Forging the Nation 1707–1837*. London: Pimlico〔リンダ・コリー『イギリス国民の誕生』川北稔監訳，名古屋大学出版会，2000〕.
Comisso, Ellen (2006) "Empires as Prisons of Nations versus Empires as Political Opportunity Structures: An Exploration of the Role of Nationalism in Imperial Dissolutions in Europe." In Esherick et al. (2006: 138–166).
Connor, Walker (1994) *Ethnonationalism: The Quest for Understanding*. Princeton University Press.
Conrad, Joseph ([1902] 1995) *Heart of Darkness*. London: Penguin Books〔コンラッド『闇の奥』改版，中野好夫訳，岩波文庫，2010〕.
Conrad, Sebastian (2012) *German Colonialism: A Short History*. Cambridge University Press.
Cooper, Frederick (2005) *Colonialism in Question: Theory, Knowledge, History*. Berkeley: University of California Press.
Crosby, Alfred (1972) *The Columbian Exchange: Biological and Cultural Consequences of 1492*. Westport, CT: Greenwood Press.
Crosby, Alfred W. (1986) *Ecological Imperialism: The Biological Expansion of Europe, 900–1900*. Cambridge University Press〔アルフレッド・W. クロスビー『ヨーロッパの帝国主義――生態学的視点から歴史を見る』佐々木昭夫訳，ちくま学芸文庫，2017〕.
Crowley, Roger (2015) *Conquerors: How Portugal Forged the First Global Empire*. New York: Random House.
Dale, Stephen F. (2010) *The Muslim Empires of the Ottomans, Safavids, and Mughals*. Cambridge University Press.
Dalziel, Nigel (2006) *The Penguin Historical Atlas of the British Empire*. London: Penguin Books.
Darwin, John (1988) *Britain and Decolonisation: The Retreat from Empire in the Post-War World*. Houndmills: Macmillan.
Darwin, John (2008) *After Tamerlane: The Rise and Fall of Global Empires, 1400–2000*. London: Penguin Books〔ジョン・ダーウィン『ティムール以後――世界帝国の興亡 1400-2000 年』秋田茂ほか訳，国書刊行会，2020〕.
Darwin, John (2009) *The Empire Project: The Rise and Fall of the British*

World-System, 1830–1970. Cambridge University Press.
Darwin, John (2013) "Empire and Ethnicity." In Hall and Malešević (2013: 147–171).
Davidson, Peter (2011) *Atlas of Empires.* London: New Holland Publishers.
Davies, R. R. (2000) *The First English Empire: Power and Identities in the British Isles 1093–1343.* Oxford University Press.
Dawisha, Karen, and Bruce Parrott (eds.) (1997) *The End of Empire? The Transformation of the USSR in Comparative Perspective.* Armonk, NY: M. E. Sharpe.
Delanty, Gerard, and Krishan Kumar (eds.) (2006) *The Sage Handbook of Nations and Nationalism.* London: Sage Publications.
Di Cosmo, Nicola (1998) "Qing Colonial Administration in Inner China," *The International History Review* 20(2): 287–309.
Dias, Jill (2007) "Portugal: Empire-building in the Old World and the New." In Aldrich (2007: 68–91).
Dikötter, Frank (2015) *The Discourse of Race in Modern China,* 2nd edition. New York: Oxford University Press.
Disney, A. R. (2009) *A History of Portugal and the Portuguese Empire: From Beginnings to 1807,* 2 vols. Cambridge University Press.
Doyle, Michael W. (1986) *Empires.* Ithaca and London: Cornell University Press.
Dreyer, Edmund I. (2007) *Zheng He: China and the Oceans in the Early Ming Dynasty, 1405–1433.* New York: Pearson Longman.
Duara, Prasenjit (1995) *Rescuing History from the Nation: Questioning Narratives of Modern China.* University of Chicago Press.
Dutt, Vidya Prakash (1971) "The First Week of the Revolution: The Wuchang Uprising." In Wright (1971: 383–416).
Eade, John, Martyn Barrett, Chris Flood, and Richard Race (eds.) (2008) *Advancing Multiculturalism Post 7/7.* Newcastle, UK: Cambridge Scholars Publishing.
Eisenstadt, S. N. (ed.) (1967) *The Decline of Empires.* Englewood Cliffs, NJ: Prentice-Hall.
Eisenstadt, S. N. (ed.) (1986) *The Origins and Diversity of Axial Age Civilizations.* Albany: State University of New York Press.
Ekiert, Grzegorz, and Stephen E. Hanson (eds.) (2003) *Capitalism and Democracy in Central and Eastern Europe: Assessing the Legacy of Communist Rule.* Cambridge University Press.
Elliott, J. H. (1970) *Imperial Spain 1469–1716.* London: Penguin Books〔J. H. エリオット『スペイン帝国の興亡 1469-1716』藤田一成訳，岩波書店，1982/2009〕.
Elliott, J. H. (1989) *Spain and Its World 1500–1700: Selected Essays.* New Haven,

CT: Yale University Press.
Elliott, J. H. (1992) The Old World and the New 1492–1650. Cambridge University Press〔J. H. エリオット『旧世界と新世界 1492–1650』越智武臣・川北稔訳, 岩波書店, 1975/2005〕.
Elliott, J. H. (2007) *Empires of the Atlantic World: Britain and Spain in America, 1492–1830.* New Haven, CT: Yale University Press.
Elliott, J. H. (2016) "Portugal's Empire: Ruthless and Intermingling," *New York Review of Books* June 23: 76–80.
Elkins, Caroline (2005) *Imperial Reckoning: The Untold Story of Britain's Gulag in Kenya.* New York: Henry Holt and Company.
Elvin, Mark (1973) *The Pattern of the Chinese Past.* Stanford University Press.
Emerson, Rupert (1962) *From Empire to Nation: The Rise to Self-Assertion of Asian and African Peoples.* Boston: Beacon Press.
Emerson, Rupert (1969) "Colonialism," *Journal of Contemporary History* 4(1): 3–16.
Esherick, Joseph W. (2006) "How the Qing Became China." In Esherick et al. (2006: 229–259).
Esherick, Joseph W., Hasan Kayali, and Eric Van Young (eds.) (2006) *Empire to Nation: Historical Perspectives on the Making of the Modern World.* Lanham, MD: Rowman and Littlefield.
Fairbank, John King, and Merle Goldman (2006) *China: A New History,* 2nd enlarged edition. Cambridge, MA: Harvard University Press〔J. K. フェアバンク『中国の歴史——古代から現代まで』大谷敏夫・太田秀夫訳, ミネルヴァ書房, 1996〕.
Fanon, Frantz ([1961] 1967) *The Wretched of the Earth,* trans. Constance Farrington, preface by Jean-Paul Sartre. Harmondsworth: Penguin Books〔フランツ・ファノン『地に呪われたる者』新装版, 鈴木道彦・浦野衣子訳, みすず書房, 2015〕.
Farrington, Karen (2002) *Historical Atlas of Empires.* New York: Checkmark Books.
Fearon, James T. and David D. Laitin (2003) "Ethnicity, Insurgency, and Civil War," *American Political Science Review* 97(1): 75–90.
Fedorowich, Kent, and Andrew S. Thompson (eds.) (2013) *Empire, Migration, and Identity in the British World.* Manchester University Press.
Ferguson, Niall (2004) *Empire: How Britain Made the Modern World.* London: Penguin Books〔ニーアル・ファーガソン『大英帝国の歴史』上・下, 山本文史訳, 中央公論新社, 2018〕.
Ferguson, Niall (2005) *Colossus: The Rise and Fall of the American Empire.* New York: Penguin Books.

Ferguson, Niall (2010) "Complexity and Collapse: Empires on the Edge of Chaos," *Foreign Affairs* March-April: 18–32.

Ferguson, Yale H., and Richard W. Mansbach (1996) *Polities: Authority, Identities, and Change.* Columbia: University of South Carolina Press.

Fieldhouse, D. K. (1981) *Colonialism 1870–1945: An Introduction.* London: Weidenfeld and Nicolson.

Finley, M. I. (1976) "Colonies — An Attempt at a Typology," *Transactions of the Royal Historical Society* 5th ser., 26: 167–188.

Finley, M. I. (1978) "The Fifth-Century Athenian Empire: A Balance Sheet." In Garnsey and Whittaker (1978: 103–126).

Folz, Robert (1969) *The Concept of Empire in Western Europe, from the Fifth to the Fourteenth Century,* trans. Sheila Ann Ogilvie. London: Edward Arnold.

Foster, Russell (2015) *Mapping European Empire: Tabulae imperii Europaei.* London and New York: Routledge.

Fradera, Josep (2007) "Spain: The Genealogy of Modern Colonialism." In Aldrich (2007: 44–67).

Fradera, Josep M. (2018) *The Imperial Nation: Citizens and Subjects in the British, French, Spanish, and American Empires.* Princeton University Press.

Frank, Andre Gunder (1967) *Capitalism and Underdevelopment in Latin America.* New York: Monthly Review Press.

Frank, Andre Gunder (1998) *ReOrient: Global Economy in the Asian Age.* Berkeley: University of California Press〔アンドレ・グンダー・フランク『リオリエント――アジア時代のグローバル・エコノミー』山下範久訳，藤原書店，2000〕.

Frankopan, Peter (2018) *The New Silk Roads: The Present and Future of the World.* London: Bloomsbury.

French, Howard W. (2018) *Everything Under the Heavens: How the Past Helps Shape China's Push for Global Power.* New York: Vintage Books.

Gallagher, John, and Ronald Robinson (1953) "The Imperialism of Free Trade," *Economic History Review* new ser., 6(1): 1–15.

Garavani, Giuliano (2012) *After Empires: European Integration, Decolonization, and the Challenge from the Global South 1957–1986.* Oxford University Press.

Garnsey, P. D. A., and C. R. Whittaker (eds.) (1978) *Imperialism in the Ancient World.* Cambridge University Press.

Gellner, Ernest (1998) *Language and Solitude: Wittgenstein, Malinowski, and the Habsburg Dilemma.* Cambridge University Press.

Gellner, Ernest (2006) *Nations and Nationalism,* 2nd edition. Oxford: Blackwell Publishing〔アーネスト・ゲルナー『民族とナショナリズム』加藤節監訳，岩波書店，2000〕.

Gibbon, Edward ([1776-88] 1995) *The History of the Decline and Fall of the Roman Empire,* 3 vols., ed. David Womersley. London: Penguin Books〔ギボン『ローマ帝国衰亡史』全 11 巻＋別巻，中野好夫(・朱牟田夏雄・中野好之)訳，筑摩書房，1976-93〕.

Gildea, Robert (2019) *Empires of the Mind: The Colonial Past and the Politics of the Present.* Cambridge University Press.

Gilmour, David (2018) *The British in India: Three Centuries of Ambition and Experience.* London: Allen Lane.

Gilroy, Paul (2004) *After Empire: Melancholia or Convivial Culture?* Abingdon: Routledge.

Go, Julian (2016) *Postcolonial Thought and Social Theory.* Oxford University Press.

Goldstone, Jack A. ([1991] 2016) *Revolution and Rebellion in the Early Modern World,* new edition. London and New York: Routledge.

Goldstone, Jack A. (2018) "The Once and Future Middle Kingdom: China's Return to Dominance in the World Economy," *Comparativ* 28(4): 120-139.

Goldstone, Jack A., and John F. Haldon (2010) "Ancient States, Empires, and Exploitation." In Morris and Scheidel (2010: 3-29).

Green, William A. (1992) "Periodization in European and World History," *Journal of World History* 3(1): 13-53.

Green, William A. (1995) "Periodizing World History," *History and Theory* 34(2): 99-111.

Greenberg, Amy S. (2013) *A Wicked War: Polk, Clay, Lincoln and the 1846 US Invasion of Mexico.* New York: Knopf.

Greenblatt, Stephen (1992) *Marvelous Possessions: The Wonder of the New World.* Oxford University Press〔S. グリーンブラット『驚異と占有——新世界の驚き』荒木正純訳，みすず書房，1994〕.

Griffiths, G. T. (1978) "Athens in the Fourth Century." In Garnsey and Whittaker (1978: 127-144).

Grob-Fitzgibbon, Benjamin (2011) *Imperial Endgame: Britain's Dirty Wars and the End of Empire.* Houndmills: Palgrave Macmillan.

Guardino, Peter (2017) *The Dead March: A History of the Mexican — American War.* Cambridge, MA: Harvard University Press.

Hall, Catherine (2005) "What Did a British World Mean to the British? Reflections on the Nineteenth Century." In Buckner and Francis (2005: 21-37).

Hall, John A. (1998) *The State of the Nation: Ernest Gellner and the Theory of Nationalism.* Cambridge University Press.

Hall, John A., and Siniša Malešević (eds.) (2013) *Nationalism and War.* Cambridge University Press.

Halperin, Sandra, and Ronen Palan (eds.) (2015) *Legacies of Empire: Imperial*

Roots of the Contemporary Global Order. Cambridge University Press.
Hann, Christopher, and Paul Robert Magocsi (eds.) (2005) *Galicia: A Multicultured Land*. University of Toronto Press.
Hansen, Per, and Stefan Jonsson (2015) "Building Eurafrica: Reviving Colonialism through European Integration." In Nicolaïdis et al. (2015: 209-226).
Hardt, Michael, and Antonio Negri (2000) *Empire*. Cambridge, MA: Harvard University Press〔マイケル・ハート，アントニオ・ネグリ『〈帝国〉――グローバル化の世界秩序とマルチチュードの可能性』水嶋一憲ほか訳，以文社，2003〕.
Harrison, Henrietta (2001) *Inventing the Nation: China*. London: Arnold.
Harrison, Thomas (ed.) (2009) *The Great Empires of the Ancient World*. Los Angeles, CA: The J. Paul Getty Museum〔トマス・ハリソン編『世界の古代帝国歴史図鑑――大国の覇権と人々の暮らし』藤井留美訳，本村凌二監修，柊風舎，2011〕.
Hart, Jonathan (2008) *Empires and Colonies*. Cambridge: Polity.
Haskins, Alex (2018) "Montesquieu's Paradoxical Spirit of Moderation: On the Making of Asian Despotism in *De l'esprit des lois*," *Political Theory* 46(6): 915-937.
Haywood, John (2005) *Historical Atlas of Ancient Civilizations*. London: Penguin Books.
Hechter, Michael (1999) *Internal Colonialism: The Celtic Fringe in British National Development*, 2nd edition. New Brunswick, NJ: Transaction Books.
Heer, Friedrich (2002) *The Holy Roman Empire*, trans. Janet Sondheimer. London: Phoenix Press.
Herodotus (2003) *The Histories*, trans. Aubrey de Sélincourt. London: Penguin Books〔ヘロドトス『歴史』(改版)全3冊，松平千秋訳，岩波文庫，2017〕.
Hewitt, Martin (ed.) (2012) *The Victorian World*. London: Routledge.
Hiers, Wesley, and Andreas Wimmer (2013) "Is Nationalism the Cause or Consequence of the End of Empire?" In Hall and Malešević (2013: 212-254).
Hind, Robert J. (1984) "The Internal Colonial Concept," *Comparative Studies in Society and History* 26(3): 543-568.
Hobsbawm, E. J. (1987) *The Age of Empire: 1875-1914*. London: Weidenfeld and Nicolson〔エリック・J. ホブズボーム『帝国の時代 1875-1914』新装版，全2巻，野口建彦・長尾史郎・野口照子訳，みすず書房，2023〕.
Hobsbawm, E. J. (1992) *Nations and Nationalism since 1780: Programme, Myth, Reality*, 2nd edition. Cambridge University Press〔E. J. ホブズボーム『ナショナリズムの歴史と現在』浜林正夫・嶋田耕也・庄司信訳，大月書店，2001〕.
Hobson, J. A. ([1902] 1938) *Imperialism: A Study*, 3rd edition. London: Unwin Hyman〔ホブスン『帝国主義論』全2冊，矢内原忠雄訳，岩波文庫，1951-

52〕.
Hodgson, Marshall G. S. (1977) *The Venture of Islam: Conscience and History in a World Civilization*, 3 vols. University of Chicago Press.
Hoffman, Philip T. (2015) *Why Did Europe Conquer the World?* Princeton University Press.
Hofstadter, Richard (1965) "Cuba, the Philippines, and Manifest Destiny," in *The Paranoid Style in American Politics, and Other Essays*. New York: Alfred A. Knopf, pp. 145-187.
Holland, R. F. (1985) *European Decolonization 1918-1981: An Introductory Survey*. London: Macmillan.
Hopkins, A. G. (2008) "Re-thinking Decolonization," *Past and Present* 200: 211-247.
Hopkins, A. G. (2018) *American Empire: A Global History*. Princeton University Press.
Hosking, Geoffrey (2012) *Russia and the Russians: From Earliest Times to the Present*, 2nd edition. London: Penguin Books.
Hourani, Albert (1992) *A History of the Arab Peoples*. New York: Warner Books〔アルバート・ホーラーニー『アラブの人々の歴史』湯川武監訳，阿久津正幸編訳，第三書館，2003〕.
Howard, Michael, and W. Roger Louis (eds.) (1998) *The Oxford History of the Twentieth Century*. Oxford University Press.
Howe, Stephen (2002) *Empire: A Very Short Introduction*. Oxford University Press〔スティーヴン・ハウ『帝国(1 冊でわかる)』見市雅俊訳・解説，岩波書店，2003〕.
Howe, Stephen (2005) "When — If Ever — Did Empire End? Recent Studies of Imperialism and Decolonization," *Journal of Contemporary History* 40(3): 585-599.
Hoyland, Robert G. (2017) *In God's Path: The Arab Conquests and the Creation of an Islamic Empire*. Oxford University Press.
Ignatieff, Michael (2003) *Empire Lite: Nation-Building in Bosnia, Kosovo and Afghanistan*. London: Verso〔マイケル・イグナティエフ『軽い帝国――ボスニア，コソボ，アフガニスタンにおける国家建設』中山俊宏訳，風行社，2003〕.
Immerwahr, Daniel (2019) *How to Hide an Empire: A History of the Greater United States*. New York: Farrar, Straus, and Giroux.
Jansen, Jan C., and Jürgen Osterhammel (2016) *Decolonization: A Short History*, trans. Jeremiah Riemer. Princeton University Press.
Jaspers, Karl (2010) *The Origin and Goal of History*, trans. Michael Bullock. Abingdon: Routledge〔ヤスパース『歴史の起原と目標／理性と実存／哲学の

小さな学校』〈ワイド版 世界の大思想 III-11〉，重田英世・松浪信三郎ほか訳，河出書房新社，2005〕．

Jenner, W. J. F. (2009) "The Early Empires of China, 221 BC-AD 220." In Harrison (2009: 250-275).

Johnson, Chalmers (2004) *The Sorrows of Empire: Militarism, Secrecy, and the End of the Republic*. New York: Henry Holt〔チャルマーズ・ジョンソン『アメリカ帝国の悲劇』村上和久訳，文藝春秋，2004〕．

Journal of Contemporary History (1969) Special issue, "Colonialism and Decolonization." 4(1).

Journal of Contemporary History (1980) Special issue, "Imperial Hangovers." 15 (1).

Judson, Pieter M. (2016) *The Habsburg Empire: A New History*. Cambridge, MA: Harvard University Press.

Kamen, Henry (2003) *Empire: How Spain Became a World Power 1492-1763*. New York: Harper Perennial.

Karl, Rebecca E. (2002) *Staging the World: Chinese Nationalism at the Turn of the Twentieth Century*. Durham, NC: Duke University Press.

Kasaba, Reşat (2006) "Dreams of Empire, Dreams of Nations." In Esherick et al. (2006: 198-225).

Kaufmann, Eric P. (ed.) (2004) *Rethinking Ethnicity: Majority Groups and Dominant Minorities*. London: Routledge.

Keay, John (2004) *India: A History*. Uttar Pradesh, India: Harper Perennial. Keay, John (2009) *China: A History*. London: Harper Press.

Kelly, Duncan (ed.) (2009) *Lineages of Empire: The Historical Roots of British Imperial Thought*. Oxford University Press.

Kemp, B. J. (1978) "Imperialism and Empire in the New Kingdom (c. 1575-1087 B.C.)." In Garnsey and Whittaker (1978: 7-57).

Kennedy, Dane (2016) *Decolonization: A Very Short Introduction*. Oxford University Press〔デイン・ケネディ『脱植民地化――帝国・暴力・国民国家の世界史』長田紀之訳，白水社，2023〕．

Kennedy, Hugh (2006) *When Baghdad Ruled the Muslim World*. Cambridge, MA: Da Capo Press.

Kennedy, Hugh (2008) *The Great Arab Conquests: How the Spread of Islam Changed the World We Live In*. Philadelphia, PA: Da Capo Press.

Kennedy, Paul (1989) *The Rise and Fall of the Great Powers: Economic Change and Military Conflict from 1500 to 2000*. London: Fontana Press〔ポール・ケネディ『大国の興亡――1500年から2000年までの経済の変遷と軍事闘争』決定版，上・下，鈴木主税訳，草思社，1993〕．

Kermode, Frank (2000) *The Sense of an Ending: Studies in the Theory of Fiction*,

new edition. Oxford University Press〔フランク・カーモード『終りの意識——虚構理論の研究』岡本靖正訳，国文社，1991〕.
Khalid, Adeeb (2007) "The Soviet Union as an Imperial Formation." In Stoler et al. (2007: 113-139).
Kiernan, V. G. (1974) *Marxism and Imperialism.* London: Edward Arnold.
Kiernan, V. G. ([1978] 2005) *America: The New Imperialism. From White Settlement to World Hegemony,* new edition. London: Verso.
King, Desmond (2006) "When an Empire is Not an Empire: The US Case," *Government and Opposition* 41(2): 163-196.
Koebner, Richard (1961) *Empire.* Cambridge University Press.
Koebner, Richard, and Helmut Dan Schmidt (1964) *Imperialism: The Story and Significance of a Political Word, 1840-1960.* Cambridge University Press.
Kozuchowski, Adam (2013) *The After-Life of Austria-Hungary: The Image of the Habsburg Monarchy in Interwar Europe.* Pittsburgh University Press.
Kuhrt, Amélie (2001) "The Achaemenid Persian Empire (c. 550-c. 330 BCE)." In Alcock et al. (2001: 93-123).
Kumar, Krishan (2000) "Nation and Empire: English and British National Identity in Comparative Perspective," *Theory and Society* 29(5): 578-608.
Kumar, Krishan (2003) *The Making of English National Identity.* Cambridge University Press.
Kumar, Krishan (2008) "Core Ethnicities and the Problem of Multiculturalism: The British Case," in Eade et al. (2008: 116-134).
Kumar, Krishan (2010) "Nation-States as Empires, Empires as Nation-States: Two Principles, One Practice?" *Theory and Society* 39 (2): 119-143.
Kumar, Krishan (2012) "Varieties of Nationalism." In Hewitt (2012: 160-174).
Kumar, Krishan (2015) "Once More and For the Last Time: Ernest Gellner's Later Thoughts on Nations and Empires," *Thesis Eleven* 128: 72-84.
Kumar, Krishan (2017) *Visions of Empire: How Five Imperial Regimes Shaped the World.* Princeton University Press.
Kumar, Krishan (2021) "Colony and Empire, Colonialism and Imperialism: A Meaningful Distinction?" *Comparative Studies in Society and History.* Cambridge University Press.
Kumar, Krishan (2022) "The Legacy of Empire in East-Central Europe: Fractured Nations and Divided Loyalties," in Simon Lewis, Jeffrey K. Olick, Malgorzata Pakier, and Joanna Wawrzyniak (eds.), *Regions of Memory: Transnational Formations.* New York: Palgrave Macmillan.
Kwarteng, Kwasi (2012) *Ghosts of Empire: Britain's Legacies in the Modern World.* London: Bloomsbury.
Lanfranchi, Giovanni B., Michael Roaf, and Robert Rollinger (eds.) (2003) *Conti-*

nuity of Empire (?): Assyria, Media, Persia. Padova: S.a.r.g.o.n. Editrice e Libreria.
Larsen, Mogens Trolle (ed.) (1979) *Power and Propaganda: A Symposium on Ancient Empires.* Copenhagen: Akademisk Forlag.
Le Goff, Jacques (1990) *Medieval Civilization 400–1500,* trans. Julia Barrow. Oxford: Blackwell Publishers〔ジャック・ル・ゴフ『中世西欧文明』桐村泰次訳, 論創社, 2007〕.
Le Rider, Jacques (1994) "Hugo von Hofmannsthal and the Austrian Idea of Central Europe." In Robertson and Timms (1994: 121–135).
Leigh, James (2005) "Ever Buoyant Roman Empire: Re-emerging Europe in Post-Globalization," *Globalization* 5(1): 1–21.
Lewis, Bernard (1958) *The Arabs in History.* London: Arrow Books〔バーナード・ルイス『アラブの歴史』新装版, 林武・山上元孝訳, みすず書房, 1985〕.
Lewis, Bernard (1962) "Ottoman Observers of Ottoman Decline," *Islamic Studies* 1: 71–87.
Lewis, Mark Edward (2007) *The Early Chinese Empires: Qin and Han.* Cambridge, MA: Harvard University Press.
Lewis, Mark Edward (2009) *China's Cosmopolitan Empire: The Tang Dynasty.* Cambridge, MA: Harvard University Press.
Liverani, Mario (1979) "The Ideology of the Assyrian Empire." In Larsen (1979: 297–317).
Livi-Bacci, Massimo (1992) *A Concise History of World Population,* trans. Carl Ipsen. Cambridge, MA: Blackwell〔マッシモ・リヴィ-バッチ『人口の世界史』速水融・斎藤修訳, 東洋経済新報社, 2014〕.
Llewellyn-Jones, Lloyd (2009) "The First Persian Empire." In Harrison (2009: 98–121).
Lockhart, J. G., and C. M. Woodhouse (1963) *Cecil Rhodes: The Colossus of Southern Africa.* New York: Macmillan.
Lonsdale, John (2014) "Kenya: Home County and African Frontier." In Bickers (2014: 74–111).
Lorcin, Patricia M. E. (2013) "Imperial Nostalgia: Differences of Theory, Similarities of Practice?" *Historical Reflections / Réflexions Historiques* 39(3): 97–111.
Lorimer, Douglas (2005) "From Victorian Values to White Virtues: Assimilation and Exclusion in British Racial Discourse, c. 1870–1914." In Buckner and Francis (2005: 109–134).
Louis, W. Roger (1998) "The European Colonial Empires." In Howard and Louis (1998: 91–102).
Louis, W. Roger, and Ronald Robinson (1994) "The Imperialism of Decoloniza-

tion," *Journal of Imperial and Commonwealth History* 22(3): 462-511.
Lowry, Donal (2014) "Rhodesia 1890-1980: 'The Lost Dominion.'" In Bickers (2014: 112-149).
Lüthy, Herbert (1961) "Colonization and the Making of Mankind," *Journal of Economic History* 21(4): 483-495.
Macartney, C. A. ([1937] 1965) *Hungary and Her Successors: The Treaty of Trianon and Its Consequences*. London: Oxford University Press.
Maier, Charles S. (2002) "Empires or Nations? 1918, 1945, 1989 . . .," in C. Levy and M. Roseman (eds.), *Three Postwar Eras in Comparison: Western Europe 1918-1945-1989*. Houndmills, UK: Macmillan, pp. 41-66.
Maier, Charles S. (2007) *Among Empires: American Ascendancy and Its Predecessors*. Cambridge, MA: Harvard University Press.
Malešević, Siniša (2019) *Grounded Nationalisms*. Cambridge University Press.
Malešević, Siniša, and Mark Haugaard (eds.) (2007) *Ernest Gellner and Contemporary Social Thought*. Cambridge University Press.
Manela, Erez (2009) *The Wilsonian Moment: Self-Determination and the International Origins of Anti-Colonial Nationalism*. New York: Oxford University Press.
Manley, Bill (2009) "The Empire of the New Kingdom." In Harrison (2009: 18-43).
Mann, Michael (1986) *The Sources of Social Power*, Vol. I: *A History of Power from the Beginning to A. D. 1760*. Cambridge University Press〔マイケル・マン『ソーシャルパワー：社会的な〈力〉の世界歴史 I　先史からヨーロッパ文明の形成へ』森本醇・君塚直隆訳，NTT 出版，2002〕.
Mann, Michael (2003) *Incoherent Empire*. London: Verso〔マイケル・マン『論理なき帝国』岡本至訳，NTT 出版，2004〕.
Mann, Michael (2005) *The Dark Side of Democracy: Explaining Ethnic Cleansing*. Cambridge University Press.
Mann, Michael (2008) "American Empires: Past and Present," *CRSA/RCSA* 45 (1): 7-50.
Marx, Karl, and Friedrich Engels (1963) *The German Ideology*, Parts I and III, ed. R. Pascal. New York: International Publishers〔マルクス，エンゲルス『ドイツ・イデオロギー』(新編輯版)廣松渉編訳，岩波文庫，2002〕.
Marx, Karl, and Friedrich Engels ([1848] 1977) "The Communist Manifesto," in David McLellan (ed.) *Karl Marx: Selected Writings*. Oxford University Press, pp. 221-247〔マルクス，エンゲルス『共産党宣言』〈マルクス・フォー・ビギナー 1〉，村田陽一訳，大月書店，2009〕.
Mazower, Mark (2009a) *No Enchanted Palace: The End of Empire and the Ideological Origins of the United Nations*. Princeton University Press〔マーク・マゾワー『国連と帝国——秩序をめぐる攻防の 20 世紀』池田年穂訳，慶應義

塾大学出版会，2015〕.
Mazower, Mark (2009b) *Hitler's Empire: Nazi Rule in Occupied Europe*. London: Penguin Books.
Mazower, Mark (2013) *Governing the World: The History of an Idea*. London: Penguin Books〔マーク・マゾワー『国際協調の先駆者たち――理想と現実の200年』依田卓巳訳，NTT出版，2015〕.
McCoy, Alfred W., and Francisco Scarano (eds.) (2009) *Colonial Crucible: Empire in the Making of the Modern American State*. Madison: University of Wisconsin Press.
McCoy, Alfred W., Josep M. Fradera, and Stephen Jacobson (eds.) (2012) *Endless Empire: Spain's Retreat, Europe's Eclipse, America's Decline*. Madison: University of Wisconsin Press.
McNeill, William H. (1991) *The Rise of the West: A History of the Human Community, with a Retrospective Essay*. University of Chicago Press.
McPherson, James M. (2013) "America's 'Wicked War,'" *New York Review of Books* February 7: 32–33.
Mieroop, Marc van de (2009) "The Empires of Assyria and Babylonia 900–539 BC." In Harrison (2009: 70–97).
Miller, Alexei, and Alfred J. Rieber (eds.) (2004) *Imperial Rule*. Budapest and New York: Central European University Press.
Miller, Tom (2017) *China's Asian Dream: Empire Building along the New Silk Road*. London: Zed Books〔トム・ミラー『中国の「一帯一路」構想の真相――海と陸の新シルクロード経済圏』田口未和訳，原書房，2018〕.
Miller-Melamed, Paul, and Claire Moreton (2019) "What the Habsburg Empire Got Right," *New York Times* September 10: A 19.
Millward, James A. (2019) "What Xi Jinping Hasn't Learned from China's Emperors," *New York Times* October 1: A 16.
Min, Tu-Ki (1989) *National Polity and Local Power: The Transformation of Late Imperial China*, ed. Philip A. Kuhn and Timothy Brook. Cambridge, MA: Harvard University Press.
Modi, Narendra (2019) "Why India and the World Need Gandhi," *New York Times* October 2: A 14.
Modood, Tariq (2019) *Essays on Secularism and Multiculturalism*. London and New York: Rowman and Littlefield.
Mommsen, Wolfgang J. (1982) *Theories of Imperialism*, trans. P. S. Falla. University of Chicago Press.
Mommsen, Wolfgang J., and Jürgen Osterhammel (eds.) (1986) *Imperialism and After: Continuities and Discontinuities*. London: Allen and Unwin.
Montaigne, Michel de ([1580] 1958) *Essays*, trans. J. M. Cohen. London: Penguin

Books〔ミシェル・ド・モンテーニュ『エセー』全7巻，宮下志朗訳，白水社，2005-2016〕.

Montesquieu, Baron de ([1748] 1962) *The Spirit of the Laws*, 2 vols., trans. Thomas Nugent. New York: Hafner Publishing Company〔モンテスキュー『法の精神』全3巻，野田良之ほか訳，岩波文庫，1989〕.

Moore-Gilbert, Bart (1997) *Postcolonial Theory: Contexts, Practices, Politics*. London: Verso.

Morkot, Robert (1996) *The Penguin Historical Atlas of Ancient Greece*. London: Penguin Books〔ロバート・モアコット『古代ギリシア〈地図で読む世界の歴史〉』桜井万里子監修，青木桃子・牧人舎訳，河出書房新社，1998〕.

Morkot, Robert (2001) "Egypt and Nubia." In Alcock et al. (2001: 227-251).

Morris, Ian (2010) "The Greater Athenian State." In Morris and Scheidel (2010: 99-177).

Morris, Ian, and Walter Scheidel (eds.) (2010) *The Dynamics of Ancient Empires: State Power from Assyria to Byzantium*. Oxford University Press.

Morrison, Alexander (2015) "The Russian Empire and the Soviet Union: Too Soon to Talk of Echoes?" In Nicolaïdis et al. (2015: 155-173).

Moses, A. Dirk (ed.) (2010) *Empire, Colony, Genocide: Conquest, Occupation, and Subaltern Resistance in World History*. New York and Oxford: Berghahn Books.

Mote, Frederick W. (1989) *Intellectual Foundations of China*, 2nd edition. New York: McGraw-Hill.

Mote, F. W. (2003) *Imperial China 900-1800*. Cambridge, MA: Harvard University Press.

Motyl, Alexander J. (1999) *Revolutions, Nations, Empires: Conceptual Limits and Theoretical Possibilities*. New York: Columbia University Press.

Motyl, Alexander J. (2001) *Imperial Ends: The Decay, Collapse, and Revival of Empires*. New York: Columbia University Press.

Mukhia, Harbans (2004) *The Mughals of India*. Oxford: Blackwell.

Muldoon, James (1999) *Empire and Order: The Concept of Empire, 800-1800*. Houndmills: Macmillan.

Münkler, Herfried (2007) *Empires: The Logic of World Domination from Ancient Rome to the United States*, trans. Patrick Camiller. Cambridge: Polity.

Murphy, Philip (2018) *The Empire's New Clothes: The Myth of the Commonwealth*. London: Hurst.

Naipaul, V. S. ([1967] 1985) *The Mimic Men*. New York: Vintage.

Neuberger, Benjamin (2006) "African Nationalism." In Delanty and Kumar (2006: 513-526).

Neumann, Iver B., and Einar Wigen (2015) "The Legacy of Eurasian Nomadic

Empires: Remnants of the Mongol Imperial Tradition." In Halperin and Palan (2015: 99-127).

Newitt, Malyn (2005) *A History of Portuguese Overseas Expansion, 1400-1668.* London: Routledge.

Nicolaïdis, Kalypso, Berny Sèbe, and Gabrielle Maas (eds.) (2015) *Echoes of Empire: Memory, Identity and Colonial Legacies.* London and New York: I. B. Tauris.

Nietzsche, Friedrich (1956) *The Birth of Tragedy and The Genealogy of Morals,* trans. Francis Golfing. New York: Doubleday〔ニーチェ『悲劇の誕生』改版，秋山英夫訳／『道徳の系譜』改版，木場深定訳，ともに岩波文庫，2010〕.

Nkrumah, Kwame (1965) *Neo-Colonialism: The Last Stage of Imperialism.* London: Nelson〔クワメ・エンクルマ『新植民地主義』〈エンクルマ選集 4〉，家正治・松井芳郎訳，理論社，1971〕.

Onar, Nora Fisher (2015) "Between Memory, History and Historiography: Contesting Ottoman Legacies in Turkey, 1923-2012." In Nicolaïdis et al. (2015: 141-154).

Osterhammel, Jürgen (2005) *Colonialism: A Theoretical Overview,* 2nd edition, trans. from the German by Shelley L. Frisch. Princeton, NJ: Markus Wiener Publishers〔ユルゲン・オースタハメル『植民地主義とは何か』石井良訳，論創社，2005〕.

Osterhammel, Jürgen (2014) *The Transformation of the World: A Global History of the Nineteenth Century,* trans. Patrick Camiller. Princeton University Press.

Owen, Roger, and Bob Sutcliffe (eds.) (1972) *Studies in the Theory of Imperialism.* London: Longman.

Pagden, Anthony (1993) *European Encounters with the New World.* New Haven, CT: Yale University Press.

Pagden, Anthony (1995) *Lords of All the World: Ideologies of Empire in Spain, Britain and France, c. 1500-c. 1800.* New Haven, CT: Yale University Press.

Pálffy, Géza (2001) "The Impact of Ottoman Rule on Hungary," *Hungarian Studies Review* 28(1-2): 109-132.

Parker, Geoffrey (2013) *Global Crisis: War, Climate Change, and Catastrophe in the Seventeenth Century.* New Haven, CT: Yale University Press.

Parry, J. H. (1990) *The Spanish Seaborne Empire.* Berkeley: University of California Press.

Parsons, Timothy H. (2010) *The Rule of Empires: Those Who Built Them, Those Who Endured Them, and Why They Always Fall.* Oxford University Press.

Pedersen, Susan (2015) *The Guardians: The League of Nations and the Crisis of Empire.* Oxford University Press.

Perdue, Peter C. (2005) *China Marches West: The Qing Conquest of Central Eur-*

asia. Cambridge, MA: Harvard University Press.
Perdue, Peter C. (2007) "Erasing the Empire, Re-racing the Nation: Racialism and Culturalism in Imperial China." In Stoler et al. (2007: 141-169).
Pitts, Jennifer (2018) *Boundaries of the International: Law and Empire*. Cambridge, MA: Harvard University Press.
Pollock, Sheldon (2004) "Axialism and Empire." In Arnason et al. (2004: 397-450).
Pomeranz, Kenneth (2000) *The Great Divergence: China, Europe, and the Making of the Modern World Economy*. Princeton University Press〔K. ポメランツ『大分岐——中国，ヨーロッパ，そして近代世界経済の形成』川北稔監訳，名古屋大学出版会，2015〕.
Ponzanesi, Sandra, and Gianmaria Colpani (eds.) (2016) *Postcolonial Transitions in Europe: Contexts, Practices and Politics*. London: Rowman and Littlefield.
Porter, Bernard (2004a) *The Lion's Share: A Short History of British Imperialism 1850-2004*, 4th edition. Harlow: Pearson-Longman.
Porter, Bernard (2004b) *The Absent-Minded Imperialists: Empire, Society, and Culture in Britain*. Oxford University Press.
Quinn, Frederick (2002) *The French Overseas Empire*. London and Westport, CT: Praeger.
Quinn, Josephine (2017) *In Search of the Phoenicians*. Princeton University Press.
Renan, Ernest ([1882] 2001) "What is a Nation?" In Vincent P. Pecora (ed.), *Nations and Identities: Classic Readings*. Malden, MA: Blackwell, pp. 162-176〔エルネスト・ルナン『国民とは何か』長谷川一年訳，講談社学術文庫，2022〕.
Reynolds, Michael A. (2011) *Shattering Empires: The Clash and Collapse of the Ottoman and Russian Empires 1908-1918*. Cambridge University Press.
Rich, Paul B. (1990) *Race and Empire in British Politics*, 2nd edition. Cambridge University Press.
Robertson, Richie, and Edward Timms (eds.) (1994) *The Habsburg Legacy: National Identity in Historical Legacy*. Edinburgh University Press.
Robinson, Francis (2007) *The Mughal Emperors, and the Islamic Dynasties of India, Iran and Central Asia, 1206-1925*. London: Thames and Hudson〔フランシス・ロビンソン『ムガル皇帝歴代誌——インド，イラン，中央アジアのイスラーム諸王国の興亡(1206-1925年)』月森左知訳，小名康之監修，創元社，2009〕.
Robinson, Ronald (1972) "Non-European Foundations of European Imperialism: Sketch for a Theory of Collaboration." In Owen and Sutcliffe (1972: 117-142).
Robinson, Ronald (1986) "The Excentric Idea of Imperialism, With or Without Empire." In Mommsen and Osterhammel (1986: 267-289).

Rochfort, Desmond (1998) *Mexican Muralists: Orozco, Rivera, Siqueiros*. San Francisco, CA: Chronicle Books.

Roshwald, Aviel (2001) *Ethnic Nationalism and the Fall of Empires: Central Europe, Russia and the Middle East, 1914–1923*. London and New York: Routledge.

Rothermund, Dietmar (2006) *The Routledge Companion to Decolonization*. London and New York: Routledge.

Rothermund, Dietmar (2013) *Empires in Indian History and Other Essays*. New Delhi: Manohar Publishers.

Rothermund, Dietmar (ed.) (2015) *Memories of Post-Imperial Nations: The Aftermath of Decolonization, 1945–2013*. Delhi: Cambridge University Press.

Rowe, William T. (2012) *China's Last Empire: The Great Qing*. Cambridge, MA: Harvard University Press.

Rusinow, Dennison (1996) "The Ottoman Legacy in Yugoslavia's Disintegration and Civil War." In Brown (1996: 79–99).

Said, Edward W. (1979) *Orientalism*. New York: Vintage Books〔エドワード・W. サイード『オリエンタリズム』今沢紀子訳，板垣雄三・杉田英明監修，平凡社ライブラリー，1993〕.

Said, Edward W. (1994) *Culture and Imperialism*. London: Vintage〔エドワード・W. サイード『文化と帝国主義』全 2 冊，大橋洋一訳，みすず書房，1998/2001〕.

Saverese, Eric (2015) "The Post-colonial Encounter in France." In Rothermund (2015: 76–96).

Scarisbrick, J. J. (1970) *Henry VIII*. Berkeley: University of California Press.

Schiffrin, Harold Z. (1971) "The Enigma of Sun Yat-Sen." In Wright (1971: 443–474).

Schimmel, Annemarie (2004) *The Empire of the Great Mughals: History, Art and Culture*, trans. Corinne Attwood. London: Reaktion Books.

Schivelbusch, Wolfgang (2004) *The Culture of Defeat: On National Trauma, Mourning, and Recovery*, trans. Jefferson Chase. London: Granta Books〔ヴォルフガング・シヴェルブシュ『敗北の文化――敗戦トラウマ・回復・再生』福本義憲・高本教之・白木和美訳，法政大学出版局，2007〕.

Schumpeter, Joseph ([1919] 1974) "The Sociology of Imperialisms," in *Imperialism and Social Classes: Two Essays*, trans. H. Norden. New York: Meridian Books, pp. 3–98〔シュンペーター『帝国主義と社会階級』都留重人訳，岩波書店，1956〕.

Schwartz, Benjamin I. (1985) *The World of Thought in Ancient China*. Cambridge, MA: Harvard University Press.

Schwarz, Bill (2013) *Memories of Empire*, Vol. I: *The White Man's World* (Oxford University Press).

Schwarz, Vera (1984) *The Chinese Enlightenment: Intellectuals and the Legacy of the May Fourth Movement of 1919*. Berkeley: University of California Press.
Seeley, J. R. ([1883] 1971) *The Expansion of England*. University of Chicago Press.
Sengupta, Indra (2013) "Monument Preservation and the Vexing Question of Religious Structures in Colonial India." In Swenson and Mandler (2013: 171-185).
Shawcross, Teresa (2016) "At Empire's End: Theories of Decline from Metochites to Ibn Khaldun." Paper given at the Shelby Cullom Davis Center for Historical Studies, Princeton University, February 12.
Shipway, Martin (2008) *Decolonization and Its Impact: A Comparative Approach to the End of the Colonial Empires*. Oxford: Blackwell.
Smith, Adam ([1776] 1910) *The Wealth of Nations*, 2 vols., ed. Edwin R. A. Seligman. London: J. M. Dent and Sons Ltd.〔アダム・スミス『国富論』全2冊, 高哲男訳, 講談社学術文庫, 2020〕.
Smith, Anthony D. (1986) *The Ethnic Origins of Nations*. Oxford: Basil Blackwell〔アントニー・D. スミス『ネイションとエスニシティ――歴史社会学的考察』巣山靖司・高城和義ほか訳, 名古屋大学出版会, 1999〕.
Smith, Anthony D. (2003) *Chosen Peoples: Sacred Sources of National Identity*. Oxford University Press〔アントニー・D. スミス『選ばれた民――ナショナル・アイデンティティ, 宗教, 歴史』一條都子訳, 青木書店, 2007〕.
Snyder, Timothy (2003) *The Reconstruction of Nations: Poland, Ukraine, Lithuania, Belarus, 1569-1999*. New Haven, CT: Yale University Press.
Snyder, Timothy (2010) *Bloodlands: Europe Between Hitler and Stalin*. New York: Basic Books〔ティモシー・スナイダー『ブラッドランド――ヒトラーとスターリン 大虐殺の真実』上・下, 布施由紀子訳, ちくま学芸文庫, 2022〕.
Spence, Jonathan D. (2013) *The Search for Modern China*, 3rd edition. New York: W. W. Norton and Company.
Spruyt, Hendrik (2001) "Empires and Imperialism." In Alexander J. Motyl (ed.), *Encyclopedia of Nationalism*, 2 vols. San Diego, CA: Academic Press, Vol. I: 237-249.
Spruyt, Hendrik (2005) *Ending Empire: Contested Sovereignty and Territorial Partition*. Ithaca, NY: Cornell University Press.
Stearns, Peter N., Michael Adas, Stuart B. Schwartz, and Marc Jason Gilbert (2015) *World Civilizations: The Global Experience*, 7th edition. Upper Saddle River, NJ: Pearson Education.
Steinmetz, George (2005) "Return to Empire: The New U. S. Imperialism in Comparative Historical Perspective," *Sociological Theory* 23(4): 339-367.
Stoler, Ann Laura, Carole McGranahan, and Peter C. Perdue (eds.) (2007) *Imperial Formations*. Sante Fe, NM: School for Advanced Research Press.
Strang, David (1991) "Global Patterns of Decolonization, 1500-1987," *Internation-*

al Studies Quarterly 35(4): 429–454.

Streets-Salter, Heather, and Trevor R. Getz (2016) *Empires and Colonies in the Modern World*. Oxford University Press.

Suskind, Ron (2004) “Without a Doubt,” *New York Times Magazine* October 17: 42–51.

Swenson, Astrid (2013) “The Heritage of Empire.” In Swenson and Mandler 2013: 3–28.

Swenson, Astrid, and Peter Mandler (eds.) (2013) *From Plunder to Preservation: Britain and the Heritage of Empire c. 1800–1940*. Oxford University Press.

Taylor, Alan (2016) *American Revolutions: A Continental History, 1750–1804*. New York: Norton.

Ther, Philipp (2004) “Imperial instead of National History: Positioning Modern German History on the Map of European Empires.” In Miller and Rieber (2004: 47–66).

Thesis Eleven (2016) “Nations on the Edge: Special Section on Ukraine,” no. 136: 49–106.

Thomas, Martin, Bob Moore, and L. J. Butler (2015) *Crises of Empire: Decolonization and Europe's Imperial States*, 2nd edition. London: Bloomsbury.

Thompson, Andrew (ed.) (2012) *Britain's Experience of Empire in the Twentieth Century*. Oxford University Press.

Thompson, Andrew S. (ed.) (2014) *Writing Imperial Histories*. Manchester University Press.

Thompson, J. K. J. (1998) *Decline in History: The European Experience*. Cambridge: Polity.

Todorov, Tzvetan (1992) *The Conquest of America: The Question of the Other*, trans. Richard Howard. New York: HarperPerennial〔ツヴェタン・トドロフ『他者の記号学——アメリカ大陸の征服』新装版，及川馥・大谷尚文・菊地良夫訳，法政大学出版局，2014〕.

Todorova, Maria (1996) “The Ottoman Legacy in the Balkans.” In Brown (1996: 45–77).

Tully, James (2009) “Lineages of Contemporary Imperialism.” In Kelly (2009: 3–29).

Turner, Frederick Jackson ([1920] 1962) *The Frontier in American History*. New York: Holt, Rinehart, and Winston〔F. J. ターナー『アメリカ史における辺境（フロンティア）』松本政治・嶋忠正訳，北星堂書店，1973〕.

Ullmann, Walter (1979) “‘This Realm of England is an Empire,’” *Journal of Ecclesiastical History* 30(2): 175–203.

Uribe-Uran, Victor (2006) “The Great Transformation of Law and Legal Culture: ‘The Public’ and ‘The Private’ in the Transition from Empire to Nation in

Mexico, Colombia, and Brazil, 1750–1850." In Esherick et al. (2006: 68–105).
Valluvan, Sivamohan (2019) *The Clamour of Nationalism: Race and Nation in Twenty-First-Century Britain.* Manchester University Press.
Van Young, Eric (2006) "The Limits of Atlantic-World Nationalism in a Revolutionary Age: Imagined Communities and Lived Communities in Mexico, 1810–1821." In Esherick et al. (2006: 35–67).
Voegelin, Eric (1962) "World-Empire and the Unity of Mankind,"*International Affairs* 38(2): 170–188.
Walker, Edward W. (2006) "The Long Road from Empire: Legacies of Nation Building in the Soviet Successor States." In Esherick et al. (2006: 299–339).
Wang Hui (2014) *China from Empire to Nation-State,* trans. Michael Gibbs Hill. Cambridge, MA: Harvard University Press.
Ward, Stuart (ed.) (2001) *British Culture and the End of Empire.* Manchester University Press.
Ward, Stuart (2016) "The European Provenance of Decolonization," *Past and Present* 230(1): 227–260.
Washbrook, David (2014) "Avatars of Identity: The British Community in India." In Bickers (2014: 178–204).
Weber, Eugen (1976) *Peasants into Frenchmen: The Modernization of Rural France, 1870–1914.* Stanford University Press.
Weber, Max (1978) *Economy and Society,* 2 vols., ed. Guenther Roth and Claus Wittich. Berkeley: University of California Press〔マックス・ウェーバー『経済と社会』全7冊，世良晃志郎ほか訳，創文社，1960–76〕.
Weeks, Theodore R. (2001) "Russification and the Lithuanians, 1863–1905," *Slavic Review* 60(1): 96–114.
Weitz, Eric D. (2019) *A World Divided: The Global Struggle for Human Rights in the Age of Nation-States.* Princeton University Press.
Wesseling, H. L. (1980) "Post-Imperial Holland," *Journal of Contemporary History* 15(1): 125–142.
Wheatcroft, Andrew (1996) *The Habsburgs: Embodying Empire.* London: Penguin Books〔アンドリュー・ウィートクロフツ『ハプスブルク家の皇帝たち——帝国の体現者』瀬原義生訳，文理閣，2009〕.
Whittaker, C. R. (1978) "Carthaginian Imperialism in the Fifth and Fourth Centuries." In Garnsey and Whittaker (1978: 59–90).
Wiesehöfer, Josef (2003) "The Medes and the Idea of the Succession of Empires in Antiquity." In Lanfranchi et al. (2003: 391–396).
Wiesehöfer, Josef (2010) "The Achaemenid Empire." In Morris and Scheidel (2010: 66–98).
Wilkinson, Endymion (2012) *Chinese History: A New Manual.* Cambridge, MA:

Harvard University Press.
Williams, William Appleman (1969) *The Roots of the Modern American Empire.* New York: Random House.
Wilson, Peter H. (2016) *Heart of Europe: A History of the Holy Roman Empire.* Cambridge, MA: Harvard University Press.
Wolfe, Patrick (2006) "Settler Colonialism and the Elimination of the Native," *Journal of Genocide Research* 8(4): 387–409.
Wright, Mary Clabaugh (ed.) (1971) *China in Revolution: The First Phase, 1900–1913.* New Haven, CT: Yale University Press.
Young, Crawford (2001) "Nationalism and Ethnic Conflict in Africa," in Montserrat Guibernau and John Hutchinson (eds.), *Understanding Nationalism.* Cambridge: Polity, pp. 164–81.
Young, Ernest P. (1971) "Yuan Shih-k'ai's Rise to the Presidency." In Wright (1971: 419–42).
Young, Robert J. C. (2001) *Postcolonialism: An Historical Introduction.* Oxford: Blackwell〔ロバート・J. C. ヤング『ポストコロニアリズム(1冊でわかる)』本橋哲也訳，岩波書店，2005〕.
Young, Robert J. C. (2015) *Empire, Colony, Postcolony.* Malden, MA, and Oxford: Wiley-Blackwell.
Zhao, Dingxin (2015) *The Confucian-Legalist State: A New Theory of Chinese History.* Oxford University Press.
Zhao, Gang (2006) "Reinventing China: Imperial Qing Ideology and the Rise of Modern Chinese National Identity in the Early Twentieth Century," *Modern China* 32(1): 3–30.
Zielonka, Jan (2007) *Europe as Empire: The Nature of the Enlarged European Union.* Oxford University Press.

立石博高
1951年生．東京外国語大学名誉教授．1980年東京都立大学大学院人文科学研究科博士課程中退．スペイン史．著書に『歴史のなかのカタルーニャ――史実化していく「神話」の背景』『フェリペ2世――スペイン帝国のカトリック王』(以上，山川出版社，2020)，編著に『概説 近代スペイン文化史――18世紀から現代まで』(ミネルヴァ書房，2015)，訳書に『歴史ができるまで――トランスナショナル・ヒストリーの方法』(J. H. エリオット著，竹下和亮と共訳，岩波現代全書，2017)など．

竹下和亮
1972年生．東京外国語大学国際日本研究センター特任研究員．同大学大学院地域文化研究科博士課程修了．フランス史．著書に『「身分」を交差させる――日本とフランスの近世』(高澤紀恵／ギヨーム・カレ編，分担執筆，東京大学出版会，2023)，訳書に『スペインの歴史――スペイン高校歴史教科書』(共訳，明石書店，2014)など．

クリシャン・クマー(Krishan Kumar)
1942年，英領トリニダード・トバゴ生．1951年からイギリスに暮らす．1964年ケンブリッジ大学セント・ジョンズ・カレッジ卒業(歴史学)，大学院はロンドン・スクール・オブ・エコノミクスで政治社会学を専攻．1967年からケント大学で教壇に立ち，1977年同大学から社会学の博士号を取得．1996年から米ヴァージニア大学(社会学)教授．著作多数(訳者あとがき参照)．

帝国 その世界史的考察　　クリシャン・クマー

2024年3月8日　第1刷発行

訳　者　立石博高（たていしひろたか）　竹下和亮（たけしたかずあき）

発行者　坂本政謙

発行所　株式会社 岩波書店
〒101-8002 東京都千代田区一ツ橋 2-5-5
電話案内 03-5210-4000
https://www.iwanami.co.jp/

印刷・三秀舎　製本・松岳社

ISBN 978-4-00-024067-3　　Printed in Japan